文史哲學集成

李致洙著

陸游詩研究

文史哲出版社印行

國立中央圖書館出版品預行編目資料

陸游詩研究 / 李致洙著. -- 初版. -- 臺北市
: 文史哲, 民80印刷
面； 公分. -- (文史哲學集成; 236)
參考書目: 面
ISBN 957-547-069-9 (平裝)

1. (宋)陸游 - 學識 - 中國詩 2. (宋)陸游 - 作品集 - 批評, 解釋等

851.4523 80003399

㉓⑥ 文史哲學集成

陸游詩研究

著者：李致洙
出版者：文史哲出版社
登記證字號：行政院新聞局局版臺業字〇七五五號
發行所：文史哲出版社
印刷者：文史哲出版社
台北市羅斯福路一段七十二巷四號
郵撥〇五一二八八一二彭正雄帳戶
電話：三五一一〇二八
實價新台幣五〇〇元
中華民國八十年九月初版

ISBN 957-547-069-9

序

張健

陸游是大家公認的南宋大詩人。清代乾隆十五年（西元一七五〇年）御定的《唐宋詩醇》，一共只選六位詩人的作品，其中宋代的兩位，除了蘇軾，便是陸游。此書中陸游入選六卷，比韓愈的五卷還多。足見陸游在我國文學史上的地位。

陸游詩原有一萬多首，現存九千多首，是清代以前的詩人中流傳作品最多的一位。有史以來，還沒有一位學者曾把它作一全面性的研究。我自己雖在十多年前寫過一本《陸游》（河洛版），但也沒有能夠把九千多首詩全部細讀一遍。這一直是中文學界的遺憾之一。想不到這個缺憾，竟由一位來自韓國的年輕學者彌補了。

李致洙先生是在十一年前負笈到臺灣大學中文研究所來進修的。其實在此之前，他已在韓國大學中獲得文學碩士學位。他的碩士論文便是一本薄薄的《陸游詩研究》，用韓文寫成的。我們台大中文所的同人，在大致審閱那本論文後，認為它過分簡略；所以要求他重新由碩士班讀起。他答應了。從此他便成為全心探索中國古典文學的信徒。碩士班三年中，在我的指導下，他完成了十多萬字的《陳後山詩研究》；已可看出他的大幅度進步。又經過八年的苦學深思，終於排除萬難，撰就了這部二十五萬字以上的《陸游詩研究》。又在我和四位口試委員黃啟方、陳滿銘、方瑜、黃景進教授的指點下，作了三次以上的修改補充；成績獲得大家的肯定。所以我決定向文史哲出版社的彭先生推薦出版。

李君為人篤厚木訥，是書呆子，也是頗具古風的君子人。他為學的勤奮，在我所教過的學生裡，是很少能超過的。他在韓國大學中已擔任助教授多年，現更生任系主任；其教學的認眞，也是罕有人匹的。這本書由陸游詩的內容、形式、技巧到缺點，都有深入淺出的探析。對於研究宋詩的學者或一般愛好古典詩的讀者，都應該有一定程度的貢獻。希望李君將來能更上層樓，成為韓國第一流的漢學家。

七十九年夏於台大中文研究所

陸游詩研究　目次

第一章　陸游詩的背景

第一節　時代背景

宋太祖趙匡胤於公元九六〇年結束五代十國紛亂割據的局面而統一中國後，宋朝有三百多年之歷史，在文、史、哲、藝等各方面都有輝煌的成就，造成中國文化史上的文藝復興時代。但在政治上卻常面臨外族的侵略，如遼、西夏、金、蒙古等，而卒為蒙古所覆滅。究其因，乃可說太祖以後迄於南宋，宋朝所採取的過度中央集權與重文輕武政策導致國防力之弱化。太祖有鑑於唐末五代以來藩鎮割據與武人亂政的弊端，就集權中央，削弱地方政府權力；提倡文人政治，嚴禁武人干政。而對外政策，從北宋建立以來，一貫是以懷柔與妥協為基本方針，主要取守勢。太宗繼位，攻取北漢，而其後連敗於高梁河、瓦橋關、岐溝關之戰役。此事可能使以後的皇帝，對於北伐、收復舊土，格外慎重，耽於苟安。

眞宗景德元年（一〇〇四年），遼大舉入侵，宋與遼訂立屈辱的和約，每年送遼絹二十萬匹、銀十萬兩，仁宗慶曆年間，西夏不斷入侵西北，也給銀七萬二千兩、絹十五萬三千匹、茶三萬斤才訂立和約。但遼、西夏二國的侵入，並未威脅宋朝的命運，宋朝每次都以獻幣增絹了事，仍謳繁榮。工商發達，都市急速發展，孟元老《東京夢華錄序》有一段很概括的說法：

> 舉目則青樓畫閣，繡戶珠簾，雕車競駐於天街，寶馬爭馳於御路，金翠耀目，羅綺飄香。新聲巧笑於柳陌花衢，按管調絃於茶坊酒肆。八荒爭湊，萬國咸通。集四海之珍奇，皆歸市易；會寰區之異味，悉在庖廚。花光滿路，何限春遊；簫鼓喧空，幾家夜宴。伎巧則驚人耳目，侈奢則長人精神。

但與此同時，宋朝內部的危機四伏，越來越嚴重。官僚階層腐敗，少數大地主與商人兼并土地，尤其巨額軍費與對遼和西夏的歲幣增加了老百姓的負擔。老百姓的生活，日益貧困，各地起了農民暴動。在朝廷中，王安石提倡變法後，就展開新舊黨之間的爭權鬥爭。徽宗重用蔡京、童貫，政事日益不振。此時國際情勢日趨劇變，政和五年（一一一五），女眞族建金國，宋聯金夾攻遼，而宋師屢敗。宣和七年（一一二五）二月，遼終亡於金，十月，金兵分二路南侵，徽宗禪位給太子，是為欽宗。欽宗即位，改元靖康，以主戰派的李綱為相，但勤王兵敗績，金兵圍攻汴京，乃割太原等地求和。金再度南侵，京城失陷，翌年四月（一一二七），徽、欽二帝以及皇后、太子、親王、妃嬪、宗室及諸臣等三千餘人，為金人俘虜北去，北宋遂亡。

欽宗弟康王構即位於南京（河南商邱），是為南宋高宗。高宗初用抗戰派人物，如李綱、宗澤，不久就罷李，排宗，代以主和派的黃潛善、汪伯彥。高宗曾說：「講和之策，斷自朕志。」（《宋史新編》卷十），只求苟安，保全皇位。尤其紹興八年（一一三八）主和派秦檜當權為相，朝廷的主和政策已定，在朝廷上主和派佔優勢，迫害主戰派人物，貶胡銓，害岳飛。紹興十一年（一一四一）宋金和議成。宋向金奉表稱臣，割唐（河南沁陽）、鄭（河南鄭縣）兩州及商（陝西商縣）、秦（甘肅天水）之半與金，歲貢銀絹各二十五萬，東以淮水，西以大散關為界。紹興三十一年（一一六一）九月，金主完顏亮率大軍南侵，不久，金統治集團內部爆發政變，亮被手下所殺，金兵渡淮北退。明年，高宗傳位孝宗。

孝宗即位，改元隆興，銳意恢復，起用抗戰派老將張浚為江淮宣撫使，籌劃北伐事宜，南宋政府一時又彌漫抗戰氣氛。五月，張浚遣李顯忠、邵宏淵率師攻金。然於符離（江蘇宿縣北）一戰，大敗於金軍。抗戰失利，主和派又抬頭，孝宗下詔罪已，罷免張浚，正式與金人講和，簽訂「隆興和議」（隆興二年，一一六四），宋不復對金稱臣，改以叔父之禮事金主。此後，宋金雙方不交兵者四十餘年。然孝宗淳熙之際，內無良吏，田里怨咨；外無名將，邊陲危急。而廉恥道喪，風俗益媮，政風紊亂，貪官污吏比比皆是。尤其追道學議起，朋黨之論復熾。

淳熙十六年（一一八九）二月，孝宗把皇位傳給太子，光宗即位。光宗紹熙五年（一一九四），孝宗崩，光宗未往執喪禮，議論邃起。知樞密院事兼參知政事趙汝愚與知閤門事韓侂冑合作，取得太皇太后的詔令，強迫光宗退位，擁寧宗即位。韓侂胄得到寧宗與韓后的信任，把趙汝愚貶斥出外，獨攬朝政。慶元二年（一一九六）韓侂胄提出僞學之禁，明年，更指明僞學之黨轉為逆黨，歷史上稱為「慶元黨禁」。韓為相後，以主戰為號召擴張其勢力。以前被貶出的主戰派人士全部被解禁。嘉泰四年（一二〇四）韓決心伐金，開禧二年（一二〇六）遂出兵攻金，然落得大敗而回。結果，明年十一月，史彌遠誅殺韓，與金締第四次和約。以後宋朝，史彌遠、賈似道專擅國政，國勢日益衰微，終於一二七九年亡於蒙古。

陸游出生於北宋亡之前二年，一生經過徽宗、欽宗、高宗、孝宗、光宗、寧宗六朝，他死後過七十年，南宋覆滅。他在世的時期當於南宋初、中期，對外，與金反覆和戰；對內，主和、主戰派激烈對立。他一生雖然多次遭到打擊、誣陷和迫害，但殺敵報國的決心始終不變。他的作品是時代的產物。

第二節　詩壇概況

欲知南宋詩風的遞變，先請從北宋詩壇說起。

一部宋詩史，一言以概括之，乃是不斷與晚唐詩鬥爭，追求新世界的歷史。宋初的詩壇仍繼承晚唐詩的遺風，所謂西崑體、晚唐體、白體，均屬於此。宋太祖統一天下後，政局安定，就有一些人出現，提倡道統、文統來鞏固新國家的根基，在詩歌方面，興起了詩歌革新運動，王禹偁、歐陽修、梅堯臣、蘇舜欽等就是此一運動的代表詩人。接著王安石與蘇軾繼承此新風格，而且更加發揚光大，尤其至黃庭堅，宋詩，誠如嚴羽《滄浪詩話》所云，才能完全擺脫唐風，成就其獨特風貌。一般文學史及論詩家所講宋詩特色，至此大抵完成。嗣後，詩壇上就產生學黃詩的流派，即所謂江西詩派。

江西詩派在南渡後，仍保持相當大的勢力，其影響直至終宋之世，朱彝尊在〈重鋟裘司直詩集序〉中說：「宋自汴梁南渡，學詩者多以黃魯直為師。……終宋之世，詩集流傳於今，惟江西最盛」。不過，由北宋至南宋，其社會情況由昇平變為混亂，詩壇上也漸起對江西詩派的批判。派外人已有鑑於江西末流未能深切把握黃庭堅創作的要旨，只一味地泥於技巧的雕琢之弊，指責說：「然近時學其（山谷）詩者，或未得其妙處，每有所作，必使聲韻拗捩，詞語艱澀，曰江西格，此何為哉」（陳巖肖《庚溪詩話》）；連首倡江西宗派的呂本中也不滿，說：「近世江西之學者，雖左規右矩，不遺餘力，而往往不知出此，故百尺竿頭，不能更進一步，亦失山谷之旨也」（註一）。因此，南北宋相交之際的江西派名家，如呂本中、曾幾、陳與義等都對江西詩風有所改變以及修正。不僅如此，從江西派入而不從江西派出，另找門路，是一些南宋詩人的共通經驗，例如，陸游從曾幾學詩，私淑呂本中詩，接觸江西詩格，而後來悟出「詩家三昧」，終樹立自己獨特風貌；楊萬里所作江西體詩千餘篇，至紹興末全部燒掉；姜夔也初學江西派詩，而後來放棄，說：「三薰三沐師黃太史氏，居數年，一語噤不敢吐，始大悟學即病，顧不若無所學之為得，雖黃詩亦偃然高閣矣」（〈白石道人詩集自序〉）。他們之後，詩壇上出現提倡晚唐體，更激烈抨擊江西派的詩人們，此後的南宋詩壇就形成江西派與晚唐體作家相對立的局面。陸游當時已有這種現象，他就處於江西詩漸衰、晚唐詩漸盛的轉變期。南宋後期詩人中，有不少人目睹江西末流之弊以及為救此弊而起的晚唐體作家偏於一端之失，不得不另找出路，他們就以陸游詩作典範來學習。從此，可看出陸詩對南宋後期詩壇之影響，同時，要了解南宋詩學之遞變，就有研究陸詩之必要。

陸游詩獲得獨特成就，究其因，最主要的是，一則由於他生長在異民族侵略的動亂時代，一則，出生於形成與唐詩不同面貌的江西詩派出現之後，一面可接觸江西派獨特的創作理論與實際成就，一面，因為他做為學習對象的，都是江西派中改革派、修正派，就可避免江西末流易趨的弊病。因此，後人不能忽視詩壇情況對陸詩的影響。

第三節　陸游的生平

有關陸游生平之論著，始自《宋史》卷三九五本傳，至清代出現兩種年譜，始具大體，一是趙翼的「陸放翁年譜」，二是錢大昕的「陸放翁先生年譜」；逮及民國以後，對陸游之研究，引起更多人的關心，獲得可觀的成就，在研究陸游生平方面，較有成就的，則有朱東潤《陸游傳》、歐小牧《陸游年譜》、劉維崇《陸游評傳》、于北山《陸游年譜》、張健《陸游》等。要深刻了解陸游詩，就有綜觀其生平之必要，故於下面，參酌諸家研究成果，概述陸游的生平。

北宋徽宗宣和七年（一一二五）、一歲

十月十七日生於淮河上舟中。就在陸游出生的前十天，金人侵略宋朝的計劃已醞釀成熟。陸游的祖先，本以務農為業，直至高祖軫，宋眞宗大中祥符年間舉進士，始入仕途。高祖終於吏部郎中。曾祖珪，官國子博士。祖父佃，徽宗時官至尚書中丞。父宰，官朝請大夫，直秘閣。在北宋末年曾任淮南路轉運副使，前往京師開封，至淮河時，陸游就出生於船上。陸游出身於書香世家，祖父與父親，都有學術著作，祖父尤長於七言近體，父親也能詩。陸游擅長七律，或亦本自家學。父親還是當時一個著名的藏書家，亦為具有愛國思想的知識分子，南渡後，交遊的多屬主戰派人物，給予後來陸游的愛國思想很大影響。陸游的祖先，自高祖起世奉道教，陸游的求仙服食就來自家學淵源。陸游，字務觀，一號九曲老樵，五十二歲後號放翁。

欽宗靖康元年（一一二六）、二歲

一家為避戰亂，先遷滎陽，再南遷壽春。年底金兵攻陷開封。

南宋高宗建炎元年（一一二七）、三歲

由壽春回故鄉山陰。北宋覆滅。

建炎四年（一一三〇）、六歲

一家為避兵亂，遷居浙江東陽。

紹興三年（一一三三）、九歲

自東陽回山陰。

紹興十年（一一四〇）、十六歲

赴行在臨安應進士試，未第，試後還鄉。

紹興十二年（一一四二）、十八歲

認識南宋初期的名詩人曾幾，從他學詩。

紹興十三年（一一四三）、十九歲

由山陰到臨安應試，未第，試後返故廬。

紹興十四年（一一四四）、二十歲

與表妹唐琬結婚。

紹興十六年（一一四六）、二十二歲

與唐氏仳離。

紹興十七年（一一四七）、二十三歲

續娶王氏（據歐譜）。

紹興十八年（一一四八）、二十四歲

六月，父親卒，年六十一。

紹興二十三年（一一五三）、二十九歲

赴臨安，應進士科，考取第一。

紹興二十四年（一一五四）、三十歲

參加禮部複試，但因秦檜的孫子秦塤，檜有意提拔，又因陸游「喜論恢復」、「語觸秦檜」，竟遭落榜（據于譜）。試後回山陰，練習劍術，研鑽兵法，準備抗金建功。

紹興二十八年（一一五八）、三十四歲

被任為福州寧德縣主簿，初入仕途（據于譜）。

紹興三十年（一一六〇）、三十六歲

正月，被召到中央，任敕令所刪定官。

紹興三十一年（一一六一）、三十七歲

任大理司直兼宗正簿。十月，罷職還鄉。冬，再入都為史官（據于譜）。

紹興三十二年（一一六二）、三十八歲

孝宗即位，召見陸游，以他的「力學有聞，言論剴切」，特賜進士出身，並任樞密院編修官兼編類聖政所檢討官（《宋史》本傳）。提出很多有關用人行政的建議，希望執政者能夠採納施行，勵精圖治。

孝宗隆興元年（一一六三）、三十九歲

當時朝廷上瀰漫著北伐的空氣。他便負責起草聯絡西夏與對淪陷地區官吏將帥的文件，現在他的文集中有〈代二府與夏國主書〉、〈蠟彈省劄〉兩篇。（註二）四月，北伐開始，但因北伐軍內部衝突，於符離一役，宋軍大敗，抗戰失利，朝廷上主和派又抬頭，陸游上書左、右丞相，建議乘和約未定之前以建康與臨安並作臨時京城，積極從事收復中原的準備（據于譜）。他又舉發孝宗的親信龍大淵與曾覿的操縱政治、植黨營私，引起孝宗的厭惡，便被調往鎮江任通判。

隆興二年（一一六四）、四十歲

二月，來到鎮江上任。八月，張浚去世（據于譜），陸游有詩〈送王景文〉，說：「張公遂如此，海內共悲辛。逆虜猶遺種，皇天奪老臣」（註三），表露萬分悲傷。宋與金人議和，簽訂「隆興和議」。

乾道元年（一一六五）、四十一歲

七月，改任江西隆興通判。

乾道二年（一一六六）、四十二歲

因他曾支持張浚用兵，受到彈劾，以「交結台諫，鼓唱是非，力說張浚用兵」（《宋史》本傳）的罪名，被免職，初夏歸鄉，居鏡湖邊三山。五月，曾幾卒，年八十三。

乾道五年（一一六九）、四十五歲

十二月，被任夔州通判，但因為久病不能就道。

乾道六年（一一七〇）、四十六歲

閏五月十八日由山陰動身，於十月二十七日，到達夔州。

乾道八年（一一七二）、四十八歲

三年任滿後，受到四川宣撫使王炎的邀請，在幕府中任幹辦公事之職。在南鄭，他過了一段一生中最為意氣風發的時期，他參加各種軍事行動，向王炎提出經略中原之策。豐富生活經歷使詩人心胸豁然開朗，領悟「詩家三昧」，創造出具有個人獨特風格的作品。但是，他對收復中原所提出的許多意見，不被採納，加之，王炎旋被召還都，他也改任成都府安撫司參議官，十一月，離開南鄭，赴成都。

乾道九年（一一七三）、四十九歲

春天，權蜀州通判，不久，暫還成都，夏天（據于譜），攝嘉州事。在任中，刻唐岑參遺詩。

淳熙元年（一一七四）、五十歲

春天，離開嘉州，返回蜀州。夏，到成都去，旋返蜀州。冬天（據于譜），攝榮州事。

淳熙二年（一一七五）、五十一歲

范成大調任四川制置使，邀請陸游做參議官，他們以文字之交，不拘形跡，飲酒賦詩，互相唱和；但對收復中原，他們所採取的立場不甚一致，這使陸游感到不滿。

淳熙三年（一一七六）、五十二歲

春末，因病解職（據歐譜）。人譏其「不拘禮法」、「燕飲頹放」，他就索性自號為「放翁」（《宋史》本傳），對那些譏議，表示不屈服，從此事，可看出陸游堅強不屈的個性。

淳熙四年（一一七七）、五十三歲

范成大奉命回朝廷，陸游送至眉州，有詩〈送范舍人還朝〉（註四）說：「公歸上前勉畫策，先取關中次河北」，勉勵范成大回朝廷後，不要忘記在皇帝面前進陳恢復之策，從「先取關中次河北」句，可看出陸游北伐的具體主張。

淳熙五年（一一七八）、五十四歲

秋天，回到臨安，被派任江西做地方官（提舉福建路常平茶鹽公事）。冬，赴建安任。

淳熙六年（一一七九）、五十五歲

秋晚，離任。十二月，轉任提舉江南西路常平茶鹽公事，至撫州。

淳熙七年（一一八〇）、五十六歲

五月，撫州水災，奏發粟賑民，為趙汝愚所彈劾（《宋史》本傳），被免職，還鄉。從這時起，到淳熙十二年，一直在山陰閑居六年。

淳熙十三年（一一八六）、六十二歲

春，再被起用為嚴州知事，赴行在朝見孝宗，孝宗對他說：「嚴陵山水勝處，職事之暇，可以賦詠自適」（《宋史》本傳），完全把他當做一個風雅詩人看待，然而這並非陸游的本心。陸游不滿世人不識杜甫的凜凜忠孝，只推崇他的詩歌造詣，自己也頗不甘心於只做個詩人，而孝宗竟這樣說，從此可看出當時的執政者把滿腹恢復抱負的陸游怎樣看待，他的壯志未酬亦有其所以然。

淳熙十四年（一一八七）、六十三歲

在嚴州，刻自撰詩稿二十卷，命名為《劍南詩稿》，是為了紀念四川時期。

淳熙十五年（一一八八）、六十四歲

任滿返回家鄉，不久，由於周必大的推薦，又被召回臨安，任軍器少監。

淳熙十六年（一一八九）、六十五歲

二月，孝宗把皇位傳給太子，自己退位做太上皇。陸游除禮部郎中。七月，兼實錄院檢討官。十一月，為諫議大夫何澹以「嘲詠風月」等罪名所彈劾，被免職，回山陰。這是由於他一貫堅持抗金，並把這些意見寫進詩歌，受到主和派的忌恨所致。

光宗紹熙元年（一一九〇）、六十六歲

他回山陰後，為了表示不滿與抗爭，就把自己的書室命名為「風月軒」。他與自號放翁事同樣，一再表示自己堅強不屈的個性。從本年到寧宗嘉泰元年（一二〇一），這十二年中，一直住在山陰，過著田園生活，這段時期的閑居生活，除了參加一些輕微的農事耕種與替村民治病外，有空就在家裡看書、寫詩。他把自己讀書的心得，寫成《老學庵筆記》十卷。這時期他寫了大量反映農民生活，描寫農村風光的詩。還寫不少愛國詩篇，因壯志未酬，感慨萬千。在陸游罷職家居的這段時期中，也就是紹熙五年（一一九四），南宋朝廷發生政變。光宗與孝宗相處得不和，六月，孝宗去世，而光宗竟假稱有病，不肯執行喪禮，知樞密院事兼參知政事趙汝愚與知閤門事韓侂胄便合作，商得太皇太后的同意，強迫光宗退位，立寧宗。政變完成以後，慶元元年（一一九五），韓侂胄把趙汝愚貶斥出外，掌握政權，慶元二年（一一九六）韓侂胄提出僞學之禁，三年（一一九七），更指明僞學之黨轉為逆黨，歷史上稱為「慶元黨禁」。陸游不在其列中，慶元六年（一二〇〇），陸游為韓侂胄寫〈南園記〉，當時頗受譏議（見《宋史》本傳）。但是從這篇與嘉泰三年所作〈閱古泉記〉中，都看不出有阿諛逢迎之詞，所謂譏議，都是對陸游的誤解。

寧宗嘉泰二年（一二〇二）、七十八歲

五月（據于譜），被任為實錄院同修撰，兼同修國史，赴臨安，參加修撰孝宗、光宗兩朝實錄及三朝史的工作。十二月，任祕書監。僞學之禁漸弛。

嘉泰三年（一二〇三）、七十九歲

正月，任寶謨閣待制。四月，史書告成，隨即請求還鄉，五月，返鄉。

開禧二年（一二〇六）、八十二歲

子遹編《劍南詩續稿》，成四十八卷。

開禧三年（一二〇七）、八十三歲

封渭南伯。韓侂胄被殺。

嘉定元年（一二〇八）、八十四歲

宋金訂立和議。

嘉定二年（一二〇九）、八十五歲

立秋時候，得膈上疾後，身體更加壞下去，終卒於十二月二十九日（西元一二一〇年一月二十六日）。（註五）臨終時，寫下〈示兒〉一詩：「死去元知萬事空，但悲不見九州同。王師北定中原日，家祭無忘告乃翁」（註六），具見憂國忠情至死不渝。

陸游的現存著作有《渭南文集》五十卷、《劍南詩稿》八十五卷、《逸稿》二卷、《續添》一卷、《南唐書》十八卷、《老學庵筆記》十卷等。

陸游在詞方面也堪稱名家，劉克莊《後村詩話》說，「放翁長短句，……其激昂感慨者，稼軒不能過；飄逸高妙者，與陳簡齋、朱希眞相頡頏；流麗密者，欲出晏叔原、賀方回之上。」（《後村先生大全集》〈詩話續集〉）；馮煦也說，「劍南屏除纖艷，獨往獨來，其逋峭沉鬱之概，求之有宋諸家，無可方比。」（《宋六十一家詞選》例言）其存詞一百三十首，題材較廣泛，有抒發愛國壯志者（如〈訴衷情〉），有表現閑逸情趣者（如〈漁家傲〉），有寫遊仙學道者（如〈好事近〉），尤其是〈卜算子〉與〈釵頭鳳〉是感人至深、膾炙人口的名作。陸詞的風格也多樣，兼有豪放、婉約兩派的特色，而終獨具一格。

在散文方面，陸游也是名家，主要作品有〈南唐書〉、〈入蜀記〉、〈老學庵筆記〉、以及《渭南文集》所載其他文章，包括政論、史傳、遊記、書信、序跋等，衆體齊備，內容相當廣泛。論詩文之學，有〈上執政書〉、〈上辛給事書〉、〈答陸伯政上舍書〉等；論時事，有〈上二府論事劄子〉等；描寫閑適生活，有〈東籬記〉、〈居室記〉；〈南唐書〉記載五代南唐的歷史；〈入蜀記〉是遊記散文，描述山川名勝、風土人情；〈老學庵筆記〉大抵記生活瑣事與軼事舊聞，以上這些作品都呈現陸游散文語言平易、文筆精煉、結構嚴整的特色。如上面所述，陸游不僅在詩方面，詞和散文上也有頗高的成就。

【附　註】

註　一　〈與曾吉甫論詩第二帖〉，見胡仔《苕溪漁隱叢話》前集卷四十九，頁三三三。

註　二　各見《渭南文集》（以下簡稱《文集》）卷三，頁一四；卷十三，頁五。

註　三　《劍南詩稿》（以下簡稱《詩稿》）卷一，頁一三。

註　四　《詩稿》卷八，頁一三一。

註　五　據于北山《陸游年譜》，頁五五二。

註　六　《詩稿》卷八十五，頁一一五三。

第二章　陸游詩的淵源

任何詩人都決不能絶緣於前代的遺產或當代的影響，所以我們通過淵源考察，可以窺見誰影響到他的詩，其影響又是什麼程度。尤其，中國古典詩發展到南宋陸游的時代，自詩經以後很多優秀的遺產，包括被稱達到顛峰水準的唐詩在裡面，已一一集積並流傳下來；另一方面，當時的詩壇上又出現與唐詩不同面貌的江西派，並萌生追隨江西派的詩人和批判者之間的尖銳對立。陸游處在這種情況之下，他學習誰，學習什麼，是個引人興趣的問題。同時，為了正確的了解和評價陸游詩，這也是個值得探討的問題。不過，要正確處理這種影響或淵源關係，實在不容易。我們不能因他的詩中有襲用或點化前人詩句之跡，或在風格上有相似之處，就斷定他們之間的影響關係。這樣做，可能會犯以偏概全的錯誤。與其這樣做，還不如根據直接的師承關係，或者根據詩人屢次自述特別推崇前代的某位詩人，且把他做為學詩、作詩上的典範者更可靠，更明確。據此而看，符於這兩種情況，給陸游詩較大影響的，有屈原、陶潛、杜甫、梅堯臣、以及江西詩派（尤其是呂本中和曾幾）。下面，要探討這些詩人跟陸游之間的關係，尤其注意這種關係是如何形成的。探討的順序是大致以發生互相關係的時間先後為主。最後附論李白、岑參、蘇軾。

第一節　江西詩派

黃庭堅「會萃百家句律之長，究極歷代體製之變」（註一），在詩歌創作上成就很高，在謀篇、句法、煉字上也提出獨特的主張，不久詩壇上就出現很多師法黃詩的詩人，即所謂江西詩派，其聲勢頗為浩大。江西詩派至南渡以後，猶保有相當勢力，號令詩壇，南宋詩人鮮有不受其影響者，陸游也不例外。他從早年學詩就與江西詩派發生很密切的關係。當時，江西詩派的大詩人如徐俯、韓駒、呂本中等已去世，只有曾幾還在，陸游就師事曾幾，還私淑呂本中（註二）。曾幾曾指出陸游詩之「淵源殆自呂紫微」（註三），這話對我們了解陸游詩與江西詩派的淵源關係，給與很大的啟示與幫助，我們的探討亦應從這點開始。

黃庭堅以後的江西末流未能深刻地把握黃庭堅詩學的本來要旨，只死守一些詩法，越來越呈露種種弊端，因而呂本中就提倡「學詩當識活法」（註四），要以「流轉圓美」（註五）矯正生硬的缺點。他不僅詩學主張如此，在實際創作上亦確實實踐自己的主張，形成獨特的成就。他的詩與黃庭堅、陳師道等江西詩派初期詩人的詩相比較，就呈現較明暢自然的特色。集江西派詩論之大成的方回就屢次推崇這種特色，說：「其詩宗江西而主於自然，號彈丸法」（註六）、「居仁在江西派中最為流動而不滯者，故其詩多活」（註七）。例如，「雲深不見千巖秀，水漲初聞萬壑流」（〈柳州開元寺夏雨〉）、「客愁不斷若江水，朝思暮思在長安」（〈懷京師〉）、「重到張公泊船處，小亭春在鎖青苔」（〈送文潛歸因成一絶奉寄〉）、「兒女不知來避地，強言風物勝江南」（〈連州陽山歸路〉）等，都清新流暢，沒有晦澀難懂的弊病。呂本中詩的這種特色對江西詩派詩風的發展有貢獻，曾幾所云陸游詩之淵源殆自呂本中者，大概指這種特色，這是在陸游詩中最顯著的特色之一，集中俯拾皆是。曾幾在陸游四十二歲那年去世，我們在他四十二歲以前的作品中找例子，就有「近傳下詔通言路，已卜餘年見太平」、「即今舉手遮西日，應有流塵化素衣」、「山重水複疑無路，柳暗花明又一村」等（註八），最後一句尤其是千古傳誦的名句，《唐宋詩醇》評云：「有如彈丸脫手」（註九），稱譽其流轉圓美，不僅初期詩如此，中年以後所作更加以發展，形成流麗的風格特色。紀昀評其晚年（七十三歲）的作品〈舍北行飯書觸目〉（卷三十六）云：「詞調清圓可誦」（註一〇）。從以上論述，可窺見流麗風格由呂本中所提倡，至陸游詩就成為一大特色的演變之跡。

陸游之能接觸江西詩法，大致是賴曾幾的指導。曾幾曾向呂本中問句律，他從呂本中所學的就是「活法」論，這詩法又從曾幾傳到陸游。陸游至晚年還時時想起曾幾曾傳給他的一些詩法（詳見第三章第五節）。就這樣，呂本中、曾幾與陸游三個人在詩法的傳授上有淵源關係，在詩歌創作上也有相似之處，最顯著的共同特色就是曉暢流動的風格。呂、陸的有關詩例，已見於上面，在這裡，再略舉曾幾詩中渾然流轉的例子。黃昇曾注意到曾詩中這種特色，指出說：「唐人詩喜以兩句道一事，曾茶山詩中多用此體，如：『界從江北路，重到竹西亭』、『若無三日雨，那復一年秋』、『似知重九日，故放兩三花』、『次第繙經集，呼兒理在亡』、『又得清新句，如聞謦欬音』、『如何萬家縣，不見一枝梅』，此格亦甚省力也」（《玉林詩話》）。黃昇所引詩句，均兩句一氣呵成，單行直下，讀起來節奏順暢。還有，如「一雙還一隻，能白或能黃」、「身今鏡湖住，山自道州來」、「山行野渡時時雨，婦餉夫耕處處田」、「觀水觀山都廢食，聽風聽雨不妨眠」（註一一）等，都流轉不費力。曾幾詩確比呂本中還要輕快。但部分詩像「餘子不足數，此君何可無」、「殘僧六七輩，敗屋兩三間」（註一二）等詩句，過於輕鬆，接近於楊萬里詩。雖同為流動，從大處看，陸游詩還是跟他們有些不同。

曾幾從「活法」論的詩中具體表現上指出呂本中與陸游在風格上類似之處。不過，陸游從江西詩派所受的影響決不僅止於此一端。方回說：「放翁詩出於曾茶山，而不專用江西格，間出一二耳」（註一三），他所云：「江西格」，除了上述以外，還可舉出重煉字與運用吳體等。

《詩人玉屑》云：「陸放翁詩本於茶山，……茶山之學亦出於韓子蒼，三家句律大概相似」（註一四），韓駒詩固然「有磨淬剪裁之功，終身改竄不已」（註一五），曾幾嘗受法於韓駒，亦重煉字，講詩眼。陸游也非常推服韓駒之苦吟精神，自己的寫詩也非常認眞，「有得忌輕出，微瑕須細評」（註一六），因此陸游詩的語言，大都精煉、準確和生動。例如：「吾道非邪來曠野，江濤如此去何之」（註一七）、「五更落月移樹影，十月清霜侵馬蹄」（註一八）等，皆瘦硬有力，謂之江西派本色語亦無過。方回對〈秋雨北榭作〉詩中的「津吏報增三尺水，山僧歸入萬重雲」句（註一九），評之以「極工而活」（註二〇），陸游吸取以黃庭堅為首的江西詩派所追求語言生新的精神，而揚棄其「過於出奇」的缺點，出以圓潤。雖如此，陸游詩「自然老潔」的語言特色，仍是在受江西詩派的影響之下形成的。

吳體（註二一）是自從杜甫開始以後，至黃庭堅，大量使用此體，形成詩中一大特色。曾幾既「以杜甫、黃庭堅為宗」（註二二），在拗體七律方面，也受杜、黃影響很大，寫下不少吳體詩。方回評〈南山除夜〉詩云：「近追山谷，上擬杜甫」（註二三）。陸游《劍南詩稿》中也有吳體之作，有如〈二月二十四日作〉（卷一）、〈吳體寄張季長〉（卷三十八）、〈子聿至湖上待其歸〉（卷五十四）、〈連陰欲雪排悶〉（卷五十五）等詩（註二四）。不過，陸游的「律詩音節，亦多循正格，少用拗體，惟偶一為之而已」（註二五），數量不多，在陸游集中亦未能形成特色，故本文不再加以探討。

陸游可能從曾幾學習江西詩派種種作詩方法，但他能有所取捨。另一面，呂本中與曾幾在整個江西詩派中屬於第二期，他們的詩較初期作家，「漸欲向活動圓轉之途，雖亦有奇峭拗硬之作，而不專以奇峭拗硬見長，故紫薇之倡活法，茶山之言不參死句，皆所以矯正初期之失」（註二六）。陸游所幸師事或私淑此二人，避免了奇峭生硬之弊。但，他還是不囿於此二人，有繼承，也有創新，在曾幾去世以後，方回對曾幾與陸游詩之不同，就曾指出：(1)「放翁詩出於曾茶山，而不專用江西格，間出一二耳。有晚唐，有中唐，亦有盛唐」，(2)「陸放翁出其門，而其詩自在中唐晚唐之間，不主江西，間或用一二格，富也豪也對偶也哀感也，皆茶山之所無」（註二七），(3)「茶山專祖山谷，放翁兼入盛唐」（註二八），所論可謂精闢。「不主江西，間或用一二格」，最能指出陸游詩與江西詩派之關係。

第二節　杜　甫

自王禹偁開始愛好杜詩（註二九）以來，宋代詩人幾乎無一不學杜甫。對陸游接觸杜詩，一般都聯繫於他師事江西詩派詩人曾幾之事（註三〇），而實際上見曾幾之前，陸游已經讀過杜詩。《老學庵筆記》裡面有兩條記載父親陸宰和母親唐氏各談杜詩之事（註三一），由此可知父母都熟讀杜詩，陸游也可能受到家庭薰陶。還有《劍南詩稿》卷一有〈別曾學士〉詩，裡面他說：「兒時聞公名，謂在千載前。稍長誦公文，雜之韓杜篇」，這一則又證明他在見曾幾之前自己已讀過杜詩。不過，他能深知杜詩的精微處，應有賴於曾幾的指導，因為曾幾既屬於江西詩派，自己也說「工部以為祖」（註三二）。雖說陸游早期詩受江西詩派的影響，一些憂國的詩篇在風格上與杜甫詩相近，也無足怪。例如〈夜讀兵書〉詩中的「孤燈耿霜夕，窮山讀兵書。平生萬里心，執戈王前驅」（註三三），就很像杜詩的沉鬱。但是這樣的作品在早期詩中，還是不多見。至中年入蜀以後，才數量更多，沉鬱風格發揮到極盡，同時，陸游對杜甫其人其詩，有了更深刻的認識。後來離蜀東歸後，陸游刊刻詩集，楊萬里讀後就有此評：「重尋子美行程舊」（註三四），他指的就是陸游中年的蜀中生活與詩。

四十七歲到夔州後，陸游有空就憑弔杜甫的遺蹟，一面嘆眞正了解杜甫的人很少：「拾遺白髮有誰憐」（註三五），一面對杜甫的忠義，致最高的欽慕：「文章垂世自一事，忠義凜凜令人思」（註三六）。他在〈東屯高齋記〉中還說：「少陵非區區於仕進者，不勝愛君憂國之心，思少出所學佐天子，興貞觀開元之治，而身愈老，命愈大謬」（註三七），傷嘆杜甫的不遇，實際也在說自己。他還慨嘆後世詩人只把杜甫當作詩人，「不知杜詩所以妙絕古今者在何處，但以一字亦有出處為工」（註三八）。這是批判江西詩派推崇杜詩之「無一字無來處」。可見同樣學習杜詩，他對之持與衆不同的認識與態度。

他在成都生活，更覺得自己似杜甫，就自比杜甫，說：「鶴料無多又掃空，今年眞是浣花翁」（註三九）。他又把杜甫當作人生的導師並作詩之業師，尊稱為「祖師」、「先師」（註四〇）。陸游在很多方面如思想、行為、生平遭遇，以及作品上與杜甫有相似之處。他懷念杜甫的詩最多作於蜀時，他的愛國憂時之作，此時也寫得最多，且很有代表性，而此時他在南鄭、成都等地經歷了收復中原的期望落空，詩中表現的就比以前更加沉鬱悲壯。例如〈感憤〉詩說：

今皇神武是周宣，誰賦南征北伐篇。四海一家天歷數，兩河百郡宋山川。
諸公尚守和親策，志士虛捐少壯年。京洛雪消春又動，永昌陵上草芊芊。（註四一）

在這裡，他痛罵朝廷大臣堅守主和政策，又悲嘆豪傑志士報國無門，中原的山河仍落於金人手中。《唐宋詩醇》評此詩說：「大聲疾呼，氣浮紙上，〈諸將〉五首之嫡詞也」（註四二），指出與杜甫詩在主題和表現上有相似之處。杜甫也曾責當時的諸將只圖安逸，不求報國，說：「獨使至尊憂社稷，諸君何以答昇平」（其二）。再舉〈書憤〉詩：

早歲那知世事艱，中原北望氣如山。樓船夜雪瓜洲渡，鐵馬秋風大散關。塞上長城空自許，鏡中衰鬢已先斑。出師一表真名世，千載誰堪伯仲間。（註四三）

懷想年輕時的豪情壯志，感嘆自己已年老，無法達成恢復中原的抱負。全詩感情沉鬱，格調悲壯。李慈銘評：「全首渾成，風格高健，置之老杜集中，直無愧色」（註四四）。杜甫和陸游在作品中一再抒發傷時憂國之情，這種感情容易形成沉鬱悲壯的風格，在這一點上，兩人又相似。

兩人的這種風格特多見於七律。杜甫長於各體詩，特別在七律上獲得獨創的成就。較他以前的詩人所作，他的成就在四點。第一，以前人所作數量甚少，至杜甫，尤其是入蜀以後，大量製作七律。第二，以前大都是歌頌、酬唱之作，杜甫七律擴大題材，兼寫傷時憂國和日常生活，第三，風格上，以前的七律大致典雅，杜甫則還創造沉鬱特色。還有一點，給後世很大影響的是精嚴的格律。上述幾種特色，大致亦可以用來說明陸游七律的待色。陸游亦把平生精力盡於七律，集中最多，且最好的作品都屬於此類。雖然初期中亦有七律，但入蜀以後，作品數量更是大幅增加，無論抒懷寫景，詩律更是精細，境界更加擴大，他的七律名篇如〈黃州〉、〈寒食〉、〈過野人家有感〉、〈歸中漢中境上〉、〈南定樓急雨〉、〈登賞心亭〉等，都作於此時。至晚年居故鄉，尤喜用七律來抒寫日常生活的感受。姚鼐指出他的七律「上法子美」（註四五），舒位則進一步極其推崇陸游集七律的大成（註四六），陸游的律句在詩律上更見其精細之工。例如：「遊絲飛蝶晚悠悠」（註四七）、「黃葉舞風初蔌蔌，碧渠通溜正濺濺」（註四八）、「細書燈下幸能讀，舊友夢中時與遊」（註四九）、「蘇門隱去聞孤嘯，粟里歸來弄素琴」（註五〇）等，色彩、疊字、雙聲疊韻、典故的運用等各方面，都能又細又工。尤其，第一個例子與杜甫（涪城縣香積寺官閣）中「浴鳧飛鷺晚悠悠」，七字中四字相同，句法又相同。這種當句對至杜甫始多作，陸游繼此，而見更豐富的變化。（詳見第五章第三節論「對仗」部份）。杜甫曾說「讀書破萬卷，下筆有如神」，劉克莊評陸游詩所云「放翁學力也似杜甫」（註五一），也應是指出基於深厚學問的精嚴詩律。

此外，「山川不為興亡改，風月應憐感慨非」（註五二）、「十年塵土青衫色，萬里江山畫角聲」（註五三）、「四海諸公半丘壟，百年幾夕倚闌干」（註五四）等，都類似杜詩中渾厚表現。

杜甫還善於俗語的運用，陸游詩中亦可見不少地方俗語（詳見第五章第二節）。例如：「溪柴旋篝火」、「拭盤堆連展，洗鬴煮黎祁」（註五五），第一例，自注說：「鄉市人把柴謂之溪柴，蓋自若耶來也」；第二例「連展」、「黎祁」，也是俗語，「連展，淮人以名麥餌」，「黎祁，蜀人以名豆腐」。他注意民間口語，用在詩中，使詩語更豐富，這可能是繼承杜詩中這種特色的，但是杜詩中特殊地方語的運用，還是沒有陸游這麼多。

以上是陸游推崇杜甫，學習杜詩的梗概。他共鳴於杜甫的生平際遇與思想，把自己暗比杜甫，特別作詩在主題思想、風格、詩律等方面，善學杜詩，吳之振《宋詩鈔》所云「若放翁者，不寧皮骨，蓋得其心矣」（註五六），大概指此。

第三節　梅堯臣

縱覽陸游的詩文，古今詩人中，陸游稱述最多的是梅堯臣。他反復推崇梅堯臣詩，一再表明學習梅詩。首先，在下面舉出有關詩文的題目。

時期		體裁	題目
一	三一歲	詩（五古）	寄酬曾學士學宛陵先生體比得書云所寓廣教僧舍有陸子泉每對之輒奉懷（卷一）
二	三八歲	詩（五古）	過林黃中食柑子有感學宛陵先生體（卷一）
三	六三歲	詩（五古）	讀宛陵先生詩（卷十八）
四	六四歲	詩（五古）	致齋監中夜與同官縱談鬼神效宛陵先生體（卷二十）
五	七〇歲	詩（五古）	送蘇召叟秀才入蜀效宛陵先生體（卷三十一）
六	七〇歲	詩（五古）	桐江哲上人以端硯遺子聿纔寸餘而質甚奇天將雨輒先流泚予為效宛陵先生體作詩一首（卷三十一）
七	七九歲	詩（五古）	春社日效宛陵先生體（卷五十三）
八	七九歲	詩（五古）	假山擬宛陵先生體（卷五十四）
九	七九歲	文	梅聖俞別集序（卷十五）
一〇	七九歲	詩（五古）	書宛陵集後（卷五十四）
一一	八〇歲	詩（五古）	讀宛陵先生集（卷六十）
一二	八四歲	詩（五古）	熏蝨效宛陵先生體（卷七十七）

看了上表，我們對陸游學梅詩的情況，可分析出下面幾點。

⑴先就學梅詩而言，最早作於三十一歲，最晚作於八十四歲，即陸游去世前一年。由此可知他對梅堯臣詩的傾倒，終其一生不斷。

⑵若按照時期看，陸游的學梅詩情況，可以分為三十八歲以前與六十四歲以後。陸游的創作階段，一般分為三期，上面所舉三十八歲以前所作兩首應屬於早年第一期，六十四歲以後所作六首是屬於晚年第三期。中年第二期則看不見仿效之跡。不過，現存的陸游詩是經幾次刪除而留下來的。因此，我們不能據現存的詩就斷定陸游在第二期中一首也沒寫仿效梅詩之作，或者說陸游在第一期中只寫上引二首而已。在此，至少我們可以這樣說，陸游從早年已確實學梅堯臣詩，至晚年，還繼續仿效梅詩，尤其由於晚年評梅詩的作品多數出現，陸游對梅詩的評價，至晚年愈來愈穩定。

⑶梅堯臣詩以五言詩為多，成就最高的亦為五言詩，尤其是五言古詩，看上表，陸游仿效梅詩的作品，也都是用五古寫的。由此可以知道陸游確實把握梅詩的特色所在而學習之。

以上初步地概括陸游學梅詩的輪廓之後，繼續探討陸游所受梅堯臣的影響果在哪裡！歐陽脩在《六一詩話》中曾評梅堯臣詩，曰：「聖俞覃思精微，以深遠閑淡為意」，指出梅堯臣以敏銳的感覺，來探測事物的核心，寫出描寫入微的詩。因而他的詩具有以文為詩，以詩議論的特色，那我們要探索陸游詩中亦是否能見到這樣的特色。下面先引陸游第一期中（三十一歲）「學宛陵先生體」之作。

庭中下乾鵲，門外傳遠書。小印紅屈蟠，兩端黃蠟塗。開緘展矮紙，滑細疑卵膚。

首言勞良苦，後問逮妻孥。中間勉以仕，語意極勤渠。字如老瘠竹，墨淡行疏疏。

詩如古鼎篆，可愛不可摹。快讀醒人意，垢癢逢爬梳。細讀味益長，炙轂出膏腴。

行吟坐臥看，廢食至日晡。想見落筆時，萬象聽指呼。亦知題詩處，綠井石髮麤。

公閑計有客，煎茶置風爐。倘公無客時，濯纓亦足娛。井名本季疵，思人理豈無。

居然及賤予，媿謝恩意殊。幾時得從公，舊學鋤荒蕪。古文講聲形，誤字辨魯魚。

時時酌井泉，露芽奉瓢盂。不知公許否，因風報何如。（註五七）

此詩從「庭中下乾鵲，門外傳遠書」的受信時的情景開始，歷敘信上封印、信紙、曾幾所寄書信的內容、字體、所寄詩給予陸游的感受，對曾幾因泉思及自己的謝恩，最後以表示願意遵從曾幾之意作結。全篇在簡樸的文辭中描寫極細緻，不僅曾、陸寄酬的原委，師徒二人的深厚感情也從中可看出，學梅詩眞學得到家。第一期詩中另一首〈過林黃中食柑子有感學宛陵先生體〉亦細述陸游食柑子所感林黃中思母之孝忱，羅惇曧評此詩，說：「得宛陵之深到，而自饒寬博之致」（註五八）。

陸游至晚年，還繼續寫仿效梅詩的作品，尤其在某一方面，看起來陸游似有意與梅堯臣較量。此一點，從詩題中用字之異可看出，早年詩皆說「學」梅堯臣體，而晚年詩則皆用「效」字、或「擬」字。〈致齋監中夜與同官縱談鬼神效宛陵先生體〉亦運用散文敘法津津樂道他與同事談鬼神之事，這種寫法與梅堯臣的〈和歐陽永叔啼鳥十八韻〉詩極相似。〈送蘇召叟秀才入蜀效宛陵先生體〉是把握梅堯臣送別詩表達深厚感情之特色而寫的，可與梅詩中〈南鄰蕭寺丞夜訪別〉、〈送張子野祕丞知鹿邑〉等媲美。陸游〈假山擬宛陵先生體〉則應是仿效梅堯臣〈寄題徐都官新居假山〉詩。梅堯臣好以敏銳眼光，觀察日常生活中的瑣事，以前詩人以為不能入詩或不宜入詩之材料，他藉細膩的筆法，皆寫入詩中，有〈八月九日晨興如廁有鴉啄蛆〉、〈聚蚊〉、〈蚍蜉〉等詩。陸游也有與此類似之作，則〈桐江哲上人以端硯遺子聿纔寸餘而質甚奇天將雨輒先流泚予為效宛陵先生體作詩一首〉與〈熏蝨效宛陵先生體〉就是以「硯」與「蝨」作為對象之作。陸游晚年，長期閑居於故鄉，觀察周圍的巨細風物，皆一一納入詩中，這是以前第一、二期中看不到的特色，陸游的上引詩，似乎由於陸游時時意識到梅詩中與此類似的作品而寫的。〈春社日效宛陵先生體〉是意識到梅詩中反映民間生活之作而寫的。陸詩中關心百姓生活的作品，雖於初期中也不乏其作，但是晚年居鄉，廣泛地描寫農村生活，顯出數量更多，質量更高的特色。

誠如以上所述，陸游確實把握梅堯臣的特色而加以仿效。但是，我們探討陸游與梅堯臣詩的影響關係的時候，還要注意如下幾點。⑴不僅在詩題中明點學梅詩或效梅體的作品，在其他作品中也可見受梅詩影響之跡。⑵不僅在第一、三期所作詩，在第二期中也有頗具梅詩特色的詩。例如〈蟠龍瀑布〉是乾道八年四十八歲時所作，其全詩如下：

遠望紛珠纓，近觀轉雷霆。人言水出奇，意使行人驚。人驚我何得，定非水之情。
水亦有何情，因物以賦形。處高勢趨下，豈樂與石爭。退之亦隘人，強言不平鳴。
古來賢達士，初亦願躬耕。意氣或感激，邂逅成功名。（註五九）

此詩首二句描寫瀑布的形狀與聲音，第三句以下，筆鋒由描寫轉入議論，說瀑布的「出奇」是由於「因物」的遭遇，反駁韓愈「凡物不得其平則鳴」的見解，最後四句，從水理而比擬到人事，暗中還表露陸游自己從夔州到南鄭時所懷的期待。羅惇　對此詩曾云：「極似宛陵，析理洞情，文能見道」（註六〇），可謂的評。試觀梅堯臣的〈范饒州坐中客語食河豚魚〉詩，其作法上的特色與上引陸游詩極相似。首二句「春洲生荻芽，春岸飛楊花」的景物描寫後，從第三句「河豚當是時」開始，展開議論縱橫，最後抽出「甚美惡亦稱」的道理。(3)陸游的學梅詩，不是貌襲或單純的仿效，而是善吸收其精華，陸游詩中「精深」特色，的確是從梅詩學來的。(4)陸游晚年（六十三歲以後）出現有不少讀梅詩、評梅詩的詩文，與陸游觀察當時詩壇後所持的詩學主張有很大的關係。兩人所處的詩壇狀況極相似。都目睹當時晚唐詩風之弊，因而所提出的詩學主張亦有不少相似之處。例如，在詩學淵源方面，都首標《詩經》與〈離騷〉（《楚辭》），反對晚唐詩人或晚唐體作家，主張詩非技藝，要充分反映現實感情。（註六一）若把陸游在〈讀宛陵先生詩〉、〈梅聖俞詩集序〉、〈書宛陵集後〉、〈讀宛陵先生詩〉中所論的歸納起來，不外推崇梅堯臣復古詩歌之功與梅詩淵源之正這兩點，二而實一。陸游一再推崇梅堯臣，正與當時詩人的嗜好相左。陳振孫《直齋書錄解題》云：「聖俞為詩，古淡深遠，南宋詩家，少有喜聖俞者，或加毀訾。自世競宗江西，已看不入眼，況晚唐卑格方錮之時乎」，而「惟陸務觀重之，此可為知者道也」（卷十七）。梅堯臣與陸游，在追求「平淡」上，見解亦一致。梅堯臣曾說：「作詩無古今，唯造平淡難」（註六二），陸游也在晚年詩中說：「無意詩方近平淡」（註六三）。梅堯臣提倡「平淡」，這對救西崑體過分雕琢之弊，一定有相當大的作用，陸游亦慨嘆晚輩一些人宗晚唐詩，「淫哇解移人，往往喪妙質」（註六四），他一再推尊梅詩，或有意以此矯正他們之弊。陸游晚年詩確實接近「平淡」。但還是同中有異。梅堯臣詩的「平淡」，有時語言過於朴質，間出怪巧，就會使人感到「古硬」，而陸游詩則兼有「圓潤」，而且時時還流露慷慨悲壯的激情。

第四節　屈原

屈原的忠君愛國思想與高潔堅強的志操受後世很多詩人的尊敬，他的不幸際遇也使後世與他相似的詩人喜將自己比為屈原。這種情況，陸游也不例外，他平生始終愛讀《楚辭》，以慰自己的不遇悲憤（註六五）。不過，他對屈原更深刻地感到共鳴，尤其受屈原文學的影響，他的詩起了新的變化，是始自乾道六年（一一七〇）四十七歲時赴夔州通判。

往夔州，路經古代楚國的首都郢地，他寫下〈哀郢〉二首。第一首說：

遠接商周祚最長，北盟齊晉勢爭強。章華歌舞終蕭瑟，雲夢風煙舊莽蒼。
草合故宮惟雁起，盜穿荒冢有狐藏。離騷未盡靈均恨，志士千秋淚滿裳。（註六六）

〈哀郢〉本是屈原〈九章〉中的一篇，他在這篇中表現了對首都郢的懷想。陸游借其題目，對郢的今昔變化表露無限的感慨，對屈原的憂國熱情和不遇身世，表示很深的共感和同情。為屈原的身世而悲，實際上同時還是悲自己。

陸游在夔州只做閑官，地又僻野，無法施展鴻圖；到了南鄭，親臨宋金對峙的前線，異常興奮，但廓清中原的期待終告落空。至成都、蜀州等地，還是做閑官，旋又被罷免。受到這次打擊後，心裡更感苦悶。由於生活的影響，他更加接近屈原。這時期，他在很多詩裡提到屈原，從屈原與其他《楚辭》作家的文章中取典，這是較以前時期更是突出顯著的，例如：

帝閽守虎豹，此計終悠悠。（註六七）

逝從屈子學獨醒。（註六八）

壯心空似驥伏櫪，病骨敢懷狐丘首？（註六九）

第一個例子的上句，是融化〈離騷〉的「吾令帝閽開關兮」與〈招魂〉的「虎豹九關，啄害下人些」，來表露對朝廷奸臣的憤恨與憂慮。第二句，則表明他願學屈原不與濁世同流合污的精神。最後例子是出於〈哀郢〉的「狐死必首丘」。

這個時期裡，陸游更切實感到自己與屈原之間的相似，更傾倒於屈原的文學，以之做為自己的目標。結果，這一時期的詩起了很大變化，獲得了新的進展。中年作詩所效法的對象，與早期不同，他自己已明白說過：「束髮初學詩，妄意薄風雅。中年困憂患，聊欲希屈賈」（註七〇）。他在〈九月一日夜讀詩稿有感走筆作歌〉詩（卷二十五）中更直接表示，他在南鄭從軍的既豐富多彩又使人意氣振發的生活中，忽然悟到「詩家三昧」，了解到屈原的創作精神。〈示子遹〉詩就對中期詩的變貌，說：「我初學詩日，但欲工藻繪。中年始少悟，漸若窺宏大。怪奇亦間出，如石漱湍瀨」（註七一）。如此轉變的關鍵，在於學習屈原。以後他一再強調作詩當把屈原作典範。從蜀地回來的第二年，在〈枕上感懷〉詩中說：「淵源雅頌吾豈敢，屈宋藩籬或能測。」（註七二）過幾年，他刊刻詩集，楊萬里就明確指出陸游詩與屈原的關係，說：「盡拾靈均怨句新」（註七三）。有人問他詩法，他還是強調要效法屈原：「文章要須到屈宋，萬仞青霄下鸞鳳」（註七四）。此二句下面，他還緊接著說：「區區圓美非絕倫，彈丸之評方誤人」。由此可見，推崇屈原，就成為他走與江西詩派不同路的契機。

以上，首先通過陸游本人的直接言論，看陸游對屈原的推崇，以及屈原對陸游詩起變化的影響。再就作品本身，看陸游與屈原之間的淵源關係。屈原懷抱實施「美政」的理想與抱負，進入宦途，而一再「信而見疑，忠而被謗」，就把鬱結的忠憤洩露於作品之中。

長太息以掩涕兮。（註七五）

望長楸而太息兮，涕淫淫其若霰。（註七六）

心結結而不解兮，思蹇產而不釋。（註七七）

悲痛的心情藉「太息」、「涕」等字眼直抒地流露出來。陸游詩中的「悲憤」莫不如此，如：

太息重太息，吾行無終極。（註七八）

渭水函關元不遠，著鞭無日涕空橫。（註七九）

閉門高臥身欲老，聞雞相蹴涕數行。（註八〇）

以上所舉兩人詩，無論在用字或感情表現上，都有相似之處。楊萬里說陸游詩「盡拾靈均怨句新」，屈原的「怨句」比較側重地表現在國君閉聖聰、賢臣被謗斥之悲哀，如〈昔往日〉所云：「君含怒而待臣兮，不清徹其然否」、「何貞臣之無罪兮，被離謗而見尤」；而陸游的「怨句」則較多表現在朝廷無心收復中原、自己空有壯志之慨嘆，這是同中有異。但在心憂家國一點上，兩人難分軒輊。下面舉〈言懷〉詩，看陸游的憂國忠節。

蘭碎作香塵，竹裂成直紋。炎火熾崑岡，美玉不受焚。孤生抱寸志，流離敢忘君。
釀桂餐菊英，潔齋三沐熏。孰云九關遠，精意當徹聞。捐軀誠有地，賈勇先三軍。
不然齎恨死，猶冀揚清芬。願乞一棺地，葬近要離墳。（註八一）

詩中直接從屈原的作品取用典的是第七句「釀桂餐菊英」，是出於《楚辭・九歌》：「奠桂酒兮椒漿」和〈離騷〉：「夕餐秋菊之落英」。還有，〈離騷〉往往以芳草比喻高潔的人格與賢才，此詩也運用同樣的比喻來表現自己的高潔。首四句中的蘭花、修竹、美玉，都比喻自己縱使在艱難中本質還是不變。「潔齋三沐熏」、「猶冀揚清芬」，是說自己的品德；「捐軀誠有地，賈勇先三軍」，是說自己身先士卒，為國捐軀的壯志。這樣親臨戰場，甘願犧牲的精神，在屈原的作品中恐怕見不到。他在七十三歲時所作〈書憤〉詩中還說：「壯心未與年俱老，死去猶能作鬼雄」（註八二），仍表示堅強的心志，下句出於《九歌・國殤》的「身既死兮神以靈，魂魄毅兮為鬼雄」。不過，陸游詩的「鬼雄」，是說他自己，而〈九歌〉中的「鬼雄」，則不是屈原。

屈原發揮極其豐富的想像力，寫下富於幻想的作品。陸游頗欣賞這類作品，說：「奇思探莊騷」（註八三）、「奇文窺楚屈」（註八四），自己的詩也從中年開始就有馳騁幻想的作品。他對中期詩說：「怪奇亦間出，如石漱湍瀨」，是指這點。他把現實中無法達成的抱負，只好寄寓於幻想，例如「三更窮虜送降款，天明積甲如丘陵」（註八五）、「九天清蹕響春雷，百萬貔貅扈駕回」（註八六）等，大都描寫宋軍擊敗胡兵、收復中原的勝利。這一類詩中有壯麗的場面與奔騰的豪情，這些幻想的表現使原先豪宕悲壯的陸游詩更加具有雄奇奔放的特色，這大概是學屈原作品所產生的。

第五節　陶潛

根據陸游自已的話，他首次接觸陶潛詩，是十三四歲時。他在《文集》卷二十八〈跋淵明集〉中說：「吾年十三四時，侍先少傅居城南小隱，偶見藤架上有淵明詩，因取讀之，欣然會心。日且暮，家人呼食，讀詩方樂，至夜，卒不就食」。以後，陸游對陶潛的敬仰，終生沒有變。但若就陶詩更為陸游所宗法，其詩給陸游詩很大的影響而論，則可分為兩個時期，就是中年入蜀以前與以後。

但是，這不是說入蜀以前就没有與陶潛有關係的作品。三十二歲時，他把陶潛〈讀山海經〉十首中第一首的首二句做為韻，寫下十首，就是〈和陳魯山十詩以孟夏草木長遶屋樹扶疏為韻〉詩（註八七）。陶潛的原詩描寫歸隱生活的樂趣：「俯仰終宇宙，不樂復何如。」陸游的此詩是他參加科舉，因受秦檜的排斥而落榜後，閑居山陰時所作的。他在這些詩中吐露了與陶潛不與世俗、「固窮節」類似的心境。例如第一首說：「言語日益工，風節顧弗競。杞柳為桮棬，此豈眞物性。病夫背俗馳，梁甫時一詠。奈何七尺軀，貴賤視趙孟。」

第五首又說：「門無容車高，庭止旋馬廣。富貴固易耳，正恐卿慙長。時情競脂韋，家法獨骯髒。靜處看紛紛，桔槹勞俯仰。」他批判只熱中追求富貴、「風節顧弗競」的世態，表明「病夫背俗馳」、安貧閑居，自勉修身之意。由這些詩，可以知道青年陸游所指向的志趣。但是，像這樣的詩，在初期作品中，卻不多見。另外，在居蜀後期以前詩中，提到陶潛的思想與詩，或從陶潛的詩文中取用典的例子，也是少之又少，有如「百年殊鼎鼎」（註八八）、「桃源雞犬塵凡隔」（註八九）、「無人為報阿香道」（註九〇）等，很明顯是與陶潛的詩文有關的，但只能舉出這幾個例而已。第一句出於陶潛〈飲酒〉詩中「鼎鼎百年內」，第二個句用〈桃花源記〉之表現，第三個句中「阿香」是後人僞托陶潛所撰的〈搜神後記〉中所見人物。究其所以然，可能由於陸游三十四歲始進宦途後，一直為驅逐金人奮鬥，就無暇思及陶潛吧。

但他中年入蜀後，才重新認識到陶潛。在成都，他雖然只做閑官，無法實現壯志，滿懷苦悶，但還說：「行遍天涯身尚健，卻嫌陶公愛吾廬」（註九一），對前途還持一點期待，對陶潛的「歸去來」取否定的立場。但是，五十二歲時，以「燕飲頹放」的理由被罷知嘉州之命，他才始發出「身臥極知皆夢事，世間隨處有危機。故山松菊今何似，晚矣淵明悟昨非」（註九二）的感慨。

過一年，他離蜀東歸，對陶潛的傾倒日益加深。尤其晚年將近二十五年的田園生活更使他接近和敬仰陶潛和他的文學。他認為自己的歸田生活與陶潛很相似（註九三），還在許多詩裡表示對陶潛的愛慕之情，或以陶潛自況。例如：

菊花香滿把，聊得擬陶潛。（註九四）

竹林嵇阮雖名勝，要是淵明最可人。（註九五）

陶令巾車尋壑去，巴公茅屋賦詩來。（註九六）

尤其值得注目的是在自蜀東歸後常愛讀陶詩，他說：「老始愛陶詩」（註九七），還說：「莫謂陶詩恨枯槁，細看字字可銘膺」（註九八）、「一卷陶詩傍枕開」（註九九）、「手把陶詩側臥看」（註一〇〇）、「句句味陶詩」（註一〇一）。他有時還作和陶詩，卷七十六〈幽居記今昔事十首以詩書從宿好林園無俗情為韻〉詩是把陶潛〈辛丑歲七月赴假還江陵夜行塗口〉詩的兩句十字作為韻寫的。在這一個時期，他還一再表明把陶詩做典範之意，他說：「平生慕陶謝」（註一〇二）、「我詩慕淵明」（註一〇三）、「學詩當學陶」（註一〇四）。上述這些意思都是以前所沒有的。如此推崇的結果，陸詩從陶詩受很大的影響，是不問自知的。趙翼在《甌北詩話》中評陸游晚年詩的特色，說：「及乎晚年，則又造平淡，並從前求工見好之意亦盡消除，所謂詩到無人愛處工者，劉後村謂其皮毛落盡矣，此又詩之一變也」。他所謂「平淡」也就是陶詩的主要特色。下面略舉與陶詩的境界相似的作品。先看〈二愛〉詩：

結屋不衮丈，著身還有餘。破壁作小窗，亦足陳吾書。無酒當飲水，無肉當飯蔬。
知止乃不殆，此語良非虛。古人造道處，正自無絶殊。願君勿它求，且復愛吾廬。（註一〇五）

此詩以陶潛所云「衆鳥欣有托，吾亦愛吾廬」為中心思想，抒發安貧樂道之意，語淺意眞，可見陸游的曠達與知足。再舉〈村居初夏〉詩：

天遣爲農老故鄉，山園三畝鏡湖傍。嫩莎經雨如秧綠，小蝶穿花似繭黃。
斗酒隻雞人笑樂，十風五雨歲豐穰。相逢但喜桑麻長，欲話窮通已兩忘。（註一〇六）

此詩生動地描繪了田園的美麗景色與鄉人的樸素情態。「相逢但喜桑麻長」出於陶潛〈歸田園居〉（其二）中的「相見無雜言，但道桑麻長」。「欲話窮通已兩忘」則頗似有名的「此中有眞意，欲辨已忘言」（〈飲酒〉其五）。

野　步

蝶舞蔬畦晚，鳩鳴麥野晴。就陰時小息，尋徑復微行。
村婦窺籬看，山翁拂席迎。市朝那有此，一笑慰餘生。（註一〇七）

陸游晚年詩常以樸素語言描寫田園的閒適景物，又以平淡的筆致表現鄉村人富於人情味的情態，這些特色都頗接近於陶潛詩。

上面所列幾位，都是對陸游某一段時期的詩形成獨特面貌給予很大影響的詩人。每一個時期，生活上有變化，感情、思想，還有詩學觀念也就隨之有變，他就尋找接近自己、適合自己的需要的詩人來效法他。凡一個偉大的詩人必定廣泛地學習前人的成就，不專主一家，而轉益多師。陸游也是如此，他的詩的淵源也許較上面所論還會廣汎。但我們不願採取儘可能地多羅列與陸游詩稍微有關係的詩人而論的做法。在本章，取上列詩人的基準，是根據陸游自已的直接言論與實際創作上的影響跡像。因此，陸游詩雖然兼有白居易的平易、王維的清新，但是沒把他們做為探討的對象。儘管如此，在結束本章之前，我們還多舉出三位詩人，附帶討論，來補充上面所論。

第六節　其　他

除了上面幾人外，還值得談的詩人，有李白、岑參、蘇軾。

先說李白。陸游對李白也頗致敬意，大多與杜甫並舉，說：「屈宋死千載，誰能起九原。中間李與杜，獨招湘水魂」（註一〇八）、「李白杜甫生不遭，英氣死豈埋蓬蒿。」（註一〇九）〈自東津泛舟至桐溪〉中還說：「安得青蓮公，傑句為彈壓」（註一一〇），可見其推崇之意。陸游在性格、學道求仙、詩風等上與李白相似，當時就有「小太白」之稱。（註一一一）試看〈醉歌〉：

我飲江樓上，闌干四面空。手把白玉船，身遊水精宮。方我吸酒時，江山入胸中。
肺肝生崔嵬，吐出為長虹。欲吐輒復吞，頗畏驚兒童。乾坤大如許，無處著此翁。
何當呼青鸞，更駕萬里風。（註一一二）

詩中所展示的想像、夸張、憤世嫉俗以及欲飄然離世之思，都接近李白詩。還有，如〈與青城道人飲酒作〉：「有酒不換西涼州，無酒不典鷫鸘裘。不作王猛傲睨坐捫蝨，不作寧戚悲歌起飯牛。五雲覆頂金丹熟，笙鶴飄然戲十洲」（註一一三）；〈十月十四夜月終夜如晝〉：「月從海東來，徑尺鎔銀盤。……不知何仙人，亭亭倚高寒。欲語不得往，悵望冰雪顏。叩頭儻見哀，容我躡素鸞。掬露以為漿，屑玉以為餐。泠泠漱齒頰，皓皓濯肺肝。逝將從君遊，人間苦無歡」（註一一四）；〈池上醉歌〉：「取日挂向扶桑枝，留春挽回北斗魁。橫笛三尺作龍吟，腰鼓百面聲轉雷」（註一一五）等，都很像李白詩。因此，他就被評為「有宋一代中，要為學太白最似者。」（註一一六）

岑參雖然沒有像上面所列詩人那樣受到陸游的一再盛稱，但他們之間有很多地方相似，顯然是有影響關係。陸游少年時就很喜歡岑參詩，曾把他推尊說：「太白、子美之後，一人而已。」（註一一七）後來，中年入蜀，攝知嘉州事，他對岑詩，更是推崇。岑參也曾做過嘉州刺史，當地還流傳著一些遺詩。陸游至嘉州後，就把這些詩篇搜集起來，編為《岑嘉州詩集》。他還寫了〈夜讀岑嘉州詩集〉一詩，讚美岑詩，並希望自己也有機會出征驅敵：「漢嘉山水邦，岑公昔所寓。公詩信豪偉，筆力追李杜。常想從軍時，氣無玉關路。至今蠹簡傳，多昔橫槊賦。零落財百篇，崔嵬多傑句。工夫刮造化，音節配韶護。我後四百年，清夢奉巾屨。晚途有奇事，隨牒得補處。群胡自魚肉，明主方北顧。誦公天山篇，流涕思一遇。」（註一一八）岑參的邊塞詩氣勢雄偉，想像豐富，充滿愛國熱情。岑詩歌頌的邊地從軍生活，正是陸游一直所嚮往的。但是現實中得不到，他就只好托之於幻想，寫下不少以出征破敵、收復故地為內容的詩，如〈將軍行〉（註一一九）、〈大將出師歌〉（註一二〇）等；或在夢中實現，如〈九月十六日夜夢駐軍河外遣使招降諸城覺而有作〉（註一二一）、〈五月十一日夜且半夢從大駕親征盡復漢唐故地見城邑人物繁麗云西涼府也喜甚馬上作長句未終篇而覺乃足成之〉（註一二二）等。這些詩大致上與上面所云岑詩的特色很相似。岑參常用七言歌行來寫雄放奇麗風格的詩，這也給陸游入蜀以後所作不少的影響。此外，雖不是七言歌行，但以「出塞」作題目，或主北伐、嘆不遇的詩（註一二三），也大體上接近岑參之邊塞詩。在四節裡講過陸游中年詩受到屈原的影響，但是詩中言從軍，是屈原作品中沒有的，很明顯地是來自岑詩。

陸游在宋代詩人中最推崇蘇軾，說「千古尊正統」：

> 公車三千牘，字字岌飛動。氣力倒犀象，律呂諧鸞鳳。天驥西極來，矯矯不受鞚。……心空物莫撓，氣老筆愈縱。粃糠郊祀歌，遠友清廟頌。我生雖後公，妙句得吟諷。整衣拜遺像，千古尊正統。（註一二四）

陸游詩論主張「文以氣為主」（詳第三章第二節），蘇軾就是他的榜樣之一，他說：「軾死且九十年，學士大夫徒知尊誦其文，而未有知其文之妙在於氣高天下者。……然臣竊謂天下萬事，皆當以氣為主，軾特用之於文爾。」（註一二五）陸游推尊蘇軾如此，則蘇軾詩自然成為他效法的對象，如〈六月十四日宿東林寺〉云：「看盡江湖千萬峰，不嫌雲夢芥吾胸。戲招西塞山前月，來聽東林寺裡鐘。遠客豈知今再到，老僧能起昔相逢。虛窗熟睡誰驚覺，野碓無人夜自舂。」（註一二六）首二句寫詩人的曠達胸懷，此尤見於頷聯邀月共聽鐘的表現中。末聯寫清幽的境界。此詩意境頗接近東坡詩，所以陳衍評為「此放翁之極似東坡者。」（註一二八）此外，如：「一夏與僧同粥飯，朝來破戒醉新秋」（註一二七）；「一尺輪囷霜蟹美，十分瀲灩社醅濃。宦遊何啻路九折，歸臥恨無山萬重」（註一三九）；「買山本愛坡上竹，手種已偃巖前松。瀑泉三伏凜冰雪，谷聲十里酣笙鏞」（註一三〇）；「月窺船窗挂淒冷，欲到渝州酒初醒。江空裊裊釣絲風，人靜翩翩葛巾影」（註一三一）等，都表現高曠閑逸的情趣，類似東坡詩的風味。

總之，陸游取法古今詩人，或基於自己的生活、感情，有側重性的選擇，或學習而能有所取捨，而又出之以自己獨特的面貌。

【附　註】

註　一　吳之振《宋詩鈔》〈山谷詩鈔〉序。

註　二　《文集》）卷十四〈呂居仁集序〉：「某自童子時，讀公詩文，願學焉。稍長，未能遠遊，而公捐館舍。」，頁八一。

註　三　同註二。

註　四　〈夏均文集序〉，見劉克莊《後村先生大全集》卷九十五，頁八二四。

註　五　〈夏均文集序〉，見劉克莊《後村先生大全集》卷九十五，云：「昔謝玄暉有言，『好詩語流轉圓美如彈丸』，此眞活法者也。」

註 六 《瀛奎律髓》卷四呂本中〈海陵雜興〉詩批，頁五一。

註 七 《瀛奎律髓》卷十七呂本中〈柳州開元寺夏雨〉詩批，頁二〇七。

註 八 依次見《詩稿》卷一〈新夏感事〉，頁四、〈寄陳魯山〉（二首之一），頁五、〈遊山西村〉，頁一七。

註 九 卷四十二，頁八三三。

註 一〇 見《陸游卷》，頁八九。

註 一一 依次見《茶山集》卷四〈蛺蝶〉（頁四）、〈何德器寄道州怪石〉（頁一四）、卷五〈次勸農韻〉（頁九）、卷六〈發宜興〉（頁六）。

註 一二 依次見《茶山集》卷四〈種竹〉（頁十）、〈寓廣教僧寺〉（頁一三）。

註 一三 《瀛奎律髓》卷四陸游〈頃歲從戎南鄭屢往來興鳳間暇日追懷舊遊有賦〉詩批，頁五二。

註 一四 卷十九，頁三四〇。

註 一五 劉克莊《後村先生大全集》卷九十五〈江西詩派〉，頁八二一。

註 一六 《詩稿》卷五十四〈晨起偶得五字戲題稿後〉，頁七八五。

註 一七 《詩稿》卷一〈望江道中〉，頁一四。

註 一八 《詩稿》卷二〈馬上〉，頁二七。

註一九　《詩稿》卷十八，頁三一三。

註二〇　《瀛奎律髓》卷十七，頁二〇九。

註二一　吳體是兼有拗黏拗對與二句以上古調的七律，故意扭變正格，構成一種奇崛瘦硬的風貌。吳體來源有二說，一謂吳均體，一謂吳地歌體，後者的可能性較大。

註二二　陸游《文集》卷三十二〈曾文清公墓誌銘〉，頁二〇三。

註二三　《瀛奎律髓》卷二十五，頁三五。

註二四　參見顧佛影評註《劍南詩鈔》卷一（頁三）（第一首），卷五（頁五三）（第三首），以及歐小牧《陸游年譜》，（頁二四八）。試舉一首審其格律，〈連陰欲雪排悶〉云：「先生經自甑生塵，藜羹不污白氈巾。魯連敢謂天下士，摩詰要是山中人。溪從灘瘦愈刻厲，山自木落增嶙峋。雲重惟愁雪欲作，梅花忽報一枝春。」除末聯二句可稱入律外，其餘皆不合譜式。又除末聯外皆失對，首頷、頷頸、頸尾俱失黏。故可謂之吳體。

註二五　歐小牧《陸游年譜》，頁二四八。

註二六　梁昆《宋詩派別論》，頁九二。

註二七　《瀛奎律髓》卷十六曾茶山〈長至日述懷兼寄十七兄〉詩批，頁一七六。

註二八　《瀛奎律髓》卷二十三陸游〈登東山〉詩批，頁三一一。

註二九　《小畜集》卷九〈前賦春居雜興詩二首間半歲不復省親因長男嘉祐讀杜工部集見語意頗有相類

者咨於予且意予竊之也予喜而作詩聊以自賀〉云：「本與樂天為後進，敢期子美是前身」，頁二九。

註　三〇　例如劉維崇《陸游評傳》云：「陸游的詩，除得曾幾的衣缽外，也很受呂本中的影響」，「呂本中和曾幾，都屬『江西詩派』」，「江西詩派祖式杜甫，陸游既屬江西派，當然也以杜甫為法」。頁三四四—三四六。

註　三一　卷七中云：「先夫人幼多在外家晁氏。言諸晁讀杜詩，『稺子也能賒』、『晚來幽獨恐傷神』，也字恐字，皆作去聲讀」（頁四七）。卷八中有如下記載：「先君讀山谷乞貓詩，歎其妙，晁以道侍讀在坐，指『聞道貓奴將數子』一句，問曰，『此句何謂也』。先君曰，『老杜云，蹔上啼烏將數子，恐是其類』。以道笑曰，『君果誤矣，乞貓詩數字，當音色主反。數子謂貓狗之屬，多非一子，故人家初生畜，必數之曰生幾子，將數子，猶言將生子也。與杜詩詞同而義異』。以道必有所據，先君言當時偶不叩之以為恨。」（頁五四）。

註　三二　《茶山集》卷一〈次陳少卿見贈韻〉，頁二。

註　三三　《詩稿》卷一，頁三。

註　三四　《誠齋集》卷二十〈跋陸務觀劍南詩稿〉，頁一八七。

註　三五　《詩稿》卷二〈夜登白帝城樓懷少陵先生〉，頁三六。

註　三六　《詩稿》卷三〈遊錦屏山謁少陵祠堂〉，頁四六。

註三七　《文集》卷十七，頁一〇〇。

註三八　《老學庵筆記》卷七，頁四八。

註三九　《詩稿》卷七〈遣興〉，頁一一四。

註四〇　《詩稿》卷四〈瑞草橋道中作〉云：「祖師補處浣花村」（頁七四）；卷六〈伏日獨遊城西〉云：「論詩敢補先師處」（頁一〇三）。

註四一　《詩稿》卷十六，頁二七二。

註四二　卷四十五，頁八九九。

註四三　《詩稿》卷十七，頁二九九—三〇〇。

註四四　《越縵堂詩話》卷上，見《清詩話訪佚初編》八，頁五五。

註四五　《今體詩鈔・序目》，見《方東樹評今體詩鈔》，頁四，聯經出版事業公司。

註四六　《瓶水齋詩話》云：「嘗論七律至杜少陵而始盛且備，為一變；李義山瓣香於杜而易其面目，為一變；至宋陸放翁，專工此體，而集其成，為一變」，見《清詩話訪佚初編》三，頁八四。

註四七　《詩稿》卷六〈春晴喧甚遊西市施家園〉，頁一〇六。

註四八　《詩稿》卷十五〈秋晴出遊〉，頁二五九。

註四九　《詩稿》卷五十九〈晚秋野興〉二首之一，頁八三九。

註五〇　《詩稿》卷七十七〈暑中自遣〉，頁一〇五六。

註 五一 《後村先生大全集》卷一百七十四〈後村詩話〉，頁一五五二。

註 五二 《詩稿》卷一〈舜廟懷古〉，頁一八。

註 五三 《詩稿》卷二〈晚晴聞角有感〉，頁三六。

註 五四 《詩稿》卷二十四〈水亭晚眺〉，頁四〇九。

註 五五 《詩稿》卷二十一〈晨起〉，頁三六三；卷五十六〈鄰曲〉，頁八〇三。

註 五六 〈劍南詩鈔〉序。

註 五七 《詩稿》卷一，頁三。

註 五八 見陳衍《石遺室詩話》卷二十七，頁九。

註 五九 《詩稿》卷三，頁四〇。

註 六〇 見陳衍《石遺室詩話》卷二十七，頁一〇。

註 六一 梅堯臣的主張，見於《宛陵先生集》卷二十五〈答裴送序意〉、卷二十三〈答韓三子華韓五持國韓六玉汝見贈述詩〉等詩，陸游則可參考他的〈宋都曹屢寄詩且督和答作此示之〉（卷七十九）與〈示子遹〉（卷七十八）等詩。

註 六二 《宛陵先生集》卷四十六〈讀邵不疑學士詩卷杜挺之忽來因出示之且伏高致輒書一時之語以奉呈〉。

註 六三 《詩稿》卷六十四〈幽興〉，頁九〇六。

註　六四　《詩稿》卷七十九〈宋都曹屢寄詩且督和答作此示之〉，頁一〇七九。

註　六五　如卷十〈阻風〉云：「聽兒誦離騷，可以散我愁」（頁一六四）；卷三十八〈對酒〉云：「老子不堪塵世勞，且當痛飲讀離騷」（頁五八六）；卷五十八〈村居遣興〉三首之二云：「掩關也有消愁處，一卷騷經醉後看。」（頁八三五）

註　六六　《詩稿》卷二，二首之一，頁二五。

註　六七　《詩稿》卷三〈登塔〉，頁五四。

註　六八　《詩稿》卷五〈病酒新愈獨卧蘋風閣戲書〉，頁七九。

註　六九　《詩稿》卷七〈百歲〉，頁一二三。

註　七〇　《詩稿》卷五十四〈入秋遊山賦詩略無闕日戲作五字七首識之以野店山橋馬蹄為韻〉之一，頁七七八。

註　七一　《詩稿》卷七十八，頁一〇七六。

註　七二　《詩稿》卷十一，頁一九二。

註　七三　同註三四。

註　七四　《詩稿》卷十六〈答鄭虞任檢法見贈〉，頁二七四。他雖並稱屈宋，而重點在屈原。

註　七五　〈離騷〉。

註　七六　〈哀郢〉。

註　七七　〈悲回風〉。
註　七八　《詩稿》卷三〈太息〉二首之一，頁四六。
註　七九　《詩稿》卷三〈嘉州鋪得檄遂行中夜次小柏〉，頁四七。
註　八〇　《詩稿》卷七〈松驥行〉，頁一一四。
註　八一　《詩稿》卷四，頁六八。
註　八二　《詩稿》卷三十五，二首之一，頁五四七。
註　八三　《詩稿》卷七十九〈散懷〉，頁一〇八五。
註　八四　《詩稿》卷八十三〈新涼〉二首之一，頁一一三〇。
註　八五　《詩稿》卷四〈胡無人〉，頁七〇。
註　八六　《詩稿》卷五十八〈書事〉四首之四，頁八三〇。
註　八七　《詩稿》卷一，頁一—二。本文中所引用的二首，各見頁一、頁二。
註　八八　《詩稿》卷二〈聞雨〉，頁二二。
註　八九　《詩稿》卷四〈晦日西窗懷故山〉，頁五九。
註　九〇　《詩稿》卷五〈雷〉，頁八八。
註　九一　《詩稿》卷六〈彌牟鎮驛舍小酌〉，頁一〇二。
註　九二　《詩稿》卷八〈晝臥〉，頁一三五。

註　九三　《詩稿》卷四十二〈小雨初霽〉云：「歸來偶似老淵明」，頁六三三。

註　九四　《詩稿》卷二十五〈秋晚歲登戲作〉二首之一，頁四一九。

註　九五　《詩稿》卷七十四〈家釀頗勁戲作〉，頁一〇一九。

註　九六　《詩稿》卷八十〈過湖上僧庵〉，頁一〇九二。

註　九七　《詩稿》卷三十六〈書南堂壁〉二首之二，頁五五三。

註　九八　《詩稿》卷二十一〈杭湖夜歸〉二首之一，頁三六五。

註　九九　《詩稿》卷四十五〈初夏野興〉三首之三，頁六七八。

註一〇〇　《詩稿》卷五十五〈冬初至法雲〉，頁七九一。

註一〇一　《詩稿》卷五十八〈砭愚〉，頁八二六。

註一〇二　《詩稿》卷二十一〈春晚〉頁三六〇。

註一〇三　《詩稿》卷二十七〈讀陶詩〉，頁四四三。

註一〇四　《詩稿》卷七十〈自勉〉，頁九七一。

註一〇五　《詩稿》卷三十四，二首之一，頁五三四。

註一〇六　《詩稿》卷二十二，五首之四，頁三八一。

註一〇七　《詩稿》卷三十二，頁五〇六。

註一〇八　《詩稿》卷八〈白鶴館夜坐〉，頁一三八。

註一〇九　《詩稿》卷十五〈記夢〉，頁二六四。

註一一〇　《詩稿》卷二十，頁三四六。

註一一一　毛晉《劍南詩稿跋》云：「孝宗一日御華文閣，問周益公曰：『今代詩人，亦有如唐李太白者乎？』益公以放翁對，由是人竟呼為小太白。」，頁一一五五。

註一一二　《詩稿》卷四，頁六五。

註一一三　《詩稿》卷七，頁一二〇。

註一一四　《詩稿》卷四，頁六九。

註一一五　《詩稿》卷四，頁七五。

註一一六　錢鍾書《談藝錄》，頁一四七。

註一一七　《文集》卷二十六〈跋岑嘉州詩集〉，頁一五八。

註一一八　《詩稿》卷四，頁六二。

註一一九　《詩稿》卷二十八，頁四五三。

註一二〇　《詩稿》卷十一，頁一八五。

註一二一　《詩稿》卷四，頁六四。

註一二二　《詩稿》卷十二，頁二〇三。

註一二三　《詩稿》卷十五〈出塞曲〉（頁二六三）；卷二十八〈小出塞曲〉（頁四五四）；卷六十二〈出

塞四首借用秦少游韻〉（頁八七二）；卷四〈胡無人〉（頁七〇）；卷二十五〈老將〉，頁四一二等。

註一二四　《詩稿》卷九〈玉局觀拜東坡先生海外畫像〉，頁一四五—一四六。

註一二五　《文集》卷四〈上殿札子〉，頁一九—二〇。

註一二六　《詩稿》卷十，頁一六七。

註一二七　《石遺室詩話》卷二十七，頁一三。

註一二八　《詩稿》卷一〈買魚〉二首之一，頁一一。

註一二九　《詩稿》卷十三〈桐廬縣泛舟東歸〉，頁二一七。

註一三〇　《詩稿》卷七十一〈贛士曾興宗字光祖以其居篔簹谷圖來求詩〉，頁九八五。

註一三一　《詩稿》卷十〈舟中對月〉，頁一六〇。

第三章　陸游的詩論

每一位文學家都有自己的文學理論，陸游的詩論，尤其基於下列幾點，頗值得探討。首先，陸游的詩雖起初與江西詩派有淵源關係，但後來創造獨特風格，江西詩派有一套獨特詩歌理論，陸游既脫離江西詩派的束縛，他在詩論上也自會有可觀之處。第二，陸游生活在宋金對峙、朝野上下動盪的時代，他處在這樣的時期，應持有與處在和平時期的詩人不同的現實認識與文學觀。第三，當時不僅在政治上極不安定，詩壇上也顯現新舊詩人的尖銳對立。陸游目睹當時詩壇上充溢「頹波」，在詩文中屢指責當時的詩人及其詩。單舉這三點，我們就有必要探討陸游的詩論。因此，下文將在陸游的文學理論中，抽出與解決上述諸問題有關，且能成為他的文學理論之骨幹的見解，做為主要探討對象。（註一）

第一節　悲憤說

陸游對於詩的基本想法，見於〈澹齋居士詩序〉一文中，他說：

詩首國風，無非變者。雖周公之豳亦變也。蓋人之情，悲憤積於中而無言，始發爲詩。不然，無詩矣。蘇武、李陵、陶潛、謝靈運、杜甫、李白，激於不能自已，故其詩爲百代法。國朝林逋、魏野以布衣死，梅堯臣、石延年棄不用，蘇舜欽、黃庭堅以廢絀死。近世江西名家者，例以黨籍禁錮，乃有才名。蓋詩之興本如是。紹興間，秦丞相檜用事，動以語言罪士大夫，士氣抑而不伸，大抵竊寓於詩，亦多不免。（註二）

陸游說：「人之情，悲憤積於中而無言，始發為詩」，這是屬於作詩動機論。（註三）一般論詩的定義，大概均說詩是思想感情的表現，陸游卻在這裡特舉「悲憤」。「悲憤」之來源，可說有多端，但看他在上文中所舉的例子，他特別重視的是政治上的不得志，亦即「不見用於世」。生活在儒家社會裡的知識份子的最大使命是「堯舜其君民」，而進出宦途，如果不得志，即發出「憂時閔己」之嘆。這樣的君子對社會的使命，就成為陸游思想的根柢，他的詩論也以此為中心而發。他把知識份子之見用於世或不見用於世，以「雲」做譬喻，說君子之不見用於世，不僅是個人的不幸，亦為文之不幸。〈跋吳夢予詩編〉中云：

山澤之氣爲雲，降而爲雨，勾者伸，秀者實，此雲之見於用者也。子嘗見旱歲之雲乎？嵯峨突兀，起爲奇峰，足以悅人之目，而不見於用，此雲之不幸也。君子之學，蓋將堯舜其君民；若乃放逐顚頓，娛悲舒憂，爲風爲騷，亦文之不幸也。吾友吳夢予，槖其歌詩數百篇於天下名卿

賢大夫之主斯文盟者，翕然歎譽之，末以示余。余愀然曰：子之文，其工可悲，其不幸可弔。（註四）

陸游的「悲憤說」有類於歐陽修「詩窮而後工說」，他自己也說「激於不能自已，故其詩為百代法」，但究竟說來也不盡相同，因為他好像並沒有那麼重視詩人窮而後必「工」與否的這一點，因為他言論的重點不在於「工」、「不工」。陸游的「悲憤說」不是傳統的「言志說」的單純複製，而本身具有其主張由來之特殊背景。陸游主「悲憤說」，首先提舉《詩經》國風中的變風。《詩經》「正變說」始見於「詩序」之後，對其界說與其存在與否，從來頗多異議，但在這裡沒有考究其性質之意圖，只就陸游言及「變」詩之緣由，加以探討。對「變」詩的產生，「詩序」說：「至於王道衰，禮義廢，政教失，國異政，家殊俗，有變風變雅作矣」。變風與變雅是「衰世之音」、「亂世之音」，《禮記‧樂記》說：「亂世之音怨以怒」，就如陸游所謂「悲憤積於中」。「變」詩是憂患意識的反映，「憂時閔己」感情的表現。陸游說《詩經》國風中沒有不是變詩，顯然是強調變詩的存在，在論詩的創作動機，舉出變詩，不是止於陸游一人，包恢亦舉變風變雅，〈答曾子華論詩書〉中說：「其次則所謂未嘗為詩，而不能不為詩，亦顧其所遇如何耳。或遇感觸，或遇扣擊，而後詩出焉。如詩之變風變雅，與後世詩之高者是矣。此蓋如草木本無聲，因有所觸而後鳴，金石本無聲，因有所擊而後鳴，無非自鳴也」（註五），這無異於韓愈所謂「不平則鳴」。但陸游特舉歷代很多詩人政治上的遭遇來做為例子，尤其談及「紹興間」的情況，即其言論是具有時代性的既具體的又特別的主張，也可以說他這樣的論點是他時局觀的文學的一個反映。換句話說，陸游的此論是把陸游目睹當時現實所感的，移之於文學觀點上。目睹當時詩人創作上的一個普遍現象，又基於自己的親身體驗，把它們綜合起來提出這一主張。陸游不僅詩觀如此，而且其創作也實際附合於此論。有關此論的產生，要與他的生平聯繫而加以考察，才可以深一層地了解。他生長於異民族入侵、宋朝上下動盪的時代，滿腔憂國憤激，自有報效國家收復中原之熱忱，而在宦途上經過一再挫折之餘，「蹭蹬乃去為詩人」（註六），這種不得已才做為詩人的悲慨，只好藉詩來求自慰，因而創作了許多像「和戎壯士廢，憂國清淚滴」（註七）之類悲憤慷慨的詩歌。

如此，詩人「悲憤積於中而無言，始發為詩」，即其詩中自然多悲憤之感情表現。基此，陸游對《詩經》說：「三百篇中半是愁。」（註八），「愁」是憂患意識，「悲憤」是從此流出來，他甚至對詩材的來源，誇張地強調說：「清愁自是詩中料，向使無愁可得詩」（註九）。詩人「若遭變遇讒，流離困悴，自道其不得志」，「感激悲傷，憂時閔己，託情寓物，使人讀之，至於太息流涕」（註一〇），但陸游同時好像又認為詩人在詩中流露悲憤之情，使得讀者感動，至於太息流涕，固然很好，而先乎此，更要重視顧慮作者的學養。作者要對現實持有正確認識，即使陷於困境，要不失其認識現實之正確且具不傾不挫的態度—「憤世疾邪之氣」，他評當時詩人時，所重視、強調的，就是這一點，如他所說：

若澹齋居士陳公德召者，故與秦公有學校舊，自揣必不合，因不復與相聞，退以文章自娛，詩

尤中律呂，不怨不怒，而憤世疾邪之氣，凜然不少回撓。（註一一）

伯咎落江湖者數年，久之，雖起，乘傳嶺海，復坐微文斥，卒棄不用以死，而伯咎傲睨憂患，不少動心，方扁舟往來吳松，嘯歌飲酒，益放於詩。（註一二）

這些都是作者的「詩外工夫」。

第二節　工夫論

詩人為詩歌創作所下的工夫大致可分為「詩內工夫」與「詩外工夫」。「詩內工夫」主要指謀篇、鍛句、鍊字、用典、審音辨律等方面，陸游的詩論對此沒有獨特或具體的意見提示，但還是重點地提出強調「謹嚴中律」與「鍛鍊」，他以「中律」推許楊萬里詩，說：「錦囊三千篇，字字律呂中」（註一三）；又說：「有得忌輕出，微瑕須細評。」（註一四）此二者固然是作詩者所不應忽略的。

陸游對詩的見解中，最具代表性的一點，就是「詩外工夫」。他在〈示子遹〉詩中一針見血地這樣說過：「汝果欲學詩，工夫在詩外。」（註一五）這首詩是陸游八十四歲時寫的，「詩外工夫」是「詩內工夫」的相對概念，這是他從自己創作實踐中領悟的經驗，他以此教誨兒子的。

「詩外工夫」的涵義究竟如何？他未曾直接說明過，但看他的諸詩文，就可知主要指一、道德學問與二、生活體驗這兩方面。

一、道德學問

陸游在詩文中一再強調詩文與氣之關係，如：

某聞文以氣爲主。（註一六）

文章當以氣爲主。（註一七）

「文以氣為主」是曹丕在《典論．論文》中提出的話，但其說在作家的才氣出自先天稟賦，非後天所能勉強的這一點上，與陸游的見解不同，陸游以為構成作者創作條件之要素有才與氣，而「才得之天，而氣者我之所自養」（註一八）。陸游的「養氣說」，同時，又與劉勰在《文心雕龍．養氣篇》中所談不同，因為《養氣》篇談的是作家在作文時應保持良好的精神狀態，而不是談作家的才氣與作品的關係問題。陸游的「養氣說」接近於韓愈的文學見解，韓愈在〈答李翊書〉中談作品與作家的思想道德修養，說：「……雖然，不可以不養也。行之乎仁義之途，游之乎《詩》《書》之源，無迷其途，無絕其源，終吾身而已矣。氣，水也；言，浮物也；水大而物之浮者大小畢浮。氣之與言猶是也，氣盛則言之短長與聲之高下者皆宜」。韓愈認為作家的思想道德提高了，培養了旺盛的正氣或浩然正氣，文章就能寫好，韓愈的這一理論，是強調了作家的思想道德修養對於文章的影響，是吸取了孟子在《孟子．公孫丑上篇》中所言的「知言養氣說」而建立起來的。陸游也重視作家的道德修養與作品之關係，一再強調說，「詩豈易言哉」（註一九）、「詩者果可謂之小技乎？」（註二〇），因為詩是作家的道德修養的反映。陸游這樣見解屢見於文章中，如：

> 君子之有文也，如日月之明，金石之聲，江海之濤瀾，虎豹之炳蔚，必有是實，乃有是文。夫心之所養，發而爲言；言之所發，比而成文。人之邪正，至觀其文，則盡矣決矣，不可復隱矣。爝火不能爲日月之明，瓦釜不能爲金石之聲，潢汙不能爲江海之濤瀾，犬羊不能爲虎豹之炳蔚，而或謂庸人能以浮文眩世，烏有此理也哉？使誠有之，則所可眩者，亦庸人耳。……賢者之所養，動天地，開金石，其胸中之妙，充實洋溢，而後發見於外，氣全力餘，中正閎博，是豈可容一毫之僞於其間哉。（註二一）

> 惟天下有道者，乃能盡文章之妙。（註二二）

陸游說：「夫心之所養，發而為言；言之所發，比而成文」，是基於人要經過道德修養而持有正氣、氣節，若不如此，則其作詩作文，也只能成為「僞文」、「浮文」，而「有才矣，氣不足以御之，淫於富貴，移於貧賤，得不償失，氣不蓋媿，詩由此出，而欲追古人之逸駕，詎可得哉？」（註二三），因此強調作者的思想道德修養對於詩文的決定性作用。同時，他還說像孟子提出那樣至大至剛的浩然之氣，表現到文章上，自然是一種雄壯剛健的氣貌，他說：「誰能養氣塞天地，吐出自足成虹蜺」（註二四）。因此「所養愈深，而詩亦加工」（註二五），隨著品德修養的完善，作品也愈來愈好，既然這樣，不必且不可以只斤斤計較於形式手法上的「詩內工夫」。

陸游既重視品德的修養，自然就以宗經為第一要務，在詩中屢述此意，如：「六經萬世眼，守此可以老」（註二六）、「經術吾家事，躬行更不疑」（註二七）、「六藝江河萬古流，吾徒鑽仰死方休」（註二八）。詩學工夫更在於道德學問，源於道德學問，他說：「詩豈易言哉，一書之不見，一物之不識，一理之不窮，皆有憾焉」（註二九），又說：「詩者果可謂之小技乎，學不通天人，行不能無愧於俯仰，果可以言詩乎？」（註三〇）。陸游的業師曾幾「治經學道之餘，發於文章，雅正純粹，而詩尤工。」（註三一），是陸游上述主張的最好的具體例子。陸游也從自己的創作實踐經驗中說出創作上所須的要秘，說：「文能換骨餘無法，學但窮源自不疑」（註三二）。

作家除經典外，還要博覽諸家詩文。以前作家都「於左氏傳、太史公書、韓文、杜詩，皆熟讀暗誦，雖支枕據鞍間，與對卷無異，久之乃能超然自得」（註三三）。但是依陸游看來當時後輩就於此有不足，就指責說：「今後生用力有限，掩卷而起，已十亡三四，而望有得於古人，亦難矣。」（註三四）。

陸游重視道德修養之意已見於上文所引用的文章中，總之，他認為「天下豈有器識卑陋，而文詞超然者哉」。不過，他的主張並不只限於學習《詩經》、《尚書》等古代聖人的經典，學習孔孟所強調的仁義等一套儒家的倫理道德，而他更主張道的實踐，這一點才是他最重視的。他說：

然知文之不容僞也，故務重其身而養其氣。（註三五）

紙上得來終覺淺，絕知此事要躬行。（註三六）

養氣要使完，處身要使端。（註三七）

至於聖人之道，足下往昔朝夕所講習者，豈外於是，言之而必踐焉，心之而不徒口耳焉，無餘道矣。（註三八）

詩人（知識份子）不僅要實踐聖人之道，言行合一，行無愧於俯仰，即使處於世變與個人不遇，更要持身嚴正，持有正氣，不撓不屈於外部世界之逼迫。他的主張如此，並以評價當代詩文作者而推仰之，如：

予自少聞莆陽有士曰方德亨名豐之才甚高，而養氣不撓，呂舍人居仁、何著作搢之皆屈行輩與之遊。德亨晚愈不遭，而氣愈全，觀其詩，可知其所養也。（註三九）

某聞文以氣爲主。出處無媿，氣乃不撓。韓、柳之不敵，世所知也。公自政和訖紹興，閱世變多矣，白首一節，不少屈於權貴，不附時論以苟登用，每言虜，言畔臣，必憤然扼腕裂眥，有不與俱生之意，士大夫稍有退縮者，輒正色責之，一時士氣，爲之振起。今觀其制告之詞，可概見也。（註四〇）

從上文中也可看出，陸游重視作家思想品德的修養，是有其時代意義的。因為當時宋朝在外面與金對立，處於此時之知識份子更被要求作為堂堂皇皇。但在事實上並非如此，偏安一隅，士氣萎靡，故陸游嘆此現實，發為此論。他一再批判當時「以詩自許者」與「風節」說：

文章當以氣爲主，無怪今人不如古。（註四一）

僕紹興末，在朝路偶與同舍二三君至太一宮，聞中有高士齋，皆名山高逸之士，欣然訪之，則皆扃户出矣。裴回老松流水之間，久之，一丫髻童負琴引鶴而來，風致甚高。吾輩相與言曰：「不得見高士，得見此童，亦足矣。」及揖而問之，則曰：「今日董御藥生日，高士皆相率往獻香矣。」吾輩遂一笑而去。今世之以詩自許者，大抵多太一高士之流也，不見笑於人幾希矣。而望其有陶淵明、杜子美之餘風，果可得乎。（註四二）

文章日益近衰陋，風節久已嗟陵夷。（註四三）

陸游一再強調與重視知識份子的使命與應守之言行態度。他對於唐末五代《花間集》作家予以嚴厲的批評，是因為他們處於國家動亂之時，不管民生疾苦，只圖流連歌酒。他說：

《花間集》，皆唐末五代時人作。方斯時，天下岌岌，生民救死不暇，士大夫乃流宕如此，可歎也哉！或者亦出於無聊故邪？（註四四）

二、生活體驗

在廣大現實裡的體驗，使詩人擴大眼界，使詩的內容豐富。陸游在〈感興〉詩中闡說只有對生活有深刻的感受，才能創作出較好的作品：

文章天所秘，賦予均功名。吾嘗考在昔，頗見造物情。離堆太史公，青蓮老先生。悲鳴伏櫪驥，蹭蹬失水鯨。飽以五車讀，勞以萬里行。險艱外備嘗，憤鬱中不平。山川與風俗，雜錯而交并。邦家志忠孝，人鬼參幽明。感慨發奇節，涵養出正聲。故其所述作，浩浩河流傾。豈惟

配詩書，自足齊韺䪫。我衰敢議此，長歌涕縱橫。（註四五）

在這首詩裡，他指出司馬遷與李白在創作上有突出成就，是由於他們讀萬卷書，行萬里路，把親身所見、所聞、所經歷的山川風俗與國家事變，一一寫到作品裡去，既反映了時代的客觀現實，又貫注著作者真摯熱烈的思想感情。

其實陸游何嘗不是如此，他在〈九月一日夜讀詩稿有感走筆作歌〉中已抒述了自己的切身經驗，說：

我昔學詩未有得，残餘未免從人乞。力孱氣餒心自知，妄取虛名有慚色。四十從戎駐南鄭，酣宴軍中夜連日。打毬築場一千步，閱馬列廏三萬疋。華燈縱博聲滿樓，寶釵艷舞光照席。琵琶絃急冰雹亂，羯鼓手匀風雨疾。詩家三昧忽見前，屈賈在眼元歷歷。天機雲錦用在我，翦裁妙處非刀尺。世間才傑固不乏，秋毫未合天地隔。放翁老死何足論，廣陵散絶還堪惜。（註四六）

他在南鄭的從軍生涯中經歷了各種生活，大悟「詩家三昧」，從此他的詩新入於轉變期。山川形勝亦對創作予以極大影響，

古樂府有東武吟，鮑明遠輩所作，皆名千載，蓋其山川氣俗，有以感發人意，故騷人墨客，得以馳騁上下，與荊州邯鄲巴東三峽之類，森然並傳，至於今不泯也。（註四七）

揮毫當得江山助，不到瀟湘豈有詩。（註四八）

不到瀟湘、三峽，就得不到江山之助，詩來自詩人對客觀事物的真切感受，這是他的創作體會。他

說：「莫道終身作魚蠹，爾來書外有工夫」（註四九），不要終生做蛀書蟲，應該到書齋之外的廣闊天地裡去，才能寫出眞詩、好詩。因此他嘲笑那些一味閉門覓句，只注重「詩內工夫」的詩人，說：「法不孤生自古同，癡人乃欲鏤虛空。君詩妙處吾能識，正在山程水驛中」（註五〇），「山程」與「水驛」就是自然界的泛稱，也就是作家參與且體驗的現實生活。陸游詩歌的題材非常豐富：「凡一草一木，一魚一鳥，無不裁剪入詩」（註五一），可知陸游在創作上確實實踐了上面所述的主張。

在學道修養及作詩作文上，交遊亦甚予影響，〈呂居仁集序〉中說：

公自少時，既承家學，心體而身履之，幾三十年，仕愈躓，學愈進，因以其暇盡交天下名士，其講習探討，磨礱浸灌，不極其源不止。故其詩文汪洋閎肆，兼備衆體，間出新意，愈奇而愈渾厚，震耀耳目，而不失高古，一時學士宗焉。（註五二）

又在〈晁伯咎詩集序〉中說：

又少時所交，皆中州名勝，講習磨礱之益深矣，是豈寠書生聞見局陋者，敢望其涯哉。（註五三）

與「天下名士」的「講習磨礱」，對詩歌創作確有益。

以上分析陸游所提的「詩外工夫」之涵義，從中可知那是出自於陸游目睹當時詩壇的「頹波」，欲以矯枉之念，而實際上各個項目，陸游均充實地實踐了。

第三節 自然論

陸游在表現出作家的思想感情這一問題上，重視自然，反對刻意求工。他說：

大抵詩欲工，而工亦非詩之極也。鍛煉之久，乃失本指。斲削之甚，反傷正氣。（註五四）

組繡紛紛衒女工，詩家於此欲途窮。（註五五）

文章本天成，妙手偶得之。粹然無疵瑕，豈復須人爲。（註五六）

大巧謝雕琢，至剛反摧藏。（註五七）

他進乎此，說連是工是拙都忘掉，「巧拙兩無施」：

詩憑寫興忘工拙。（註五八）

君看古彝器，巧拙兩無施。（註五九）

不過，他不是漠視「詩法」的存在，因為「法不孤生自古同」，反對憑空追求法度，以技巧害意，重視把作家胸中奔騰憤出的感情眞實地表現：

隨意或詩成。（註六〇）

叮寧一語宜深聽，信筆題詩勿太工。（註六一）

詩纔適意寧求好。（註六二）

我獨適情無傑句。（註六三）

「隨意」、「信筆」、「適意」、「適情」，都意味相同。自然的表現本是大部分作家都追求的理想，例如一再談論詩法的黃庭堅也極推崇陶淵明的「不煩繩削而自合」為最高境界。但是他的實際創作仍不免受到「好奇」、「生硬」等嚴厲的批判。陸游在〈讀近人詩〉中說：「琢琱自是文章病，奇險尤傷氣骨多。君看大羹玄酒味，蟹螯蛤柱豈同科」（註六四），這裡的「近人」大概指的是專務琢琱與奇險的江西末流詩人，他用的「蟹螯」「蛤柱」語，與蘇軾曾批評黃庭堅詩時所用的措詞如「蝤蛑」「江瑤柱」極相似，胡仔《苕溪漁隱叢話》前集卷四十九引東坡語云：「黃魯直詩文，如蝤蛑江瑤柱，格韻高絶，盤飧盡廢，然不可多食，多食則發風動氣。」這樣看來，陸游主張「自然論」，並非僅僅是原則性的言論，而是有見於「近人詩」的某種弊端而發的。他不僅在詩論上如此主張，而在創作上也實踐了自己的詩論，如趙翼說：「放翁工夫精到，出語自然老潔。」（註六五）。

陸游的「悲憤說」是「人之情，悲憤積於中而無言，始發為詩」；「詩外工夫」中的「養氣說」是「其胸中之妙，充實洋溢，而後發見於外」，「工夫論」歸結於「自然論」，如此看來，陸游的主要詩論如「悲憤說」、「工夫論」、「自然論」等都構成一緊密的體系。

第四節　欣賞論

陸游在寫詩上主張要不以文害詞，不以詞害義，注重寫意，那麼在作品的欣賞上亦主張把握作者之意優先於欣賞其表現技巧。在這點，他亦批判當時人之解詩。他說：

> 今人解杜詩，但尋出處，不知少陵之意，初不如是。且如〈岳陽樓〉詩：「昔聞洞庭水，今上岳陽樓。吳楚東南坼，乾坤日夜浮。親朋無一字，老病有孤舟。戎馬關山北，憑軒涕泗流。」此豈可以出處求哉！縱使字字尋得出處，去少陵之意益遠矣。蓋後人元不知杜詩所以妙絕古今者在何處，但以一字亦有出處爲工。如《西崑酬倡集》中詩，何曾有一字無出處者。便以爲追配少陵，可乎？且今人作詩，亦未嘗無出處，渠自不知，若爲之箋注，亦字字有出處，但不妨其爲惡詩耳。（註六六）

「無一字無來處」是黃庭堅之語。他認為「自作語最難」，就連老杜的詩或韓愈的文章都「無一字無來處」，因此後人「取古人之陳言入於翰墨，如靈丹一粒，點鐵成金」（註六七）。黃庭堅此話給予後代詩人很大影響，但是他們不知黃庭堅的原意，在解詩與作詩上，但尋出處，只重出處，這些現象依陸游看來，就是大錯特錯。由上引文可知陸游在解詩與作詩上，其主張是一貫的。

如我們在前面已經分析，陸游認為作家應當具備高尚的道德品質與思想修養，還必須身體力行，言行一致。他把這些見解也移用於欣賞論上，闡發了獨特的主張，就是說，古人的詩文，不可以只留於欣賞層面上，還須實地實踐。他說：

> 東山七月篇，萬古真文章。（註六八）

豳詩有七月，字字要躬行。（註六九）

我讀豳風七月篇，聖賢事事在陳編。豈惟王業方興日，要是淳風未敢前。屈宋遺音今尚絶，咸韶古奏更誰傳。吾曹所學非章句，白髮青燈一泫然。（註七〇）

對於《詩經、豳風》中〈東山〉和〈七月〉詩，傳統儒家的解釋如〈小序〉關於〈東山〉則云：「君子之於人，序其情而閔其勞，所以說也。說以使民，民忘其死，其唯東山乎？」對〈七月〉云：「周公遭變，故陳后稷、先公風化之所由，致王業之艱難也」。陸游推崇且重視這兩篇，是希望宋朝為政者效法周公深切地關心百姓及軍卒之生活，了解他們之苦，愛他們。依陸游看，這樣的關係才是最理想的關係，在這兩篇中所表現的是後代為政者應該效法的典範，王業基於「上下之情交相忠愛」的為政者與百姓這兩階層間的和合上，故說「君看八百年基業，盡在東山七月篇」（註七一）。他說：「吾曹所學非章句」，要實現〈東山〉〈七月〉中所具現的太平時代，就要「字字要躬行」，通過實踐行動，寄望於社會發展。陸游深切地知道這般道理，但是他所處的當時現實並非如此。「秦漢區區了目前，周家風化遂無傳」（註七二）、自己不能出力導致太平的現實，就使他「白髮青燈一泫然」。

以上所分析的是，陸游的詩學見解中比較重要且有份量的，這些看法，自成一體系。「悲憤說」出於他的生活經歷，其他都針對當時詩壇的弊端而發的，均實現於實際創作中。最後探討陸游與江西詩派詩論的關係。

第五節　與江西詩派的關係

陸游開始學作詩的時候，就私淑呂本中，從曾幾學習江西詩派的詩法，直到晚年不改變對呂、曾二人的仰慕之情，還時時回憶曾幾傳給他的一些有關詩法的話。

陸游回憶曾幾的話，有二。一個是他四十七歲時所作詩中所見的：「憶在茶山聽說詩，親從夜半得玄機。……律令合時方帖妥，工夫深處卻平夷。」（註七三）另一個是他在七十一歲時有詩云：「我得茶山一轉語，文章切忌參死句。」（註七四）前者符合於黃庭堅主張，即一面追求「自然法度行乎其間」（註七五）、「安排一字有神」（註七六），但另一方面最終目標在於「句法簡易而大巧出焉，平淡而山高水深」（註七七）之境地。陸游作此詩後，第二年就到南鄭過軍戎生活，悟到「詩家三昧」，後來他自己評南鄭以前的詩，說「未有得」。他說：「詩家三昧忽見前，屈賈在眼元歷歷。天機雲錦用在我，翦裁妙處非刀尺。」（註七八）陸游的意思，是說作者應當自由自在地運用形式架子與材料來做詩，不可以受它們的拘束。作者只要把自己在現實生活中所起的感情毫不間斷地寫出來，就能寫成優美自然的篇章了。黃庭堅勸人學習《楚辭》，說：「若欲作《楚辭》，追配古人，直須熟讀《楚辭》，觀古人用意曲折處，講學之後，然後下筆。譬如巧女之文繡妙一世，若欲作錦，必得錦機，乃能成錦耳。」（註七九）學詩者起初需要一個師法的對象，以後逐漸擺脫摹仿階段，達到得心應手的地步。黃庭堅的「若欲作錦，必得錦機，乃能成錦」是屬於前者，陸游的「天機雲錦用在我，翦裁妙處非刀尺」是指後者。他於此加上「屈賈在眼元歷歷」一句，說他了解屈原與賈誼的創作的實質。屈原與賈誼同樣地懷著忠君愛國的熱情，始終為了振興國家，奮鬥不已，而在現實上遭受旁人的讒言，遂被貶謫到遠地，因而他們的作品裡面充滿對國事的深切憂念與政治上不得志的悲慨。屈、賈作品使讀者感動的思想感情，是都出於他們奮鬥的現實生活中，是他們熱烈且誠實地生活的反映。偉大的作品，是作者感情的眞實流露，不是只假藉規律而成的。陸游中年入蜀，從豐富多彩的生活中，創作視野開闊，領略「詩家三昧」，悟到「詩外工夫」的重要性。他把「詩內工夫」與「詩外工夫」結合起來，想補救江西詩派的一些缺失，他在〈示子遹〉中云：「我初學詩日，但欲工藻繪。中年始稍悟，漸欲窺宏大」（註八〇），「工藻繪」指「詩內工夫」，「漸欲窺宏大」即指詩風的轉變。

另一個陸游從曾幾傳受的「傳語」、所謂「文章切忌參死句」，本來是曾幾得之於呂本中的。他在〈讀呂居仁舊詩有懷其人作詩寄之〉中就說：「學詩如學禪，愼無參死句」（註八一），這是呂本中所謂「活法」的核心。所謂「活法」是「規矩備具，而能出於規矩之外，變化不測，而亦不背於規矩也。是道也，蓋有定法而無定法，無定法而有定法，知是者則可以語活法矣」（註八二）。這是作詩者應當趨向的理想境界，陸游也好像在作詩上以此為目標，因為他在晚年還時時提起有關的說法，例如他在六十八歲時在〈示兒〉詩中說：「文能換骨餘無法，學但窮源自不疑」（註八三），在七十八歲時又說：「六十餘年妄學詩，工夫深處獨心知。夜來一笑寒燈下，始是金丹換骨時」（註八四）。他在兩首詩裡都提出「換骨」，這「換骨」不是黃庭堅所謂「換骨奪胎」，而是陳師道所謂「學詩如學仙，時至骨自換」（註八五）的「換骨說」（註八六）。陳師道的「換骨說」與呂本中的「活法說」有相同之處，曾季貍的《艇齋詩話》中有一段話，說：「後山論詩說換骨，東湖論詩說中的，東萊論詩說活法，子蒼論詩說飽參，入處雖不同，其實皆同一關捩，要知非悟不可」。實則「活法說」裡面已包孕了「換骨說」，此關係見於上引曾幾詩裡面，他說：「學詩如學禪，愼無參死句。縱橫無不可，乃在歡喜處。又如學仙子，辛苦終不遇。忽然毛骨換，政用口訣故。居仁說活法，大意欲人悟。常言古作者，一一從此路。豈惟如是說，實亦造佳處。其圓如金彈，所向若脫兔。風吹春空雲，頃刻多態度。鏘然奏琴筑，間以八珍具。」。「又如學仙子，辛苦終不遇。忽然毛骨換，政用口訣故」與陳師道的話，意味完全相同。由此可知，自陳師道至曾幾，江西詩人持相同詩論之跡。陸游如上面所述，直至晚年始終推崇呂本中的「活法」，他從江西詩派，主要接受了此「活法說」的影響。

在上面，我們已經討論過陸游的「工夫論」中「養氣說」部分，「養氣說」是呂本中「活法說」的主要骨幹之一。他說：「治澤工夫已勝，而波瀾尚未闊。欲波瀾之闊，先須於規摹令大，涵養吾氣而後可。規摹令大，波瀾自闊，少加治澤，功已倍於古矣。」（註八七）呂本中所言的「氣」，主要指文氣，但看他繼引韓愈的「氣，水也，言，浮物也。水大則物之浮者大小畢浮，氣之與言猶是也。氣盛則言之長短與聲之高下皆宜」，則「氣質」也不能排除。呂本中把「涵養吾氣」與「波瀾之闊」相提並論，陸游也重視作者的思想道德修養對於文章的決定性作用，並且重視這種「氣」表現到文章上，形成一種雄壯蓬勃的特色。他說：「誰能養氣塞天地，吐出自足成虹蜺」（註八八），又說：「絶知涵養與人別，吐氣如虹失衰老。孟軻浩然正應爾，豈比區區養梨棗」（註八九），又說：「凌空一鶚上，赴海百川東。氣骨眞當勉，規模不必同。」（註九〇）不過，如果分辨呂、陸二人「養氣說」之差異，呂把重點放在活法運用上，陸卻較重視作為知識份子的作家所應有的高度道德修養與社會責任感。

呂本中主張活法，以謝玄暉所言「好詩流轉圓美如彈丸」為眞活法。陸游對此表示異見。他在〈答鄭虞任檢法見贈〉詩中指出：「文章要須到屈宋，萬仞青霄下鸞鳳。區區圓美非絶倫，彈丸之評方誤人。」（註九一）陸游服膺活法說，而提出這種說法，一則指出呂本中提出「活法說」後，當時有的詩人趨於輕滑的情況，劉克莊也說：「近時學者，誤認彈丸之語，而趨於易，故放翁詩云：彈丸之評方誤人。」（註九二）當時詩人趨於輕滑的原因，是由於「誤認」以彈丸為喻的原意，因此可說：「彈丸之評方誤人」。二則陸游心目中的理想詩人是屈宋（尤其是屈原），他們作品中充滿對國家社會與自己不遇的熱烈思想感情，這種特色，不能僅僅以「流轉圓美」所概括，就由於這個緣故，陸游雖服膺活法，但是「圓美」「彈丸」之說當予以鄭重討論和體會，並不能只局限於「流轉圓美」的境界。

綜合上面所論，陸游在詩論上確實在一定程度上受到江西詩派的影響，那主要是自呂本中傳至曾幾，自曾幾再傳到陸游的「活法說」。但這影響是關於創作精神及作詩者應走向的理想境界，而細看陸游有關詩學見解，卻見不到任何江西派奉守的具體形式技巧。這也許是由於陸游與江西詩派詩人在詩學主張上所注重的方面不同之故，陸游並沒有無批判地墨守江西詩派權威性的詩論。

【附　註】

註　一　對於陸游的文學理論的全貌，請參閱張健先生的〈陸游的文學理論研究〉，〈國立編譯館館刊〉，第八卷，第一期。

註　二　《文集》卷十五，頁八六。

註　三　陸游此說的淵源蓋出自司馬遷《史記・太史公自序》所云：「詩三百篇，大抵聖賢發憤之所為作也。」與〈屈原賈生列傳〉所云：「（屈平）故憂愁幽思而作〈離騷〉。」

註　四　《文集》卷二十七，頁一六五。

註　五　引自《南宋文學批評資料彙編》，頁四四二。

註　六　《詩稿》卷七十九〈初冬雜詠〉八首之五，頁一〇八〇。

註　七　《詩稿》卷十三〈書悲〉，頁二二五。

註　八　《詩稿》卷八十〈讀唐人愁詩戲作〉五首之四，頁一〇九〇。

註　九　《詩稿》卷八十〈讀唐人愁詩戲作〉五首之二，頁一〇九〇。

註一〇　《文集》卷十五〈曾裘父詩集序〉，頁八八。

註一一　《文集》卷十五〈澹齋居士詩序〉，頁八六。

註一二　《文集》卷十四〈晁伯咎詩集序〉，頁七九。

註一三　《詩稿》卷二十一，〈喜楊廷秀秘監再入館〉，頁三六二。
註一四　《詩稿》卷五十四，〈晨起偶得五字戲題稾後〉，頁七八五。
註一五　《詩稿》卷七十八，頁一〇七六。
註一六　《文集》卷十五〈傅給事外制集序〉，頁八六。
註一七　《詩稿》卷十九〈桐江行〉，頁三四三。
註一八　《文集》卷十四〈方德亨詩集序〉，頁八二。
註一九　《文集》卷三十九〈何君墓表〉，頁二四五。
註二〇　《文集》卷十三〈答陸伯政上舍書〉，頁七四。
註二一　《文集》卷十三〈上辛給事書〉，頁七二—七二。
註二二　《文集》卷十三〈上執政書〉，頁七一。
註二三　《文集》卷十四〈方德亨詩集序〉，頁八二。
註二四　《詩稿》卷二十一〈次韻和楊伯子主簿見贈〉，頁三六二。
註二五　《文集》卷十五〈曾裘父詩集序〉，頁八八。
註二六　《詩稿》卷十五〈冬夜讀書〉，頁二六五。
註二七　《詩稿》卷六十三〈自儆〉二首之二，頁八八七。
註二八　《詩稿》卷五十四〈六藝示子聿〉，頁七七九。

註二九　《文集》卷三十九〈何君墓表〉，頁二四五。
註三〇　《文集》卷十三〈答陸伯政上舍書〉，頁七四。
註三一　《文集》卷三十二〈曾文清公墓誌銘〉，頁二〇三。
註三二　《詩稿》卷二十五〈示兒〉，頁四一六。
註三三　《文集》卷十五〈楊夢錫集句杜詩序〉，頁八四。
註三四　同註三三。
註三五　《文集》卷十三〈上辛給事書〉，頁七二。
註三六　《詩稿》卷四十二〈冬夜讀書示子聿〉八首之三，頁六三一。
註三七　《詩稿》卷七十〈自勉〉，頁九七一。
註三八　《文集》卷十三〈答邢司戶書〉，頁七三。
註三九　《文集》卷十四〈方德亨詩集序〉，頁八二。
註四〇　《文集》卷十五〈傅給事外制集序〉，頁八六—八七。
註四一　《詩稿》卷十九〈桐江行〉，頁三四三。
註四二　《文集》卷十三〈答陸伯政上舍書〉，頁七四。
註四三　《詩稿》卷四十五〈醉中歌〉，頁六六八。
註四四　《文集》卷三十〈跋花間集〉二首之一，頁一八六。

註四五　《詩稿》卷十八，頁三三二。
註四六　《詩稿》卷二十五，頁四一八。
註四七　《文集》卷十四〈徐大用樂府序〉，頁八〇。
註四八　《詩稿》卷六十〈予使江西時以詩投政府丐湖湘一麾會召還不果偶讀舊稿有感〉，頁八五七。
註四九　《詩稿》卷六十八〈解嘲〉，頁九五四。
註五〇　《詩稿》卷五十〈題盧陵蕭彥毓秀才詩卷後〉二首之二，頁七三八。
註五一　趙翼《甌北詩話》卷六，頁一。
註五二　《文集》卷十四，頁八〇。
註五三　《文集》卷三十九〈何君墓表〉，頁二四五。
註五四　《文集》卷三十九〈何君墓表〉，頁二四五。
註五五　《詩稿》卷十八〈即事〉，頁三一四。
註五六　《詩稿》卷八十三〈文章〉，頁一一三三。
註五七　《詩稿》卷十九〈夜坐示桑甥十韻〉，頁三三七。
註五八　《詩稿》卷七十七〈初晴〉，頁一〇五四。
註五九　《詩稿》卷八十三〈文章〉，頁一一三三。
註六〇　《詩稿》卷一〈秋陰〉，頁一一。

註六一　《詩稿》卷二十四〈和張功父見寄〉二首之一，頁四〇三。

註六二　《詩稿》卷七十八〈野意〉，頁一〇六八。

註六三　《詩稿》卷七十三〈雜興〉四首之四，頁一〇一〇。

註六四　《詩稿》卷七十八，頁一〇六九。

註六五　《甌北詩話》卷六，頁三。

註六六　《老學庵筆記》卷七，頁四七—四八。

註六七　《山谷集》卷十九〈答洪駒父書〉三首之三，頁二〇八。

註六八　《詩稿》卷十九〈夜坐示桑甥十韻〉，頁三三七。

註六九　《詩稿》卷五十〈春晚書村落間事〉，頁七三六。

註七〇　《詩稿》卷七十三〈讀豳詩〉，頁一〇〇八。

註七一　《詩稿》卷五十〈雜興〉六首之一，頁七三六。

註七二　同註七一。

註七三　《詩稿》卷二〈追懷曾文清公呈趙教授趙近嘗示詩〉，頁三七。

註七四　《詩稿》卷三十一〈贈應秀才〉，頁四九六。

註七五　范溫《潛溪詩眼》。見郭紹虞《宋詩話輯佚》，頁三二五。

註七六　《山谷集》卷十二〈荆南簽判向和卿用予六言見惠次韻奉酬四首〉之三，頁一〇九。

註七七　《山谷集》卷十九〈與王觀復書〉三首之二，頁二〇六。
註七八　《詩稿》卷二十五〈九月一日夜讀詩稿有感走筆作歌〉，頁四一八。
註七九　《山谷外集》卷十〈與王立之四帖〉之四，頁五九。
註八〇　《詩稿》卷七十八，頁一〇七六。
註八一　見陳思《兩宋名賢小集》卷一九〇，頁一七。
註八二　劉克莊《後村先生大全集》卷九十五〈江西詩派小序〉引呂本中〈夏均父詩集序〉，頁八二四。
註八三　《詩稿》卷二十五，頁四一六。
註八四　《詩稿》卷五十一〈夜吟〉二首之二，頁七五一。
註八五　《後山詩註補箋》〈逸詩箋〉卷上〈次韻答秦少章〉，頁四一七。
註八六　參見張健先生〈陳師道的文學批評研究〉與〈陸游的文學理論研究〉。
註八七　見《苕溪漁隱叢話》前集卷四十九〈與曾吉甫論詩策二帖〉，頁三三三。
註八八　《詩稿》卷二十一〈次韻和楊伯子主簿見贈〉，頁三六二。
註八九　《詩稿》卷七十九〈寄陳伯子主簿〉，頁一〇八一。
註九〇　《詩稿》卷四十四〈示友〉，頁六五六。
註九一　《詩稿》卷十六，頁二七四。
註九二　《後村先生大全集》卷九十五〈江西詩派小序〉，頁八二四。

第四章　陸游詩的主要內容

陸游詩除失傳者外還現存九千二百多首，其數量之大使人浩歎，其題材亦甚廣，戴復古曾經對此推崇備至說：「李杜陳黃題不盡，先生模寫一無遺。」（註一）趙翼則極讚其詩意之豐富：「每一首必有一意，就一首中，如近體每首二聯，又一句必有一意。凡一草一木，一魚一鳥，無不裁剪入詩。是一萬首即有一萬大意，又有四萬小意。」（註二）陸游詩的數量如此浩瀚，其題材與內容亦如此豐富，因此探討陸游詩的內涵世界，如何能兼顧細分與周全，呈現較完整的秩序體系，實在是很棘手的問題，既不要作片面性的強調（如從來的論陸游詩者大致注重他的愛國詩），而顧及整體的面貌，又要注意各分類層面間的聯繫關係。

基於此，本章先探討「憂國」、「田園」、「倫情」、「自然景物」、「方外」、「紀夢」等諸層面，最後設「遠隔世界」一節，補論其他部分，以呈現陸游詩的整體面貌──一個頗具特色的內涵世界。

詩中以激昂慷慨、悲壯沈痛的語調寫滿懷熱烈的愛國思想，是陸游詩中最重要的主題之一，以此極為後世所推崇，譽為「愛國詩人」。陸游此類詩的產生背景，可從時代環境、幼年時期逃難的經驗、父親與一些前輩憂國志士的言行以及曾幾的教誨等幾方面的影響論之。

第一節　憂國

陸游生後第二年（一一二七），北宋被金國滅亡，朝廷南遷，但當權者不謀收復失地，只求偏安的局面，民心士氣因之萎靡，農村困苦於租稅的壓迫與官吏的橫暴。當此之時，就產生了許多憂國憂民的詩篇。時代環境對陸游的憂國思想有很大的影響，但這不是陸游成為愛國詩人之唯一因素，更重要的還是如上幾點，尤其是最後兩點：他自幼即受戰亂慘痛的經驗，過了顛沛流離的生活，他說：「我生學步逢喪亂，家在中原厭奔竄。淮邊夜聞賊馬嘶，跳去不待雞號旦。人懷一䴵草間伏，往往經旬不炊爨。」（註三）幼年的經驗對日後陸游寫同情和哀傷中原遺民的苦痛的詩，影響很深刻。他的幼年時代，一些憂國人士常訪陸家，和他父親談論國事，所見所聞，給他的影響很大。後來在〈跋傅給事帖〉中說：「紹興初，某甫成童，親見當時士大夫，相與言及國事，或裂眥嚼齒，或流涕痛哭，人人自期以殺身翊戴王室，雖醜裔方張，視之蔑如也。」（註四）傅給事是傅崧卿，曾經在金兵渡江南入侵時，保衛宋高宗，立過大功。（註五）來訪的人士還有李光，〈跋李莊簡公家書〉中說：「時時來訪先君，劇談終日。每言秦氏，必曰咸陽，憤切慨慷，形於色辭。一日平旦來，共飯，謂先君曰，聞趙相過嶺，悲憂出涕。僕不然，謫命下，青鞵布襪行矣，豈能作兒女態邪。方言此時，目如炬，聲如鐘，其英偉剛毅之氣，使人興起。」（註六）後來陸游深以士大夫氣節萎靡為憂，提倡振興氣節，對傅、李二人非常崇敬，這種幼年期家庭的愛國氣氛給陸游打下了愛國思想的基礎。

曾幾不僅在詩法上對陸游有所指導，還對陸游的愛國思想發生一定影響：

> 紹興末，賊亮入塞，時茶山先生居會稽禹跡精舍。某自敕局罷歸，略無三日不進見，見必聞憂國之言。先生時年過七十，聚族百口，未嘗以爲憂，憂國而已。（註七）

〈曾文清公墓誌銘〉的一段記載明示曾幾的政治立場：

> 元顏亮盜塞，下詔進討。已而虜大入，或欲通使以緩其來。公方病臥，聞之，奮起上疏曰：遣使請和，增幣獻城，終無小益而有大害。爲朝廷計，當嘗膽枕戈，專務節儉，整軍經武之外，一切置之。如是，雖北取中原可也。且前日陛下降詔，諸將傳檄，數金人君臣，如罵奴耳，何詞復和邪。（註八）

對向金人屈膝請和，採取反對立場，是與陸游的政治主張一致的。曾幾始終不忘恢復中原，〈癸未八月十四日至十六日月色皆佳〉詩中說：「京洛胡塵滿人眼，不知能似浙江不」，這種愛國精神顯然影響了青年時代的陸游。

陸游在這些影響之下，二十歲時已抱定「上馬擊狂胡，下馬草軍書」（註九）的壯志，為了實現自己的抱負與理想，從小就練習劍術（註一〇），鑽研兵法（註一一），又廣交豪傑之士（註一二），既入仕途，有機會就上書陳述自己的政治意見。（註一三）但屢次遭到當權派的排斥，又眼看南宋朝廷無意收復中原，詩篇中往往充滿了壯志未酬的憤懣。茲將陸游的憂國詩分傷時憂世、立志救國、壯志未酬等三類，探討其特色與內涵。

一、傷時憂世

陸游生逢亂世，目睹暗鬱的現實，在作品中反映現實中的諸問題，作品中「傷時憂世」者，要而言之，大概有五，即慨嘆中原之淪陷、君臣將帥之柔弱安逸、民生之疾苦、學術思想之衰靡，以及風俗之頹壞等。這些問題，雖分為五類，本質上則相互間有密切關係。

陸游生在南宋偏安之局面，對北方山河的淪陷，屢致慨嘆、哀痛之意：

翠華東巡五十年，赤縣神州滿戎狄。

歲周一甲子，不見胡塵清。

淪陷七十年，北首增慘愴。（註一四）

他歎中原的美麗山河没於金人手中，對淪陷地區遺民的苦難表示深厚的關切與同情，說：「群胡本無政，剽奪常自如。民窮訴蒼天，日夜思來蘇」（註一五）、「趙魏胡塵千丈黃，遺民膏血飽豺狼」（註一六）。中原遺民苦於金兵的殘酷暴行，渴望南宋朝廷的北進，陸游在詩中沈痛地表達他們的願望與他們不見王師進發的哀痛：「遺民淚盡胡塵裡，南望王師又一年」（註一七）。而使詩人更感到悲痛的是，南宋朝廷由主和派掌握，排斥、迫害抗戰名將如宗澤、岳飛，而「遺老不應知此恨，亦逢漢節解沾衣」（註一八）！陸游慷慨地發出「天地何由容醜虜」（註一九）、「河潼形勝寧終棄」（註二〇）的悲憤，自然就痛斥君臣將帥的柔弱與逸樂。

南宋朝廷，先有秦檜居相職，執主和政策，殘害忠良之士，後至孝宗朝，雖「銳志恢復」（《宋史．孝宗本紀》），但「符離之敗」後，再起用秦檜餘黨湯思退為右相，與金締結「隆興和議」，從此後，偏安半壁，士大夫心懷苟安，「諱言恢復」（《皇宋中興兩朝聖政》卷五十五）。陸游目睹此現實，極其尖銳地批判了朝廷的和親政策：「和親自古非長策，誰與朝家共此憂」（註二一）。雖以「歲輦金絮」（註二二）苟得偏安，但因為「犬羊豈憚渝齊盟」（註二三），敵人隨時可能棄盟而再侵，歷史已證明之。那些主和者不顧國家危亡，但「善謀身」（註二四），結果他們致「誤國」，使無數憂國志士發「報國欲死無戰場」（註二五）之歎。陸游平生始終力主驅敵收復中原，故於和親政策，抨擊最嚴厲。他運用多樣的表現法批判了和戎的不當與弊害，如〈山頭鹿〉假山鹿的口吻譴責和親政策：

呦呦山頭鹿，毛角自媚好。渴飲澗底泉，飢嚙林間草。漢家方和親，將軍灞陵老。
天寒弓力勁，木落霜氣早。短衣日馳射，逐鹿應弦倒。
金槃犀筋命有繫，翠壁蒼崖跡如掃。何時詔下北擊胡，卻起將軍遠征討。
泉甘草茂上林中，使我母子常相保。（註二六）

原本過好日子的山頭鹿，由於「漢家方和親」，致將軍只好以射獵度日，就遭到「命有繫」、「跡如掃」的災難，因生朝廷下詔將軍伐胡，再能過平安日子的希望。全詩構思新穎，給讀者非常深刻的感染力。又如〈明妃曲〉云：

漢家和親成故事，萬里風塵妾何辜。掖庭終有一人行，敢道君王棄憔悴。
雙駝駕車夷樂悲，公卿誰悟和戎非。蒲桃宮中顏色慘，雞鹿塞外行人稀。
沙磧茫茫天四圍，一片雲生雪即飛。太古以來無寸草，借問春從何處歸。（註二七）

此詩讓王昭君直接說出自己不幸遭遇的原因，藉此指出「和戎非」，與一般詠王昭君詩大為不同。（註二八）〈隴頭水〉也寫和親政策給人帶來的不幸，但上引二首，都以第一人稱寫之，作品中有主角或動物的獨白，而這首詩則有二人之對話。

隴頭十月天雨霜，壯士夜挽綠沉槍。臥聞隴水思故鄉，三更起坐淚數行。
我語壯士勉自彊，男兒墮地志四方。裹尸馬革固其常，豈若婦女不下堂。
生逢和親最可傷，歲輦金絮輸胡羌。夜視太白收光芒，報國欲死無戰場。（註二九）

詩中「男兒墮地志四方」是陸游一生最大抱負，「報國欲死無戰場」是陸游一生最大悲痛，此詩藉與設想中的邊地壯士的對話，表達了欲報國卻沒有機會的憤懣。

陸游還對朝廷權貴在對金屈辱議和之後，文恬武嬉，過著奢侈享樂的生活，加以嚴厲的譴責。陳亮在〈上孝宗皇帝第一書〉中指責說：「風俗固已華靡，士大夫又從而治園囿臺榭，以樂其生於干戈之餘。上下宴安，而錢塘為樂國矣」（註三〇），陸游在〈晚登子城〉中所云：「城中繁雄十萬戶，朱門甲第何崢嶸。錦機玉工不知數，深夜窮巷聞吹笙」（註三一），雖是指的成都，已可見其一斑，〈長安道〉詩更直接批判說：

千夫登登供版築，萬手丁丁供斲木。歌樓舞榭高入雲，複幕重簾晝燒燭。
中使傳宣騎飛鞚，達官候見車擊轂。豈惟炎熱可炙手，五月瞿唐誰敢觸。
人生易盡朝露晞，世事無常壞陂復。士師分鹿真是夢，塞翁失馬猶爲福。
君不見野老八十無完衣，歲晚北風吹破屋。（註三二）

通過與八十野老無完衣的貧困作對比，批判了權貴的奢侈生活，在「人生」以下四句中，尤見其意。

又如〈烏棲曲〉云：

楚王手自格猛獸，七澤三江爲苑囿。城門夜開待獵歸，萬炬照空如白晝。
樂聲前後震百里，樹樹棲烏盡驚起。宮中美人謂將旦，髮澤口脂費千萬。
樂聲早暮少斷時，莫怪棲烏無穩枝。（註三三）

表面上看，藉由於「樂聲前後震百里」、「樂聲早暮少斷時」害得「樹樹棲烏盡驚起」、「無穩枝」來諷刺楚王的享樂生活，而實則也可以說借此譏今。〈晨坐道室有感〉詩中說：「手揮絃上烏棲曲」（註三四），可見陸游的〈烏棲曲〉，不是一時偶興所作，而另有寄意。紀昀評陸詩說：「託興深微」（註三五），蓋指此類詩篇。〈楚宮行〉也詠楚王的享樂生活，初言：「軍書插羽擁修門，楚王正醉章華上」，繼寫：「璇題藻井窮丹青，玉笙寶瑟聲冥冥。忽聞命駕遊七澤，萬騎動地如雷霆。清晨射獵至中夜，蒼兕玄熊紛可藉」，最後嘆道：「國中壯士力已殫，秦寇東來遣誰謝。」（註三六），借詠古而傷今，隱憂君王耽溺苟安。

陸游還痛斥只耽偏安，不顧收復失地的將帥們，〈客從城中來〉說：

向來酣鬥時，人情願小歇。及今數十秋，復謂須歲月。諸將爾何心，安坐望旄節。（註三七）

〈關山月〉一詩藉樂府詩題更深刻地痛斥了耽安將帥給守邊壯士與中原遺民無限痛苦的罪行：「和戎詔下十五年，將軍不戰空臨邊。朱門沉沉按歌舞，廄馬肥死弓斷弦。戍樓刁斗催落月，二十從軍今白髮。笛裡誰知壯士心，沙頭空照征人骨。中原干戈古亦聞，豈有逆胡傳子孫，遺民忍死望恢復，幾處今宵垂淚痕。」（註三八）陸游痛恨當時未戰而先已膽怯的心理現象，說：「成敗極知無定勢」（註三九），又說：「機會無時無」（註四〇），勸將帥們隨時精密分析中原形勢，以便能把握進軍的機會。此外，如〈感事〉詩則指斥南宋朝臣無意收復中原，只志於偏安：「雞犬相聞三萬里，遷都豈不有關中。廣陵南幸雄圖盡，淚眼山河夕照紅」，又說：「堂堂韓岳兩驍將，駕馭可使復中原。廟謀尚出王導下，顧用金陵為北門。」（註四一）

自隆興和議之後，南宋朝廷一片苟安風氣，當時士大夫諱言恢復，還「多恥言農事」（註四二），但一般農民由於朝廷每年向金人繳納數十萬兩匹銀絹，土地所有權又集中在少數的富家手中，再加上繁重的賦役、租稅與高利私債，生活日趨於困苦。陸游看到這一現實，寫了不少反映民生疾苦、同情農民的詩篇。如〈農家歎〉云：

有山皆種麥，有水皆種秔。牛領瘡見骨，叱叱猶夜耕。竭力事本業，所願樂太平。門前誰剝啄，縣吏徵租聲。一身入縣庭，日夜窮笞搒。人孰不憚死，自計無由生。還家欲具說，恐傷父母情。老人儻得食，妻子鴻毛輕。（註四三）

「有山」以下四句極寫農民的辛勤耕作，他們只願過太平日子，但還是為官府逼租，最後很沉痛地發出難以為生的感歎。這首詩通過一個農民的口吻，揭露了當時農民受苦於酷吏與租稅的悲慘情形。由於嚴重的租稅，雖「豐年猶有餓死慮」（註四四），或只好「前門吏徵租，後門質襦褌」（註四五），或為了繳足賦稅，典賣生產工具，陸游在〈尚書王公墓誌銘〉中指出這種情況，說：「畿內小民或以農器、蠶具抵粟於大家，苟紓目前。」（註四六）或因為無法支撐生活，就棄家而逃，〈過鄰家〉云：「室廬封鐍多逋戶」（註四七）。〈書喜〉詩中的「閔氏媼」「以貧甚，棄諸子而去」，至「霜稻方登羅價平」才再回來。（註四八）〈春日雜興〉反映了當時農民的願望：「但得官清吏不橫，即是村中歌舞時」（註四九），但此情此景那能容易求得？「畏人愁報吏催租」（註五〇），「縣吏亭長如餓狼，婦女怖死兒童僵」（註五一）！陸游在詩中處處揭露了官吏的凶暴，如：「捶楚民方急」（註五二）、「常年徵科煩箠楚，縣家血濕庭前土」（註五三），至如下句所云，極寫出貪吏的殘虐：「貪吏不汝憐，有負固吹毛，無罪亦株連，豈暇論曲直，挺繫如登仙」（註五四）。不止官吏之害民如此，地方豪族亦與官府勾結殘傷農民，〈書歎〉中說：「有司或苛取，兼并亦豪奪」（註五五），〈甲申雨〉詩更具體地舉例說：

老農十口傳爲古，遇春甲申常畏雨。風來東北雲行西，雨勢已成那得禦。
山陰泆湖二百歲，坐使膏腴成瘠鹵。陂塘遺跡今悉存，歎息當官誰可語。
甲申畏雨古亦然，湖之未廢常豐年。小人那知古來事，不怨豪家惟怨天。（註五六）

甲申日詩人看下雨，就據從古傳來的老農的經驗，擔憂發生水災，並嚴厲指責豪家侵佔湖面，致使湖面縮小，一雨就泛濫成水災，並斥「當官」之坐視而不興水利事業。〈鏡湖〉詩中亦說自己主張「增卑以為高，培塿使之堅，坐復千載利，名託亡窮傳」，而不為採納，「仕者苟目前」（註五七）。對鏡湖荒廢的憂慮還見於〈丙午五月大雨五日不止鏡湖渺然想見湖未廢時有感而賦〉詩（註五八）與〈秋懷〉（註五九）、〈題門壁〉（註六〇）等。

物價亦直接給予農民生活以很大的影響，陸游也時常注意及此，屢在詩中反映：「今年米貴如黃金」（註六一）、「水旱適繼作，斗米幾千錢」（註六二）、「百錢斗米無人要」（註六三）、「千錢得斗米，一斛當萬錢」（註六四）、「萬錢近縣買黃犢」（註六五）、「霜稻方登糴價平」（註六六）。

陸游反映民生疾苦的詩篇常藉對比手法的運用，深刻地揭露當時現實，如〈僧廬〉詩通過「貧民妻子半菽食，一飢轉作溝中瘠」與「富商豪吏多厚積，宜其棄金如瓦礫」以及「賦歛鞭笞縣庭赤」與「持以與僧亦不惜」的對比，強烈批判了害民佞佛。（註六七）又如〈癸丑十一月下旬溫燠如春晦日忽大風作雪〉詩則用「明朝雪惡凍復餓，兒啼頬皴翁噤臥」與「九重巍巍那得知，閤門催班百官賀」（註六八）的對比，表示了對朝廷君臣的譏意。

上引諸詩足見陸游恤民的精神，他還對學術思想的衰靡表示了甚深的憂慮，說：「中原亂後儒風替」（註六九）、「世衰道喪士自欺」（註七〇）、「道喪異端方肆行」（註七一），究其所言，大約可歸三端，一是憂士人「風節顧弗競」（註七二），一是憂當時理學諸儒各主己說相爭互謗，如〈感懷〉詩云：「世儒鑿戶牖，道術將瓜分。孤陋守一說，百氏殆可焚」（註七三）。陸游所憂，蓋多在此，〈答劉主簿書〉中慨歎道：「往者前輩之學，積小以成大，以所有易所無，以能問於不能，故其久也，汪洋浩博，該極百家而不可涯涘。……至中原喪亂，諸名勝渡江，去前輩尚未甚遠，故此風猶不墜。不幸三二十年來，士自為畦畛甚狹，已所未知者，輒訕薄之，以為不足學，排抑沮折，惟恐不力，詆窮經者則曰傳註已盡矣，詆博學者則曰不知無害為君子。嗚呼陋哉。」（註七四）故詩集中以此為憂者見於數處，如〈離成都後卻寄公壽子友德稱〉云：「吾道將為天下裂，此心難與俗人言」（註七五）、〈讀何斯舉黃州秋居雜詠次其韻〉云：「聖人久不作，學者墮語言，著書各專門，百家散如煙」（註七六）、〈遣舟迎子遹因寄古風十四韻〉云：「六經焰久伏，百氏方縱橫，世俗擯孤學，未易口舌爭」（註七七）。他還以諸儒不積極濟民為不滿，在〈讀書〉詩中云：「安得禹皐日陳謨，沾濡四表無焦枯。坐令事業見眞儒，老農不恨老耕鉏。」（註七八）〈遊諸葛武侯書臺〉中所云：「世上俗儒寧辨此，高臺當日讀何書」（註七九），雖是論古，亦含譏今之意。

至於對詩文的衰靡，亦深致憂慮，〈追感往事〉說：「渡江之初不暇給，諸老文辭今尚傳。六十年間日衰靡，此事安可付之天」，又嘆「文章光焰伏不起，甚者自謂宗晚唐。歐曾不生二蘇死，我欲痛哭天茫茫」（註八〇），〈陳長翁文集序〉還憂「久而寖衰，或以纖巧摘裂為文，或以卑陋俚俗為詩。」（註八一）觀此，陸游就或通過實際創作，或藉詩論的主張，或指導後輩詩人（如邢淇、曾黯等），欲匡救時弊。

陸游對於風俗的頹壞更是始終憂嘆不已，屢屢表現在詩中：

哀哉世日隘，肝膽分界疆。蹙縮戰蝸角，崎嶇走羊腸。（註八二）

哀哉末俗去古遠，斲喪太朴澆全淳。豆羹簞食輒動色，攘竊乃至忘君親。（註八三）

世態秦欺楚，交情越視秦。（註八四）

虛名但可欺橫目，薄俗何時復結繩。（註八五）

風俗日已移，令人惡懷抱。（註八六）

民饜糟糠寧細事，俗忘節義更深憂。（註八七）

此處只舉數例，但從諸詩句中已足見傷時憂世之儒者胸襟。再看〈歎俗〉一首，云：

風俗陵夷日可憐，乞墦鉗市亦欣然。看渠皮底元無血，那識虞卿魯仲連。（註八八）

「乞墦」故事見於《孟子・離婁》，指齊人向祭墓的人討吃剩下酒菜的無恥行動；「鉗市」則《漢書・楚元王傳》所載申公與白生的故事，指因貪利祿不能見機及時離開，而終遭羞辱。世間的卑鄙無恥之徒連為此二事亦欣然，簡直不知虞卿、魯仲連那樣有氣節、重義氣的做人做事，詩人就痛斥其「無血」。這大概是對於包括主和派在內，當時士大夫沒有氣節，有所憤激而發的。全詩雖是簡單的四句，已將陸游對頹壞風俗的批判，表露無遺。杜甫曾抒自己的抱負說：「致君堯舜上，再使風俗淳」（註八九），陸游也未嘗不是如此，這可以說是一般儒者所追求的理想。但是杜甫寫上引詩句時，尚未經歷安史之亂，陸游卻身經天翻地覆的戰亂，還目睹社會各方面的問題，他的傷時憂世與救國濟民思想就樹立在對現實的深切認識上。

二、立志救國

陸游通過對客觀現實上諸問題的認識，早年就立志要救國。這裡有深厚的思想基礎，所以他一面批判現實，還提出了矯正諸弊端的意見。茲先看他針對各種現實問題（如上面所論）所提出的意見與立場。首先，他在宋與金的關係上，屬於抗戰派，主張恢復中原故地，這個立場，從早年到逝世為止，無論在朝廷或在故鄉，都始終不變。因此他始終反對和親政策。基於此，他對軍事國防上提出的主張，大致如下：第一，批判當時士大夫「往往幸虜之懦以為安」，提醒「此虜終守和約至數十百年而終不變邪」，因而主張「繕修兵備，搜拔人才，明號令，信賞罰，常如羽書狎至、兵鋒已交之日。使虜果有變，大則掃清燕代，復列聖之仇，次則平定河洛，慰父老之望。」（註九〇）這些話代表陸游平生所秉持的立場與理想。陸游雖然一再力主出征，但觀此可知他還是以繕修兵備，伺機以恢復中原為重，此與主和派耽於苟安、放棄北方地區，有很大的不同。他雖力說張浚用兵，但還勸充分的準備與愼重的出兵，說：「豈無必取之長算，要在熟講而緩行。」（註九一）第二，有鑑於當時首都臨安是「

以形勢則不固，以饋餉則不便，海道逼近，凜然常有意外之憂」，主張以建康與杭州並作首都。（註九二）後來由南鄭從軍生活的經驗，又力主遷都關中。（註九三）第三，主張固守江淮，認為「如此則進有辟國拓土之功，退無勞失備之患。」（註九四）以上所論，大都是當時抗戰派人士的共通意見。（註九五）此外，他曾在南鄭向王炎提出了「經略中原，必自長安始，必自隴右始。當積粟練兵，有釁則攻，無則守」（註九六）的北伐策略。

對於內政方面，他所論者有數端，特舉其大者：第一，他建議以仁宗時代的政事法度為範，期「慶曆皇祐之盛復見於今。」（註九七）第二，建議「簡禮容，刪律令」，「六曹寺監百執事所掌，講求祖宗舊制，以趨於廣大簡易之域，繁碎重複無益實事者，一皆省去，使小大之臣，咸有餘力，以察奸去蠹，修舉其職。」（註九八）第三，用人方面，他主張選用南渡的西北士大夫，一面期南北人才的結集，一面「慰遺民思舊之心」。（註九九）他很注重強化內部團結以對外抗戰，首先重視用人問題，或以當時人才衰靡為憂（註一〇〇），或強調人才養成（註一〇一），或主張破格用人（註一〇二）。他還主張廣開言路，採納憂國人士的意見：「諸公誰聽芻蕘策，吾輩空懷畎畝憂」（註一〇三）、「群公亦採芻蕘否，貞觀開元在目前。」（註一〇四）陸游據此主張，就嚴責朋黨，他說：

> 在昔祖宗時，風俗極粹美。人材兼南北，議論忘彼此。誰令各植黨，更仆而迭起。
> 中更夷狄禍，此風猶未已。臣不難負君，生者固責死。儻築太平基，請自厚俗始。（註一〇五）

「人材兼南北，議論忘彼此」才是陸游的政治理想，而現實卻不如此，「小人無遠略，所懷在私讎」（

註一〇六），不顧國事，這就是陸游所以為之極沉痛者。

陸游還認為百姓的貧困是當時社會的最大問題，對此，他先從為政之道上強調「為政之術，務農為先，使衣食之麤充，則刑辟之自省」（註一〇七）、「政本在養民」（註一〇八）；為了解決目前之急，他就主張輕減賦稅（註一〇九）、實施「至公至平之道」，這是要牽制大臣、豪家、富戶、大商的專橫而提出的。（註一一〇）他還希望施行古代井田制度（註一一一），建立理想社會，〈夜聞蟋蟀〉中說：「安得生世當成周，一家百畝長無愁。綠桑鬱鬱暗微徑，黃犢吒吒行平疇。荊扉續火明煜煜，黍醴饁飯香浮浮。耕亦不須勸，織亦不須促。機上有餘布，盎中有餘粟。老翁白首如小兒，鼓腹擊壤相從嬉。」（註一一二）陸游在詩中屢稱《詩經・七月》篇（註一一三），這是他所嚮往的理想社會。

對風俗的頹壞，當時已有不少人憂慮（註一一四），陸游則針對此提出「天下萬事以氣為主」（註一一五），並以此諫勸孝宗振作風節，從他舉出「寇準氣吞醜虜，故能成卻敵之功」以為例，可見他的用心所在——振作士氣以抗金。此外，陸游雖無經學著作傳世，但在詩文中一再表明尊崇六經之意（註一一六），〈蔬食〉詩中則說：「忍飢對客談堯舜，但令此道龕有傳，深山餓死吾何恨」（註一一七），可見勸人責己、守道傳道的堅強意志；詩論上所重視的「文以氣為主」說也在基本意義上與「天下萬事以氣為主」沒有多大歧異。（詳參第三章）

從以上所論，可知陸游詩不僅對現實有擔憂與批判，他還處處表明了自己的見解，提供了改革的建議。陸游慨歎「天下可憂非一事」（註一一八），其中還是以中原被異民族淪陷最感遺憾，一再悲痛「

山河自古有乖分，京洛腥膻實未聞」（註一一九）、「國家未滅胡，臣子同此責」（註一二〇），立志為國平胡取舊山河，這就成為陸游詩最主要的主題，因此集中處處可見憂國的激情與強烈抱負的表現。先看〈金錯刀行〉：

黃金錯刀白玉裝，夜穿窗扉出光芒。丈夫五十功未立，提刀獨立顧八荒。
京華結交盡奇士，意氣相期共生死。千年史策恥無名，一片丹心報天子。
爾來從軍天漢濱，南山曉雪玉嶙峋。嗚呼，楚雖三戶能亡秦，豈有堂堂中國空無人。（註一二一）

這首詩因詠刀以起豪情，這時雖已近五十歲（四十八歲），但仍懷有報國立功的強烈抱負，「提刀獨立顧八荒」，最後用「嗚呼」的歎詞與「豈有」的反詰語慷慨地表明了作者與一切「奇士」團結起來，一定能驅敵復中原的信心。

碧海如鏡天無雲，衆真東謁青童君。九奏鏗鏘洞庭樂，八角森芒龍漢文。
共傳上帝新有詔，蚩尤下統旄頭軍。徑持河洛還聖主，更度遼碣清妖氛。
幽州螘垤一炬盡，安用咸陽三月焚。藝祖騎龍在帝左，世上但策雲臺勳。（註一二二）

這首詩起句寫得突兀，先描寫碧海如鏡，然後三句寫衆眞人謁青童仙君，然後寫對中原被異族淪陷一事，不僅陸游覺得恥辱，連天帝也似認為這是決不可發生的事，就下詔「蚩尤下統旄頭軍」，要「徑持河洛還聖主，更度遼碣清妖氛。」陸游就站在此種立場上，詩中時時表示一定要且一定能驅敵清中原的責任感、決心與信心，渴望「群陰伏，太陽昇，胡無人，宋中興」（註一二三），此詩中的「幽州螘垤一炬盡，安用咸陽三月焚」，不外是這種渴望與豪情壯志的表現。除了此詩外，還處處表現了宋軍勝利的想像與理想，為數不少，如〈將軍行〉云：「將軍入秦平燕策，持笏榻前親指畫。天山熱海在目中，下殿即日名烜赫。馳出都門雪初霽，直過黃河冰未坼。繡旗方掠桑乾渡，羽檄已入金臺陌。勇士如鷹健欲飛，孱王似兔何勞搦。戎服押俘獻廟社，正衙第賞頒詔冊。端門賜酺天下慶，御觴尚恨滄溟窄。從來文吏喜相輕，聊遣濡毫書竹帛。」（註一二四）

陸游堅持「南北會當一」（註一二五）的信念與報國不辭萬死的堅強意志，將自己的愛國情緒表現在多彩多姿的題材中，《唐宋詩醇》指出這一特色說：「其感激悲憤、忠君愛國之誠，一寓於詩。酒酣耳熱，跌蕩淋漓，至於漁舟樵徑，茶椀鑪熏，或雨或晴，一草一木，莫不著詠歌以寄其意。」（註一二六）其在表現上的特色則因物起興、借題發揮。如〈弋陽道中遇大雪〉詩（註一二七）是淳熙六年（一一七九）陸游從衢州去撫州將任提舉江南西路常平茶鹽公事職，路經弋陽時寫的，看充溢天空的大雪下降，就聯想到戎事：「壯哉組練從天來，人間有此堂堂陣」，觀此就起興歎道：「少年頗愛軍中樂，跌宕不耐微官縛，憑鞍寓目一悵然，思為君王掃河洛。」接著寫「夜聽簌簌窗紙鳴」，又聯想到「鐵馬相磨聲」，就情不禁地「起傾斗酒歌出塞，彈壓胸中十萬兵。」陸游胸中充滿著憂國熱情，日常生活中的任何事物都使詩人聯想到逐敵收復中原之事。再看〈中夜聞大雷雨〉：

雷車駕雨龍盡起，電行半空如狂矢。中原腥膻五十年，上帝震怒初一洗。
黃頭女真褫魂魄，面縛軍門爭請死。已聞三箭定天山，何啻積甲齊熊耳。

捷書馳騎奏行宮，近臣上壽天顏喜。閤門明日催賀班，雲集千官摩劍履。

長安父老請移蹕，願見六龍臨渭水。從今身是太平人，敢憚安西九千里。（註一二八）

詩人夜中聽到雷雨聲，就聯想到「中原腥羶五十年，上帝震怒初一洗」，以下寫宋軍的勝利與金人的投降，以及長安遺民的願望。陸游曾自道：「吾詩滿篋笥，最多夜雨篇」（註一二九），他的「雨詩」中不少是抒發憂國壯志的。又如〈雪中忽起從戎之興戲作〉四首也寫「鐵馬渡河」「直斬單于釁寶刀」（註一三〇）的想像與理想，此外觀賞海棠忽想起「洛陽春信久不通，姚魏開落胡塵中」（註一三一），聽到雁聲，則歎道「秦關漢苑無消息，又在江南送雁歸」（註一三二），集中還有不少詩篇是看書、看地圖，抒寫憂國熱情的，有如〈觀大散關圖有感〉（註一三三）、〈觀長安城圖〉（註一三四）、〈夜讀東京記〉（註一三五）、〈夜觀秦蜀地圖〉（註一三六）、〈夜觀子虛所得淮上地圖〉（註一三七）等。又如〈龍眠畫馬〉云：

國家一從失西陲，年年買馬西南夷。瘴鄉所產非權奇，邊頭歲入幾番皮。

崔嵬瘦骨帶火印，離立欲不禁風吹。圉人太僕空列位，龍媒汗血來何時。

李公太平官京師，立仗慣見渥洼姿。斷縑歲久墨色暗，逸氣尚若不可羈。

賞奇好古自一癖，感事憂國空餘悲。

嗚呼，安得毛骨若此三千疋，銜枚夜度桑乾磧。（註一三八）

「龍眠」指北宋畫馬名家李公麟，號龍眠居士，此是一首題畫詩，但重點在於借題發揮。詩一開始就敘事，言隨著北宋的滅亡，喪失出產良馬的西北部地區以後，只好「年年買馬西南夷」，但幾乎都「離立欲不禁風吹」。至「龍媒」句，無良馬之歎，益加鮮明，並隱含著對國事的痛歎。「李公」以下四句題畫，詩人看這太平時的馬，就不由想到現實，至此更明白地流露「感事憂國」之歎。最後，進一步藉「安得」二句表露出詩人願得此種馬，驅敵復國的壯志。與此類似之作，還有〈離堆伏龍祠觀孫太古畫英惠王像〉（註一三九）、〈題陽關圖〉（註一四〇）、〈題海首座俠客像〉（註一四一）等。

此外，如〈送范舍人還朝〉是送別詩，但不同於一般送別詩只寫依戀惜別之情，而先寫自己感於「東都兒童作胡語」，「枕上屢揮憂國淚」，接著懇切叮嚀范成大還朝後，向皇帝建議「先取關中次河北」、「早為神州清虜塵。」（註一四二）

陸游一生堅持自己的政治思想與立場，不衰不竭地寫出希望北伐驅敵的憂國詩篇，這不是為的「忠君」或個人的功名利祿，自己已曾道：「早歲原于利欲輕，但餘一念在功名。白頭不試平戎策，虛向江湖過此生」（註一四三），這「功名」也不是要做將相，而指「平戎」以拯救中原遺民，統一中國，以達成民族的平和。因此，開禧二年（一二〇六）朝廷下令伐金時，他就寫作〈老馬行〉，說自己雖老（當時八十二歲），但還「一聞戰鼓意氣生，猶能為國平燕趙。」（註一四四）後來雖然宋軍戰敗，締結「開禧和議」，但陸游的愛國熱情仍不稍減，還寫道：「但願諸公各戮力，上助明主憂元元」（註一四五）、「中原幾流血」（註一四六）、「猶懷萬里玉關情」（註一四七），而最能代表的是〈示兒〉詩，至死還以「不見九州同」為恨，囑咐「王師北定中原日，家祭無忘告乃翁」。（註一四八）足見他一生為了理想的實現而奮鬥，至死猶不渝。

三、壯志未酬

陸游一生力主驅敵，但因朝廷一直耽於苟安，除了極短時期外，始終由主和派掌握，無法實現理想與抱負，因此作品中常常流露壯志未酬的悲憤。這一類的作品，或歎壯志難伸，或傷年華空老，或悲羈旅漂泊，而這幾個主旨往往同時表現在一首詩中，有的還兼寓對和親政策的批判或對中原淪陷的慨歎，而感情沈鬱悲痛則大抵一樣。如〈書悲〉云：

今日我復悲，堅臥脚踏壁。古來共一死，何至爾寂寂。秋風兩京道，上有胡馬跡。和戎壯士廢，憂國清淚滴。關河入指顧，忠義勇折激。常恐埋山丘，不得委鋒鏑。立功老無期，建議賤茸職。賴有墨成池，淋漓豁胸臆。（註一四九）

慨歎因朝廷主和，雖「關河入指顧」，不得在戰場上施展壯志，「立功老無期」。

江上荒城猿鳥悲，隔江便是屈原祠。一千五百年間事，只有灘聲似舊時。（註一五〇）

詩人嘆楚城的荒廢，更傷屈原的身世遭遇，接著說屈原死後已過一千五百年，人事變遷，「只有灘聲似舊時」，但聽灘聲仍想起當年屈原的悲憤。此詩弔古而傷今，在客觀描寫中暗寓了與屈原類似的難伸憂國壯志的感慨。

我遊四方不得意，陽狂施藥成都市。大瓢滿貯隨所求，聊爲疲民起憔悴。

瓢空夜靜上高樓，買酒捲簾邀月醉。醉中拂劍光射月，往往悲歌獨流涕。
鏟卻君山湘水平，斫卻桂樹月更明。丈夫有志苦難成，修名未立華髮生。（註一五一）

此詩一開始就表露雖遊四方而不得志的慨嘆，接著寫施藥，但這自然不能使詩人完全滿足，因此上高樓醉月、拂劍，只能表現鏟除外面抑壓的希望，但仍不免興起有志難成髮先衰之嘆。

病後支離不自持，湖邊蕭瑟早寒時。已驚白髮馮唐老，又起清秋宋玉悲。
枕上數聲新到雁，燈前一局欲殘棋。丈夫幾許襟懷事，天地無情似不知。（註一五二）

詩人病後看秋天的蕭瑟景象，觸景傷情，感到自己的衰老，再聽到雁聲聯想及中原的陷沒與目前國勢的衰微，胸中就引起無限感傷。這無法為國效力、壯志未酬的悲嘆，完全表露在「天地無情似不知」句中。

前年膾鯨東海上，白浪如山寄豪壯。去年射虎南山秋，夜歸急雪滿貂裘。
今年摧頹最堪笑，華髮蒼顏羞自照。誰知得酒尚能狂，脫帽向人時大叫。
逆胡未滅心未平，孤劍床頭鏗有聲。破驛夢回燈欲死，打窗風雨正三更。（註一五三）

此詩用三個時段的對比來突出壯志未酬的苦悶。詩人以前二聯的豪壯快舉——「膾鯨東海」、「射虎南山」來強烈反襯目前的「摧頹」。以下四句進一步表現出詩人在行動與心理上的糾葛與矛盾。詩人不堪目前的處境，偶然得酒，尚能回復昔日的豪壯，「脫帽向人時大叫」，但因為「逆胡未滅」，究竟還是「心未平」，「孤劍」句將此不平心理狀態形象化，最後二句呈現出詩人夢醒時的蕭瑟景象，更加強詩人的沈鬱。

少攜一劍行天下，晚落空村學灌園。交舊凋零身老病，輪囷肝膽與誰論。（註一五四）

此詩前二句通過早年與晚年在生活上鮮明的對比表現功業無成之慨歎，還加上知音凋落，無人共訴心事，且身又病老，詩人暮年心境就更加寂寞沈鬱了。

太息重太息，吾行無終極。冰霜迫殘歲，鳥獸號落日。秋砧滿孤村，枯葉擁破驛。白頭鄉萬里，墮此虎豹宅。道邊新食人，膏血染草棘。平生鐵石心，忘家思報國。即今冒九死，家國兩無益。中原久喪亂，志士淚橫臆。切勿輕書生，上馬能擊賊。（註一五五）

乾道八年（一一七二）四十八歲，擔任視察各地的職責，從漢中到閬中，宿青山舖時寫了此詩。一開始就禁不住發出甚濃的歎息，嘆「吾行無終極」。以下八句是宿青山舖所見所聞的景象。「平生」以下四句觸景生情，由今昔對比敘報國壯志未酬的悲嘆。最後二句寫自己的雄心壯志，盼望能得到重視，直接上戰場施展驅敵的抱負。陸游平生四處奔波，寫下很多紀遊詩，詩中常常說出「飄零隨處是生涯，斷梗飛蓬但可嗟」（註一五六）的漂泊身世之歎與「客遊殊未已，芳歲行當闌」（註一五七）的年華易逝之悲，即使在夔州通判時亦有「蜀江朝暮東南注，我獨胡為淹此留」（註一五八）的慨歎，都是由於未能實現壯志，仍淹留於他鄉。

陸子七十猶窮人，空山度此冰雪晨。既不能挺長劍以抉九天之雲，又不能持斗魁以回萬物之春。

食不足以活妻子，化不足以行鄉鄰。
忍饑讀書忽白首，行歌拾穗將終身。
論事憤叱目若炬，望古踊躍心生塵。
三萬里之黃河入東海，五千仞之太華磨蒼旻。
坐令此地没胡虜，兩京宮闕悲荊榛。
誰施赤手驅蛇龍，誰恢天綱致鳳麟。
君看煌煌藝祖業，志士豈得空酸辛。（註一五九）

詩中詩人先慨歎無能施展為國為民的壯志與理想，接著又說仍堅持固窮之節，論國事，則深歎中原尚淪陷的現實，希望有志之士不要徒然悲傷，而積極驅敵，收復失地。陸游自己就是如此，在宦途上雖不得志，一再流露壯志未酬之歎，但始終堅持不變不衰的立場與信念。這種堅強的愛國思想尤其在〈書志〉與〈書憤〉中表露無遺，〈書志〉中說自己死後，憂國心肝凝結成金鐵，把它鑄成尚方寶劍，用賣國奸臣的血塗上去祭它，戰爭時必定會消滅中原的金人（註一六〇）；〈書憤〉則說：「壯心未與年俱老，死去猶能作鬼雄。」（註一六一）這點就顯示雖是同樣的憂國詩，陸游卻與屈原以及杜甫不同之處。

結束本節之前，還有一點值得提出，陸游詩集中不少回想詩，大致上都是與壯志未酬之嘆有關，可說是另一種表現。如〈懷昔〉云：

昔者戍梁益，寢飯鞍馬間。一日歲欲暮，揚鞭臨散關。增冰塞渭水，飛雪暗岐山。
悵望釣璜公，英概如可還。挺劍刺乳虎，血濺貂裘殷。至今傳軍中，尚愧壯士顏。
豈知墮老境，槁木蒙霜菅。澤國氣候晚，仲冬雪猶慳。曩事空夢想，擁褐自笑孱。
胡星未霣地，大弓何時彎。（註一六二）

全詩分為二大段，從「昔者」句到「尚愧」句是懷昔，寫當年冒著酷寒，往來大散關、渭水、岐山之間偵察敵情、調查地形等事，以及「挺劍刺乳虎」的快事。「豈知」句以下是傷今。「惆悵壯遊成昨夢」（〈懷南鄭舊遊〉）（註一六三）、「晚歲猶思事鞍馬，當時那信老耕桑，綠沉金鎖俱塵委，雪灑寒燈淚數行。」（〈雪夜感舊〉）（註一六四）最後二句直陳「何時聞詔下，遺將入幽燕」（〈憶昔〉）（註一六五）之意。陸游念念不忘在南鄭過的軍旅生活，是由於常痛壯志未酬，往往憶昔以傷今，或由回憶中覓取慰藉。或用反問指責朝廷的苟安，除上引諸句外，〈憶山南〉的最後一句亦云：「君王何日伐遼東」（註一六六）。回憶過去從軍生活的詩，為數相當多，成為陸游詩集中的一大特色，除上引詩外還有〈聞蟬思南鄭〉（註一六七）、〈秋夜感舊十二韻〉（註一六八）、〈感舊〉六首（註一六九）、〈有懷梁益舊遊〉（註一七〇）、〈秋夜思南鄭軍中〉（註一七一）、〈追憶征西幙中舊事〉四首（註一七二）等，茲不具錄。

綜括上面所論，陸游在時代環境、個人經驗，以及父親與一些憂國志士的教誨等的影響之下，早年就確定驅逐敵寇收復失地的愛國思想，以後始終堅持不渝。陸游對於中原淪陷，認為這是決不可容許的事，決心要恢復到原來的秩序體系裡。他看到當時動盪不安的社會諸問題，憂時傷世，反映在作品中。不僅如此，他還提出救時弊的主張。陸游憂國詩的內容，大致可分為傷時憂世、立志救國，以及壯志未酬等三大類。作品數量既大，題材也多樣，至表現手法，或從正面抒情敘論、或借題發揮、或因物起興，或用對比手法，或憶古傷今；在詩體上，喜用歌行體，頗見特色，往往寫宋軍勝利的渴望或想像。風格則大致以豪邁、悲壯為主。這幾點是在與當時楊萬里、范成大等人的憂國詩相比較之下，陸游詩中更突出的特色。

【附　註】

註　一　《石屏詩集》卷六〈讀放翁先生劍南詩草〉，頁一〇八。

註　二　《甌北詩話》卷六，頁一。

註　三　《詩稿》卷三十八〈三山杜門作歌〉五首之一，頁五八五。

註　四　《文集》卷三十一，頁一九四。

註　五　《文集》卷十五〈傅給事外制集序〉，頁八六。

註　六　《文集》卷二十七，頁一六五。

註　七　《文集》卷三十〈跋曾文清公奏議稿〉，頁一八七。

註　八　《文集》卷三十二，頁二〇二。

註　九　《詩稿》卷四〈觀大散關圖有感〉，頁六七。

註一〇　《詩稿》卷六〈甲午十一月十三夜夢右臂踊出一小劍長八九寸有光既覺猶微痛也〉：「少年學劍白猿翁，曾破浮生十歲功。」，頁九八。

註一一　《詩稿》卷一〈夜讀兵書〉：「窮山讀兵書」，頁三。

註一二　葉紹翁《四朝聞見錄》二集：「陸游……且好結中原豪傑以滅敵，自商賈仙釋詩人劍客，無不遍交。」見《四庫全書》本，頁二三〇。

註一三　《文集》卷三載〈蠟彈省劄〉、〈論選用西北士大夫劄子〉（頁一四）、〈代乞分兵取山東劄子〉（頁一五）、〈上殿劄子三首〉（壬午十一月）（頁一六—一七），卷四載〈上殿劄子〉五首、〈上殿劄子〉（己酉四月十二日）二首、〈除修史上殿劄子〉（以上頁一九—二四），卷五載〈條對狀〉、〈奏筠州反坐百姓陳彥通訴人吏冒役狀〉（以上頁二五—二八）等文。

註一四　分別見《詩稿》卷五〈曉歎〉（頁七六）、卷十六〈春夜讀書感懷〉（頁二七六）、卷四十〈秋懷十首末章稍自振起亦古義也〉（第十）（頁六一四）。

註一五　《詩稿》卷九〈感興〉二首之二，頁一五一。

註一六　《詩稿》卷十七〈題海首座俠客像〉，頁二八八。

註一七　《詩稿》卷二十五〈秋夜將曉出籬門迎涼有感〉二首之二，頁四一一。

註一八　《詩稿》卷二十五〈夜讀范至能攬轡錄言中原父老見使者多揮涕感其事絶句〉，頁四二三。

註一九《詩稿》卷三十五〈九月二十八日五鼓起坐抽架上書得九域志泫然有感〉，頁五三九。

註二〇《詩稿》卷三十三〈枕上偶成〉，頁五一九。

註二一《詩稿》卷二十一〈估客有自蔡州來者感悵彌日〉二首之二，頁三六五。

註二二《詩稿》卷三十五〈隴頭水〉，頁五四二。

註二三《詩稿》卷九〈晚登子城〉，頁一四七。

註二四《詩稿》卷四十五〈追感往事〉五首之五：「諸公可歎善謀身，誤國當時豈一秦。」，頁六七二。

註二五 同註二三。

註二六《詩稿》卷二十九，頁四七一。

註二七《詩稿》卷三十，頁四七五。

註二八 觀葉婉之《昭君詩評》（商務印書館人人文庫）所輯諸詠王昭君詩，除了唐代李中〈王昭君〉的「誰貢和親策，千秋污簡編」句外，鮮有與陸游詩中王昭君直斥「和戎非」的口吻相似者。

註二九《詩稿》卷三十五，頁五四一—五四二。

註三〇《龍川文集》卷一。

註三一《詩稿》卷九，頁一四七。

註三二《詩稿》卷十五，頁二六四。

註三三《詩稿》卷二十九，頁四六二。
註三四《詩稿》卷十七，頁三〇三。
註三五《四庫全書總目提要》卷一六〇，頁三一七九。
註三六《詩稿》卷十九，頁三四〇。
註三七《詩稿》卷六十四，頁八九六。
註三八《詩稿》卷八，頁一二六。
註三九《詩稿》卷九〈次韻季長見示〉，頁一五三。
註四〇《詩稿》卷九〈感興〉二首之二，頁一五一。
註四一《詩稿》卷三十四（耳一）（其二）頁五三〇。
註四二《皇宋中興兩朝聖政》卷五十五，頁二〇七五，文海出版社。
註四三《詩稿》卷三十二，頁五〇二—五〇三。
註四四《詩稿》卷四十七〈雨夜歎〉，頁六九七。
註四五《詩稿》卷二十七〈困甚戲書〉，頁四四一。
註四六《文集》卷三十四，頁二一二。
註四七《詩稿》卷五十九，頁八三八。
註四八《詩稿》卷六十，二首之一，頁八五二。

註四九《詩稿》卷八十一，十二首之三，頁一一〇三。
註五〇《詩稿》卷二十四〈戲詠村居〉二首之二，頁四〇六。
註五一《詩稿》卷三十七〈秋獲歌〉，頁五七六。
註五二《詩稿》卷二十九〈三月二十五夜達旦不能寐〉二首之一，頁四六九。
註五三《詩稿》卷三十七〈秋賽〉，頁五七一。
註五四《詩稿》卷七十九〈聞吳中米價甚貴二十韻〉，頁一〇八七。
註五五《詩稿》卷六十八，頁九四八。
註五六《詩稿》卷四十二，頁六三八。
註五七《詩稿》卷三十二，頁四九九。
註五八《詩稿》卷十八，頁三〇七。
註五九《詩稿》卷三十八，頁五七七。
註六〇《詩稿》卷七十一，頁九八七。
註六一《詩稿》卷三十一〈首春連陰〉，頁四九六。
註六二《詩稿》卷三十二〈鏡湖〉，頁四九九。
註六三《詩稿》卷五十九〈太息〉三首之二，頁八四六。
註六四　同註五四。

註六五《詩稿》卷五十九〈農舍〉四首之三，頁八四一。
註六六《詩稿》卷六十〈書喜〉二首之二，頁八五二。
註六七《詩稿》卷二十七，頁四三六。
註六八《詩稿》卷二十八，頁四五八。
註六九《詩稿》卷一〈寄別李德遠〉二首之二，頁一六。
註七〇《詩稿》卷一〈寄黃龍升老〉，頁二〇。
註七一《詩稿》卷五十九〈書感〉，頁八三九。
註七二《詩稿》卷一〈和陳魯山十詩以孟夏草木長遶屋樹扶疏為韻〉之一，頁一。
註七三《詩稿》卷二十八，四首之四，頁四四九。
註七四《文集》卷十三，頁七三。
註七五《詩稿》卷五，頁八四。
註七六《詩稿》卷四十四，十首之五，頁六五三。
註七七《詩稿》卷五十九，頁八三七。
註七八《詩稿》卷三十五，頁五四六。
註七九《詩稿》卷九，頁一五七。
註八〇《詩稿》卷四十五，頁六七二。

註　八一　《文集》卷十五，頁九〇。
註　八二　《詩稿》卷三〈周元吉蟠室詩〉，頁四四。
註　八三　《詩稿》卷十九〈感寓〉，頁三四二。
註　八四　《詩稿》卷二十〈書歎〉，頁三五五。
註　八五　《詩稿》卷四二〈寓歎〉，頁六三二。
註　八六　《詩稿》卷四十四〈讀何斯舉黃州秋居雜詠次其韻〉十首之二，頁六五三。
註　八七　《詩稿》卷四十五〈排悶〉，頁六六八。
註　八八　《詩稿》卷二十四，頁四〇一。
註　八九　〈奉贈韋左丞丈二十二韻〉，頁七四九。
註　九〇　《文集》卷四〈上殿劄子〉，頁二〇—二一。
註　九一　《文集》卷七〈賀張都督啟〉，頁三七。
註　九二　《文集》卷三〈上二府論都邑劄子〉，頁一八。
註　九三　《詩稿》卷三十四〈感事〉四首之一：「雞犬相聞三萬里，遷都豈不有關中。」頁五三〇。
註　九四　《文集》卷三〈代乞分兵取山東劄子〉，頁一五。
註　九五　例如辛棄疾也在〈美芹十論〉與〈九議〉中力主先有準備、守淮、遷都建康。
註　九六　《宋史、本傳》，頁一二〇五八。

註　九七　《文集》卷三〈上殿劄子三首〉（壬午十月）（其三），頁一七。
註　九八　《文集》卷三〈上殿劄子三首〉（壬午十月）（其二），頁一六—一七。
註　九九　《文集》卷三〈論選用西北士大夫劄子〉，頁一四。
註一〇〇　《詩稿》卷二〈送芮國器司業〉二首之二：「人材衰靡方當慮。」頁二三。
註一〇一　《詩稿》卷五〈苦荀〉：「人才自古要養成，放使干宵戰風雨。」頁七六。
註一〇二　《詩稿》卷三十〈憂國〉：「人材正要越拘攣。」頁四七九。
註一〇三　《詩稿》卷一〈送七兄赴揚州帥幕〉，頁九。
註一〇四　《詩稿》卷三十〈憂國〉，頁四七九。
註一〇五　《詩稿》卷三十一〈歲暮感懷以餘年諒無幾休日愴已迫為韻〉十首之九，頁四九六。
註一〇六　《詩稿》卷十〈北巖〉，頁一六〇。
註一〇七　《文集》卷二十五〈戊申嚴州勸農文〉，頁一四八。
註一〇八　《詩稿》卷六十八〈書歎〉，頁九四八。
註一〇九　《文集》卷四〈上殿劄子〉（己酉四月十二日）（其二），頁二三。
註一一〇　《文集》卷四〈上殿劄子〉（其一）：「朝廷之體，責大臣宜詳，責小臣宜略；郡縣之政，治大姓宜詳，治小民宜略；賦斂之事，宜先富室；征稅之事，宜覈大商，是之謂至平，是之謂至公。」頁一九。杜範《清獻集》卷八〈便民五事奏劄〉指出當時貴家豪戶逃稅的情況，說：「貴家豪戶所納常賦，重賂鄉吏，或指為坍江逃閣，或詭寄外縣名籍，雖田連阡陌，輸稅既少，役且不及。」可知陸游的主張是針對此時弊而發的。杜文見《四庫全書》本，頁六七六。

註一一一 《詩稿》卷三十一〈歲暮感懷以餘年諒無幾休日愴已迫為韻〉十首之十：「井地以養民，整整若棋畫。初無甚貧富，家有五畝宅。……誰能講古制，壽我太平脈。」頁四九六。

註一一二 《詩稿》卷二十一，頁三六九。

註一一三 如卷十九〈夜坐示桑甥十韻〉：「東山七月篇，萬古真文章。」頁三三七；卷四十一〈示兒子〉：「熟讀周公七月詩。」頁六一九；卷五十〈春晚書村落間事〉：「豳詩有七月，字字要躬行。」頁七三六；卷五十〈雜興〉六首之一：「君看八百年基業，盡在東山七月篇。」頁七三六。

註一一四 如陳亮《龍川文集》卷一〈上孝宗皇帝第一書〉：「君臣上下苟一朝之安，而息心於一隅。」頁一。

註一一五 《文集》卷四〈上殿劄子〉（其二），頁一九。

註一一六 如卷十五〈冬夜讀書〉：「六經萬世眼，守此可以老。」（頁二六五）；卷四十一〈六經〉二首之一：「六經聖所傳，百代尊元龜。」（頁六一七）；卷三十八〈六經示兒子〉：「六經如日月，萬世固長懸。」（頁五八六）；卷五十四〈六藝示子聿〉：「六藝江河萬古流，吾徒鑽仰死方休。」（頁七七九）。

註一一七　《詩稿》卷二十九，頁四六八。

註一一八　《詩稿》卷二十八〈溪上作〉二首之二，頁四五八。

註一一九　《詩稿》卷二十七〈書憤〉，頁四四四。

註一二〇　《詩稿》卷九〈劍客行〉，頁一四八。

註一二一　《詩稿》卷四，頁六八。

註一二二　《詩稿》卷十二〈碧海行〉，頁二一〇。

註一二三　《詩稿》卷四〈胡無人〉，頁七〇。

註一二四　《詩稿》卷二十八，頁四五三。

註一二五　《詩稿》卷二十七〈僕頃在征西大幕登高望關輔樂之每冀王師拓定得卜居焉暇日記此意以示子孫〉，頁四四三。

註一二六　卷四十二，頁八二八—八二九。

註一二七　《詩稿》卷十一，頁一九五。

註一二八　《詩稿》卷七，頁一一〇。

註一二九　《詩稿》卷四十八〈夜雨〉，頁七〇六。

註一三〇　《詩稿》卷十八，頁三二〇。

註一三一　《詩稿》卷八〈張園海棠〉，頁一三〇。

註一三二　《詩稿》卷十二〈聞雁〉，頁一九七。
註一三三　《詩稿》卷四，頁六七。
註一三四　《詩稿》卷五，頁八七。
註一三五　《詩稿》卷七，頁一一九。
註一三六　《詩稿》卷十四，頁二四三。
註一三七　《詩稿》卷三十六，頁五五一。
註一三八　《詩稿》卷五，頁八八。
註一三九　《詩稿》卷六，頁九五。
註一四〇　《詩稿》卷三十，頁四七四。
註一四一　《詩稿》卷十七，頁二八八。
註一四二　《詩稿》卷八，頁一三一。
註一四三　《詩稿》卷三十七〈太息〉四首之一，頁五七四。
註一四四　《詩稿》卷六十八，頁九五一—九五二。
註一四五　《詩稿》卷七十七〈舟中醉題〉二首之二，頁一〇六五。
註一四六　《詩稿》卷八十四〈乙巳秋暮獨酌〉四首之一，頁一一四四。
註一四七　《詩稿》卷八十三〈書歎〉二首之一，頁一一三二。

註一四八　《詩稿》卷八十五，頁一一五三。
註一四九　《詩稿》卷十三，二首之一，頁二三五—二三六。
註一五〇　《詩稿》卷十〈楚城〉，頁一六二。
註一五一　《詩稿》卷六〈樓上醉歌〉，頁一〇二。
註一五二　《詩稿》卷十六〈悲秋〉，頁二八四。
註一五三　《詩稿》卷三〈三月十七日夜醉中作〉，頁五五—五六。
註一五四　《詩稿》卷十三〈灌園〉，頁二三一。
註一五五　《詩稿》卷三〈太息〉二首之一，頁四六。
註一五六　《詩稿》卷二〈拆號前一日作〉，頁三五。
註一五七　《詩稿》卷五〈化成院〉，頁七八。
註一五八　《詩稿》卷二〈九月三十日登城門東望悽然有感〉，頁三八。
註一五九　《詩稿》卷三十四〈寒夜歌〉，頁五二六—五二七。
註一六〇　《詩稿》卷三十五，頁五四六。
註一六一　《詩稿》卷三十五，二首之一，頁五四七。
註一六二　《詩稿》卷二十八，頁四五七。
註一六三　《詩稿》卷二十三，頁三九五。

註一六四　《詩稿》卷三十六，頁五五五六。
註一六五　《詩稿》卷二十七，頁四四一一。
註一六六　《詩稿》卷十一，二首之一，頁一八六六。
註一六七　《詩稿》卷十三，頁二二二四。
註一六八　《詩稿》卷二十七，頁四四三三。
註一六九　《詩稿》卷三十七，頁五六四—五六六五。
註一七〇　《詩稿》卷五十二，頁七五五九。
註一七一　《詩稿》卷六十三，頁八八八九。
註一七二　《詩稿》卷四十八，頁七一一三。

第二節　田園

在陸游詩中，作品主題的重要性上決不下於前文所論的憂國詩，在風格上也呈現不同面貌的是以田園為主題的詩。大致上言，陸游的任官生活共二十二年，而田園生活若只舉出仕以後的，也長達三十年，自然詩集中有相當多的田園詩，陸游的田園詩大都是在出仕以後出現。陸游從三十四歲開始官職生活以來，一生一共九次歸鄉（註一），若舉出比較長期性的歸鄉生活就有四次：孝宗乾道二年（一一六六）四十二歲時以「交結台諫，鼓唱是非，力說張浚用兵」（《宋史》本傳）為罪名，被免隆興通判，在故鄉山陰住了四年，這是其一；淳熙七年（一一八〇）五十六歲時在撫州任提舉常平茶鹽公事，時逢水災，以開義倉賑濟飢民，遭到彈劾，又被罷職回鄉閑居六年，是其二；淳熙十六年（一一八九）六十五歲在禮部郎中兼實錄院檢討官，被彈劾罷官，罪名之一是「嘲風月」，返鄉後一直住十二年，這是第三次；最後一次是，七十八歲時以同修國史、實錄院同修撰赴臨安，一年後史書完成，就返鄉一直到逝世為止住在山陰。田園詩就產生在這四段時期裡，尤其最多見於將近二十年的後二者中，也最能代表陸游的田園詩特色。陸游的歸鄉，除最後一次外，其他都與罷官有關，不是出於自願；這罷官又不是因為他的失政。陸游雖懷有救國報國的壯志，但在宦途上一再受到當權者的排斥，於是就常懷著悲憤、沈痛的心情回故鄉去了。但他在田園生活中漸漸發現另外一個極其有意義的世界，以此暫忘現實中的苦悶，求得心靈的安慰。陸游還有不少詩裡反映農民生活，描繪田園景色，本節將陸游的田園詩就內容上分為二大類來探討其內涵，即一、敘述田園生活與心境者與二、描寫田園景色與農民生活者，茲分述如下：

一、田園生活與心境

縱觀陸游閑居時期的諸詩篇，可注意到詩中常用「閉門」以及與此類似意味之字眼，如「杜門」、「閉戶」、「掩柴門」等等。而這些平凡的字並不單純地指日常性的動作，還另含有意味，象徵著田園生活中陸游的某種心態與指向。集中用這些字彙者，有如：

杜門終此世，更誓未來生。（註二）

破屋頹垣霧雨昏，幽人終日掩柴門。（註三）

落筆未妨詩哀哀，閉門猶喜氣揚揚。（註四）

謀身自拙窮無鬼，閉戶長閑睡有魔。（註五）

等。「門」與「戶」是家屋構造上唯一正常地通往外部的通路，而陸游卻把這個通路封閉。他的回鄉，如已上文所述，大都是由於受到外部的排擠所致，事實上，封閉陸游走向理想的路，是外在世界，把陸游放逐於「萬里」之外。陸游回來的故鄉，是遠離京師的遠隔世界，常被雲山與煙水圍住千重萬重，陸游則樂處於其中：

寂寂雲山千萬重。（註六）

雲千重，水千重，身在千重雲水中。（註七）

幽棲莫笑蝸廬小，有雲山、煙水萬重。（註八）

這是被外界疏遠的地域。他因讒言刻骨，嘆「豈是天公無皂日，獨悲世俗異酸鹹」（註九），嘆「只道才高始不容，無才也墮駭機中」（註一〇），痛感人間世到處有危機。（註一一）有感於此，他就說：「半生走四海，竟無第一策。暮年忽大悟，惟有緊閉門，朝作一池墨，弄筆招羈魂。」（註一二）他閉封了通往外在世界的路，一面要避世俗的紛亂，一面要堅守自己的勁節。他說：

> 掩關本意君知否，兩耳衰年不耐諠。（註一三）
>
> 久矣門無客，高齋獨掩扉。敢言消壯志，要是息危機。（註一四）
>
> 世路方未夷，機穽寧有極。但能常閉門，尊拳貨雞肋。（註一五）
>
> 閉門謝俗子，與汝不同調。（註一六）
>
> 萬里東歸白髮翁，閉門不復與人通。（註一七）

觀此則「掩關本意」已明白。他與現實保持一段間隔，追求自足自適的內在世界。〈夙興〉詩云：「一生宦遊膏火煎，歸來杜門氣麤全」（註一八），不少詩中屢見他「與世相忘」的表現（註一九）。他在「閉門」裡得到安身立命的歸宿，始得到無牽無掛的「自由身」，「閉門」後的生活充滿了生機。他「閉門觀昨非」（註二〇），終覺「此身只合老躬耕」。雖時露內心的糾葛：「平生樂行役，不耐常閉戶」（註二一）、「閉門不忍歎塗窮」（註二二），但喜讀周易老莊，悟「秋毫得喪何足論，萬古興亡一酣枕」，「始知人生元自樂」（註二三），尋求苦悶的超脫。另一面，他的視線向著另一個世界，樂意地「開門」或「出戶」：

> 一笑開門看月明。（註二四）
>
> 振衣起出戶，一笑尋鄰翁。（註二五）

「明月」與「鄰翁」代表他「遂與外人間隔」後在故鄉所發現的桃源世界，都給他很大的欣慰，他也常「一笑」對待之。「一笑」一詞是陸游田園詩中常見的慣用語之一（註二六），他以此表現閑適自樂的心境。

由以上所論，我們可知陸游詩中屢見的「閉門」一詞不是單純地指日常性的動作，還另有深刻的涵意；從「閉門」、「開門」、「出戶」等的表現，還可見到他從宦途被貶回故鄉後，從克服挫折、矛盾到追求自適自樂的心態與生活。先有此概括性的認識，下面進一步看他的田園生活。

小園煙草接鄰家，桑柘陰陰一徑斜。臥讀陶詩未終卷，又乘微雨去鋤瓜。（註二七）

陸游於淳熙七年（一一八〇）被罷官，重返故里，這首詩寫於次年春。前兩句描繪小園的風光，後二句寫自己的田園生活。陸游晚年閑居田園，對陶詩有更深的體會，我們從三四句可見閑適恬淡的情趣與桑耕生活的一面。剛回到田園時還微微流露壯志難伸的嗟歎：

村南村北鵓鴣聲，水刺新秧漫漫平。行遍天涯千萬里，卻從鄰父學春耕。（註二八）

從第四句「卻」字，可見詩人的鬱悶。不過，他認為「古來賢達士，初亦願躬耕」（註二九），他的先世也曾以農為業：「吾家世守農桑業，一挂朝衣即力耕。」（註三〇）因此，他即使被免官返鄉，仍樂於為農，〈蔬圃絕句〉云：

百錢新買綠蓑衣，不羨黃金帶十圍。枯柳坡頭風雨急，憑誰畫我荷鉏歸。（註三一）

詩中寫詩人買蓑衣，冒風雨荷鋤歸的喜悅，頗似於陶淵明的「晨興理荒穢，帶月荷鋤歸」（〈歸園田居〉）。田園生活中，他「身雜老農間」，「扶衰業耕桑」（註三二），有時種菜、栽花、飯牛，詩中處處流露躬耕自適之樂，如：

北窗本意傲羲皇，老返園廬味更長。犢健戴星耕白水，蠶飢衝雨采青桑。

俚儒朱墨開冬學，廟史牲牢祝歲穰。從此鬢毛雖似雪，未妨擊壤頌虞唐。（註三三）

平生萬事不容求，惟有郊居志已酬。更漏遠城雞唱曉，歲時無曆葉知秋。

潮生小舫行收荻，月落長歌起飯牛。已作幸民仍醉死，人間毀譽判悠悠。（註三四）

都是，表現「宦塗自古多憂畏，白首為農信樂哉」（註三五）之意。他遂道「此中正自有佳處，區區外慕寧非癡」（註三六），將自已比作上古太平時代的「無懷氏」與「葛天氏」之民，〈閉戶〉云：「世間不用詢名字，身是無懷上古民」（註三七），〈書喜〉云：「乞得身歸鏡水濱，此生真作葛天民。」（註三八）

陸游還在田園生活中接觸溫馨的人情世界，從此得到無比的欣慰。回鄉之後，他不與官吏來往，以一個「村翁」逐漸與村民之間建立了深厚的情誼。他從宦途被劾罷官，懷著悲憤、痛苦的心情返鄉時，卻受到故鄉村民的熱烈歡迎：「東望故山百餘里，父老歡忻來接跡。白羊綠酒爭下擔，長笛腰鼓紛如織。」（註三九）就這樣，他在與村民的交往中暫忘失意。與村民的交往是在陸游田園生活中的一大樂事。有時他們饋送食物，有時陸游自已找他們去祝賀婚姻、聊天，有時一起聚餐喝酒等，如此之類的內容，詩集中屢見不鮮，如：

父老招呼共一觴，歲猶中熟有餘糧。（註四〇）

馬跡車聲斷已無，鄰翁笑語自相呼。（註四一）

老脫朝冠岸幅巾，時時乘輿過比鄰。（註四二）

東鄰膰肉至，一笑舉新醅。（註四三）

西鄰女受聘，賀之以一襦。（註四四）

他所到之處，都受到村民出自眞誠的歡迎，如：

放翁病起出門行，績女窺籬牧豎迎。

酒似粥醲知社到，餅如盤大喜秋成。

歸來早覺人情好，對此彌將世事輕。

紅樹青山只如昨，長安拜免幾公卿。（註四五）

前四句寫病愈出門散步，受到村民的歡迎慰問，後四句寫感此淳樸的人情，益發對官場鄙視，「人情」與「世事」、「紅樹青山」與「長安公卿」形成強烈的對比。陸游田園詩常藉田園與官場的對比，更加肯定田園生活的價値，如〈得趙若川書因寄〉云：「龍墀對策言傷直，山邑迎親計未疏」（註四六）。

野人知我出門稀，男輟鉏耰女下機。掘得茈菇炊正熟，一杯苦勸護寒歸。（註四七）

耕傭蠶婦共欣然，得見先生定有年。掃灑門庭拂床几，瓦盆盛酒薦豚肩。（註四八）

詩人無論偶然出門閑遊東村，或去山村為民治病，常受到村民的盛情款待，此二首充分表現了他們之間的深厚情誼。陸游從與他們的交往中常感到很大的安慰，他說：「市朝那有此，一笑慰餘生。」（註

四九）

陸游一向胸懷豁達，田園生活中更是忘懷塵累：

嬾隨年少愛花狂，且伴群兒鬥草忙。行遍山南山北路，歸時新月浸橫塘。（註五〇）

伴兒童玩鬥草，走遍山南山北，竟不知已日落月出。又如〈書適〉云：

老翁垂七十，其實似童兒。山果啼呼覓，鄉儺喜笑隨。群嬉累瓦塔，獨立照盆池。
更挾殘書讀，渾如上學時。（註五一）

宛如天眞活潑、無憂無慮的童心世界。他說：「世念秋毫盡，渾如學語兒」（註五二），詩中處處表現自己的童心以及和兒童遊玩的樂事：「花前自笑童心在，更伴群兒竹馬嬉」（註五三）、「垂老始知安樂法，紙鳶竹馬伴兒嬉。」（註五四）這是別的田園詩人如陶淵明、王維、孟浩然、范成大等的作品中很難找到其例的生活情趣。由此可見，陸游的田園生活，不只是恬靜，或閑寂，還充滿生機。

此外，陸游還以飲酒、賦詩、讀書、嗜睡、出遊，怡然度日，形諸詩篇中，對於出遊，下文將論及，茲不贅言。以上是田園生活中樂的一面，至於苦的一面，如〈秋夜將曉出籬門迎涼有感〉云：「迢迢天漢西南落，喔喔鄰雞一再鳴。壯志病來消欲盡，出門搔首愴平生」（註五五），抒發歲月蹉跎、壯志難酬的感慨，還有不少詩裡反映自己的貧寒生活，如：

放翁家山陰，其貧蓋一國。（註五六）

今年貧徹底，擬賣舊漁磯。（註五七）

衣穿聽露肘，履破從見指。（註五八）

雖然「飢腸雷動尋常事」（註五九），但他「一瓢陋巷師顏回」（註六〇），常處之泰然，說：「賤貧安淡薄，老鈍耐譏嘲」（註六一）、「袞繡曷加我，簞瓢常晏如。」（註六二）〈霜風〉首言：「十月霜風吼屋邊，布裘未辦一銖綿。豈惟飢索鄰僧米，眞是寒無坐客氈」，但結尾云：「丈夫經此寧非福，破涕燈前一粲然」（註六三），以見達觀的心情；〈蔬食〉雖首言：「今年徹底貧，不復具一肉。日高對空桑，腸鳴轉車軸」，但還說：「孰知讀書卻少進，忍飢對客談堯舜。但令此道麄有傳，深山餓死吾何恨。」（註六四）〈貧甚戲作絕句〉則說飢餓難耐時，作詩唱和陶淵明〈乞食〉詩：「糴米歸遲午未炊，家人竊閔乃翁飢。不知弄筆東窗下，正和淵明乞食詩。」（註六五）從以上諸詩可見陸游的安貧樂道。

二、田園景色與農民生活

陸游的故鄉山陰是山明水秀，風光優美的地方，他每次出外任官，常懷念故鄉，曾在〈思故山〉詩中描繪故鄉的美景，說：「一彎畫橋出林薄，兩岸紅蓼連菰蒲。陂南陂北鴉陣黑，舍西舍東楓葉赤。……新釣紫鱖魚，旋洗白蓮藕。」（註六六）回到田園後，自然到處閑遊觀賞：

紅樹青林帶暮煙，並橋常有賣魚船。樊川詩句營丘畫，盡在先生拄杖邊。（註六七）

首二句的風光宛如一幅清麗的圖畫。這二句是靜態畫面，〈柳橋晚眺〉中的景色又與此不同：

小浦聞魚躍，橫林待鶴歸。閑雲不成雨，故傍碧山飛。（註六八）

此詩以動顯靜，靜中有動，有色，又有聲。此外略舉描繪田園風光者，有如：「林喧鳥雀棲初定，村近牛羊暮自歸」（註六九）、「茆屋滴殘雨，竹籬圍夕陽」（註七〇）、「新長庭槐夾門綠，無窮陂稻際天寬」（註七一）、「青煙起草積，微火近茅舍」（註七二）「樹枝南畔有飛鵲，蓮葉東邊多戲魚」（註七三）等，集中有不少寫景佳作，用清新自然的筆調一一畫出農村景物。

至於村民的勞作，如：「龍骨車鳴水入塘，雨來猶可望豐穰。老農愛犢行泥緩，幼婦憂蠶採葉忙」（註七四），寫的是春天雨後灌溉、耕耘、採桑的景象；〈秋穫歌〉則寫秋收的情景與農民的喜悅：「牆頭累累柿子黃，人家秋穫爭登場。長碓擣珠照地光，大甑炊玉連村香。萬人牆進輸官倉。倉吏朒冷不暇嚐。訖事散去喜若狂，醉臥相枕官道傍。」（註七五）

又如〈賽神曲〉描繪當地的風俗，通過老巫的致詞，反映村民的樸素祈願，詩中云：「願神來享常驩娛，使我嘉穀收連車。牛羊暮歸塞門閭，雞鶩一母生百雛。歲歲賜粟，年年蠲租。蒲鞭不施，圜土空虛。束草作官但形模，刻木為吏無文書。」（註七六）此外，詠地方人物的作品，有「東吳女兒曲」（註七七）、「阿姥」（註七八）、「吳娘曲」（註七九）、「鏡湖女」（註八〇）等。

陸游田園詩中還有不少關懷村民生活、反映農民疾苦的詩篇。對此，在前文論陸游的憂國憂民，已略有所述。因此本節不贅言，再舉二首以見其一斑。〈鄰曲有未飯被追入郭者憫然有作〉云：

春得香摘緣葵，縣府急急不容炊。君王日御金華殿，誰誦周家七月詩。（註八一）

詩寫鄰居的遭遇與詩人由此而發的感慨。〈春日雜興〉云：

夜夜燃薪暖絮衾，禺中一飯直千金。身爲野老已無責，路有流民終動心。（註八二）

這首詩寫於陸游八十五歲時。詩中表現對流民的困境的關懷與同情。劉克莊在《後村詩話》敬佩他說：「韋蘇州詩：『身多疾病思田里，邑有流亡愧俸錢。』太守能為此言者鮮矣。若放翁云：『身為野老已無責，路有流民終動心。』退士能為此言，尤未之見也。」其實，陸游之所以為陸游者，正在於此。

論陸游詩，不可以只強調憂國詩，而忽略田園詩的存在。本節探討陸游的田園詩，先從考察田園詩中常見的「閉門」的意味開始，次論及其他內容。總之，陸游從宦途被貶返鄉後，追求心安身適的生活，接觸富有人情味的村民，暫忘以往的悶惱，安貧樂道，閑適自樂。詩風也隨之漸趨於平淡。

【附註】

註一　除本文中言者外，三十七歲、三十九歲、五十四歲、六十二歲、六十四歲時暫時返鄉。

註二　《詩稿》卷三十二〈梅天〉，頁五〇八。

註三　《詩稿》卷十三〈幽居〉，頁二三一。

註四　《詩稿》卷二十九〈飢坐戲詠〉，頁四六八。

註五　《詩稿》卷三十〈早秋〉四首之一，頁四七六。

註六　《詩稿》卷十四〈閉門〉，頁二四四。

註　七　《文集》卷五十〈長相思〉，頁三一四。

註　八　《文集》卷五十〈戀繡衾〉，頁三一六。

註　九　《詩稿》卷一〈殘春〉，頁一八。

註一〇　《詩稿》卷二十五〈書歎〉，頁四一一。

註一一　《詩稿》卷二十〈上書乞祠〉云：「人間處處是危機。」頁三四五。

註一二　《詩稿》卷五十九〈夜卧久不得寐復披衣起呼燈作草書數紙乃復酣枕明旦作此詩記之〉，頁八四六。

註一三　《詩稿》卷三十七〈秋思〉四首之三，頁五六九。

註一四　《詩稿》卷二十一〈寓歎〉三首之一，頁三七二。

註一五　《詩稿》卷三十二〈自規〉，頁五〇二。

註一六　《詩稿》卷四十一〈燈下讀書戲作〉，頁六一八。

註一七　《詩稿》卷三十六〈題庵壁〉二首之一，頁五五一。

註一八　《詩稿》卷三十七，頁五七〇。

註一九　如《詩稿》卷二十四〈晚秋農家〉八首之五云：「我年近七十，與世長相忘」（頁三八九）；卷二十八〈風雨〉云：「弄書聊自適，與世已相忘」（頁四五七）；卷三十二〈竹窗晝眠〉云：「清送落日，與世永相忘」（頁五〇六）等。

註二〇 《詩稿》卷十七〈雲門過何山〉，頁三〇五。
註二一 《詩稿》卷十四〈春遊〉，頁二四三。
註二二 《詩稿》卷十四〈閉門〉，頁二四四。
註二三 《詩稿》卷二十五〈醉倒歌〉，頁四二三。
註二四 《詩稿》卷十五〈夜坐油盡戲作〉二首之二，頁二六六。
註二五 《詩稿》卷十五〈初寒〉，頁二六三。
註二六 如《詩稿》卷五十九〈家居〉三首之一云：「膨脝自摩腹，一笑欲忘貧」（頁八四三）；卷六十〈雜感〉六首之六云：「人生困糾纏，一笑脫囚械」（頁八五一）等。
註二七 《詩稿》卷十三〈小園〉四首之一，頁二二一。
註二八 《詩稿》卷十三〈小園〉四首之三，頁二二一。
註二九 《詩稿》卷三〈蟠龍瀑布〉，頁四〇。
註三〇 《詩稿》卷四十九〈示子孫〉二首之二，頁七一七。
註三一 《詩稿》卷十三，七首之二，頁二三〇。
註三二 《詩稿》卷二十三〈晚秋農家〉八首之五，頁三八九。
註三三 《詩稿》卷二十二〈北窗〉，頁三七八。
註三四 《詩稿》卷二十三〈郊居〉二首之一，頁三八六。

註三五　《詩稿》卷二十二〈村居初夏〉五首之一，頁三八〇。
註三六　《詩稿》卷七十四〈書感〉三首之二，頁一〇二三。
註三七　《詩稿》卷三十一，二首之二，頁四九〇—四九一。
註三八　《詩稿》卷四十，二首之一，頁六〇五。
註三九　《詩稿》卷五十七〈書懷示子遹〉，頁八一六。
註四〇　《詩稿》卷二十三〈初冬從父老飲村酒有作〉，頁三九五。
註四一　《詩稿》卷二十四〈戲詠村居〉二首之二，頁四〇六。
註四二　《詩稿》卷三十四〈過鄰家戲作〉，頁五二九。
註四三　《詩稿》卷三十五〈舍北搖落景物殊佳偶作〉五首之五，頁五四〇。
註四四　《詩稿》卷二十三〈晚秋農家〉八首之四，頁三八九。
註四五　《詩稿》卷二十七〈秋晚閑步鄰曲以予近嘗卧病皆欣然迎勞〉，頁四四六。
註四六　《詩稿》卷二十七，頁四四六。
註四七　《詩稿》卷四十一〈東村〉二首之一，頁六二二。
註四八　《詩稿》卷六十五〈山村經行因施藥〉五首之二，頁九一二。
註四九　《詩稿》卷三十二〈野步〉，頁五〇六。
註五〇　《詩稿》卷十三〈蔬圃絕句〉七首之七，頁二三〇。

註五一　《詩稿》卷二十六，二首之一，頁四二四。
註五二　《詩稿》卷六十四〈自嘲老態〉，頁九〇六。
註五三　《詩稿》卷四十八〈園中作〉二首之一，頁七一〇。
註五四　《詩稿》卷六十四〈村居書事〉六首之六，頁九〇四。
註五五　《詩稿》卷二十五，二首之一，頁四一一。
註五六　《詩稿》卷二十八〈幽居〉五首之五，頁四五二。
註五七　《詩稿》卷三十〈太息〉，頁四七五。
註五八　《詩稿》卷五十〈送子龍赴吉州掾〉，頁七二七。
註五九　《詩稿》卷六十三〈貧甚戲作絶句〉八首之三，頁八八六。
註六〇　《詩稿》卷四十四〈戲詠鄉里食物示鄰曲〉，頁六六四。
註六一　《詩稿》卷二十一〈雨後復小雪〉，頁三六三。
註六二　《詩稿》卷三十五〈復竊祠祿示兒子〉，頁五四一。
註六三　《詩稿》卷一，頁一九。
註六四　《詩稿》卷二十九，頁四六八。
註六五　《詩稿》卷六十三，八首之八，頁八八六。
註六六　《詩稿》卷十一，頁一七八。

註六七　《詩稿》卷三十三〈舍北晚眺〉二首之一，頁五一四。
註六八　《詩稿》卷四十七，頁六九三。
註六九　《詩稿》卷二十二〈宿野人家〉，頁三七七。
註七〇　《詩稿》卷十五〈鄰曲小飲〉，頁二五五。
註七一　《詩稿》卷五十七〈門屋納涼〉，頁八二三。
註七二　《詩稿》卷五十四〈黃犢〉，頁七八三。
註七三　《詩稿》卷六十七〈幽居〉，頁九三七。
註七四　《詩稿》卷七十〈春晚即事〉四首之四，頁九八一。
註七五　《詩稿》卷三十七，頁五七五—五七六。
註七六　《詩稿》卷二十九，頁四六一。
註七七　《詩稿》卷十九，頁三三二。
註七八　《詩稿》卷四十三，頁六四二。
註七九　《詩稿》卷十六，頁二七九。
註八〇　《詩稿》卷二十八，頁四六〇。
註八一　《詩稿》卷二十一，頁三七〇。
註八二　《詩稿》卷八十一，十二首之四，頁一一〇三。

第三節　倫情

日常生活中對親人與朋友有所感懷，形之於詩篇中，是極其尋常的事，本可以說是任何詩人都吟詠的題材。陸游也有這種方面的詩篇。但呈現了與衆不同的特色，頗值得稱述。故將此類詩分為親人之情與朋友之情兩類，看其倫情世界。

一、親人之情

陸游的雙親皆在陸游二十七歲以前已仙逝，後來放翁漂泊異鄉，時逢寒食立夏之間，就思親之情倍感，發「守墓萬家猶有日，及親三釜永無期」（註一）的哀痛，或看科舉及第者有父母俱在，就淒然嘆息—「嗟我不孝負鬼神，俯仰二紀悲如新。」（註二）或在羈旅途中聽到風聲，思親之餘就淒然流淚：「木欲靜風不止，子欲養親不留，夜誦此語涕莫收。吾親之沒今幾秋，尚疑捨我而遠遊。心冀乘雲反故丘，再拜奉觴陳膳羞。陶盎治米聲叟叟，木甑炊䴵香浮浮，芼薑屑桂調甘柔，稚鼈煮臑長魚膾。夜敷枕席視衾裯，晨起熏籠進衣裘。哀樂此志終莫酬，有言不聞九泉幽。北風歲晚號松楸，哀哉萬里為食謀。」（註三）「哀樂此志終莫酬，有言不聞九泉幽」，痛楚之情溢於言表，後來當七十七歲的生日時，還有詩句哀歎：「負米養親無復日，蓼莪廢講豈勝悲。」（註四）由上引諸詩足見其時時懷念雙親的深情。

陸游排行第三，上有二兄（淞、濬），下有一弟（涭），但集中鮮見往來之跡。唯〈送三兄赴奏邸〉是送長兄淞之詩，從「過悲復恐兄意傷，忍涕不覺涕已滂」、「閉門病衰百無用，日望兄歸有餘俸。早從丞相乞湖州，莫待異時思少游」（註五）等詩句，足見兄弟之情。（註六）但對前妻唐琬卻有不少詩篇，常流露悲痛之情。據《齊東野語》等記載，陸游初娶唐琬，兩人感情極好，但不獲陸母之心，被迫仳離，各與別人再婚。後來在沈園重逢，不久，唐琬含恨而死。陸游也終身不忘此愛情悲劇，常回憶往日一段美滿生活，深歎「喚回四十三年夢，燈暗無人說斷腸。」（註七）下引詩是慶元五年（一一九九）陸游七十五歲時最後一次重遊沈園所作的。

城上斜陽畫角哀，沈園非復舊池臺。傷心橋下春波綠，曾是驚鴻照影來。（註八）

第一句言訪園之時。斜陽哀角，是悲涼的景象。第二句言沈園。景物面貌全非往日，更是觸物傷情。第三句，詩人的心理還是往返今昔之間。以前兩人久別相逢時也是「滿城春色宮牆柳」（〈釵頭鳳〉）的情景（註九），現在睹物思人。第四句思唐琬。傷感淒然。再看第二首：

夢斷香消四十年，沈園柳老不吹綿。此身行作稽山土，猶弔遺蹤一泫然。（註一〇）

此詩更進一步表露了他的思念唐琬之痛。唐琬離開人世，已過四十年，自己也不久將入土，還是念念不忘，觸景傷情，古今斷腸之作無過此者。八十四歲，還有詩道：「也信美人終作土，不堪幽夢太匆匆。」（註一一）從「也信」與「不堪」的心理矛盾衝突中足見他始終不渝的深摯感情與內心創痛。

除了追懷唐琬的詩之外，集中更多的是抒寫父子、祖孫之情的，成為陸游詩中一大特色。單說其數量之大，在古今詩中罕見所能比者，其內涵也極其豐富。陸游有七子：子虡、子龍、子修（惔）、子坦、子約（早死）、子布、子遹（聿）；女至少有二人：阿繪、閏孃（幼夭）；至於孫與曾孫，就其見於詩文者而言，孫有元敏、元禮、元簡、元用、元雅、還有開孫等；曾孫有阿喜等。陸游寫天倫之情，約而言之，大致可分為三類，即教育兒孫、共處之樂，以及相離之苦。陸游的這類詩篇，除了少數外（註一二），大都作於晚年，尤期是閑居山陰時期，因此，從教育兒孫詩中，我們可看出陸游晚年較完熟的思想以及他對兒孫的期待與他的某種心理變化；從共處生活詩中，我們可窺知陸游晚年生活的情況；還有從傷離懷念詩中，我們更可以看到陸游的親情。陸游一生始終堅持憂國、報國思想（如上文所述），但是一進宦途後，一再受到打擊，常嘆報國無路、壯志難伸，他還在詩中憾恨人世充滿危機、知音凋落。因此，他晚年長期閒居故鄉，追求另一個有價值的生活，要從教育兒孫，與他們共處生活中，得到一些安慰，彌補宦途上的苦悶與挫折。正因為如此，他更加珍惜父子、祖孫的倫常關係，就產生了很多這類詩。

陸游晚年一再表明給兒孫傳授陸家家風或家學，還要傳授給兒孫以自己的一生學術心得與經驗。從此可知他的教育兒孫，不止是一般性的啟蒙，還另有用心。晚年他很注重兒孫的教育，以此為樂。教育的內容大致以「士生學六經，是為聖人徒，處當師顏原，出當致唐虞」（註一三）為主要綱領。首先他強調：「六藝江河萬古流，吾徒鑽仰死方休」（註一四），對實際學習，說要從一經開始，然後要「學問參千古」（註一五）；一經的研讀，必須「學先嚴詁訓，書要講聲形」（註一六）。至於學習態度，應該「懼如臨戰陣，敬若在朝廷」（註一七）；對六藝的旨趣，要「卓爾孰如丁解牛」（註一八）。為此就要把握時間，終其一生勤勉讀書：「古人學問無餘力，少壯工夫老始成」（註一九），還要把書上學的付之於躬行：「紙上得來終覺淺，絕知此事要躬行。」（註二〇）至於讀書的目的，他強調：「萬鍾一品不足論，時來出手蘇元元」（註二一），這是陸游一生最大的抱負，也是目標。（註二二）陸游重視六經，以儒道教子孫，既諄諄告誡：「聞義貴能徙，見賢思與齊」（註二三）、「人生讀書本餘事，惟要閉門修孝悌。畜豚種菜養父兄，此風乃可傳百世」（註二四）、「但使鄉閭稱善士，布衣未必媿公卿」（註二五），還強調務農安貧，以勿墜家風，如〈示子孫〉云：

爲貧出仕退爲農，二百年來世世同。富貴苟求終近禍，汝曹切勿墜家風。（註二六）

集中還處處勸戒「朱門莫羨煮羊腳，糲食且安羹芋魁」（註二七）、「勿愧耕壟畝」（註二八）。他還慨嘆當時學術風氣，就叮囑諸兒：「儒術今方裂，吾家學本孤。汝曹能念此，努力共枝梧」（註二九）、「此責在學者，草萊勿自輕。汝壯父未死，相勉在力行。」（註三〇）此外，陸游還教孩子作詩的要訣，說「汝果欲學詩，工夫在詩外」（註三一）、「詩家忌草草，得句未須成」（註三二），這都是自己一生作詩經驗的總結，已見於前章，茲不再贅述。

陸游隨時隨地表露自己的思想以期於兒孫有益，與子坦、子聿同遊山寺，觀賞景象之餘，忽有所悟理，就說：「而況我輩人，生世本不逢。胡不安汝分，終年抗塵容。靜觀興廢事，可洗芥蔕胸。」（

註三三）〈夜與兒子出門閑步〉詩則有句道：「舊書半蠹猶堪讀，糲飯藜羹莫更論」（註三四），以勉其讀書。可見他篤於教誨。

總之，陸游教兒孫的，大都是陸家的家風，也是陸游經歷一生所得的經驗。從中可看出陸游的主要思想，也可見其用心所在，以及既懇切又周到的教誨。

陸游本是慈父，即使是紹興三十二年三十八歲時寫的〈喜小兒輩到行在〉，也可從中體會出愛子女的親情，詩云：「阿綱學書蚓滿幅，阿繪學語鶯囀木。截竹作馬走不休，小車駕羊聲陸續。書窗涴壁誰忍嗔，嗁嘑也復可憐人。」（註三五）但是後來屢次經歷宦途上的打擊，晚年長住故鄉，就更珍惜天倫樂趣，靠此得到多少心理的安慰，這從晚年詩中屢見的「父子相依」、「父子相從」等表現中可體會出，如：

父子窮相依。（註三六）

父子老相從。（註三七）

一翁二子自扶攜。（註三八）

窮閻父子自相依。（註三九）

小園父子自相從。（註四〇）

白首相依飽蕨薇，吾家父子古來稀。（註四一）

由此，集中處處可見與兒孫共處的樂趣，與以前由於報國無路、苦悶不樂的生活，自成對比，如：

溪邊拂石同兒釣。（註四二）

兒曹幸可團欒語，憂患如山一笑空。（註四三）

不向山丘歎零落，且從兒女話團欒。（註四四）

窮居懷抱久無懽，猶賴吾兒得少寬。（註四五）

客來莫怪逢迎嬾，正伴曾孫竹馬嬉。（註四六）

從上引諸例，可看出他在故鄉，通過「團欒」生活，使「憂患如山一笑空」，忘記「零落」遭遇，還可忘記外面世界的險惡與挫折。從最後的例子，我們可見他眞正享受陪曾孫玩竹馬的天倫樂趣，〈三月十六日至柯橋迎子布東還〉詩（註四七）寫嘉泰元年相逢二十餘年未見的子布，先說相會：「道途一見相持泣，鄰曲聚觀同載歸」，中間寫設宴慶祝，為他製新衣，最後表明此後共處生活的期待。陸游在與兒孫的樂趣中，最喜歡聽兒子的讀書聲，他說：「聽兒讀書寬百憂」（註四八），〈睡覺聞兒子讀書〉詩則說：

夢回聞汝讀書聲，如聽簫韶奏九成。（註四九）

「簫韶」是舜樂名，陸游藉此極寫喜歡聽兒子的讀書聲。他便是以父子同窗讀書為最大快樂：

父子更兼師友分，夜深常共短檠燈。（註五〇）

父子共讀忘朝飢，此生有盡志不移。（註五一）

自憐未廢詩書業，父子蓬窗共一燈。（註五二）

父子還家更何事，斷編燈下讀唐虞。（註五三）

「父子共薄飯，忍飢講虞唐」（註五四），其貧雖悲，父子相對讀書，共論聖人之道亦為人間不易得的樂事。〈書歎〉詩則更深切地表現了在貧寒生活中父憐子、子念父的親情：

夜深青燈耿窗扉，老翁稚子窮相依。齏鹽不給脫粟飯，布褐僅有懸鶉衣。
偶然得肉思共飽，吾兒苦讓不忍違。兒飢讀書到雞唱，意雖甚壯氣力微。
可憐落筆漸健快，其奈瘦面無光輝。布衣儒生例骨立，紈袴市兒皆瓠肥。
勿言學古徒自困，吾曹捨此將安歸。作詩自覺亦慰汝，吟罷撫几頻歔欷。（註五五）

觀此可知貧困生活中的父子之情與窮而不移志的堅定精神。

陸游希望「父子團欒到死時」（註五六），平日與兒孫共處，可見其樂，異日與兒暫別，更可見其對諸兒的深情。如〈送子龍赴吉州掾〉云：

我老汝遠行，知汝非得已。駕言當送汝，揮涕不能止。人誰樂離別，坐貧至於此。
汝行犯胥濤，次第過彭蠡。波横吞舟魚，林嘯獨脚鬼。野飯何店炊，孤櫂何岸檥。
判司比唐時，猶幸免笞箠。庭參亦何辱，負職乃可恥。汝爲吉州吏，但飲吉州水。
一錢亦分明，誰能肆讒毀。聚俸嫁阿惜，擇士教元禮。我食可自營，勿用念甘旨。
衣穿聽露肘，履破從見指。出門雖被嘲，歸舍卻睡美。益公名位重，凜若喬嶽峙。

汝以通家故，或許望燕几。得見已足榮，切勿有所啟。又若楊誠齋，清介世莫比。
一聞俗人言，三日歸洗耳。汝但問起居，餘事勿挂齒。希周有世好，敬叔乃鄉里。
豈惟能文辭，實亦堅操履。相從勉講學，事業在積累。仁義本無常，蹈之則君子。
汝去三年歸，我儻未即死。江中有鯉魚，頻寄書一紙。（註五七）

這首是嘉泰二年（一二〇二）送二子子龍赴吉州（今江西吉安縣）寫的。全詩可分六個大段。「我老」以下六句是第一段，寫送別，既說「流涕」，又歎「坐貧」，以見其情。「汝行」以下六句寫惦記旅途辛苦。「判司」以下八句談吉州的官吏生活，要清廉。「聚俸」以下八句談吉州的家庭生活，要為子女著想，不用惦記老父。「益公」以下十六句寫拜望周必大、楊萬里，而勿有他求；相從陳希周、杜敬叔，勉學行仁義。最後四句叮囑常寫信，以結送行之意。此詩既哀相離，又處處為兒子著想告誡，足見陸游的慈愛。又如〈寄子虡〉云：

汝官南壽春，我居東會稽。疋馬護秋塞，兩犢翻春泥。淮天沙雁過，江村雪雲低。
書來動半年，相望常愴悽。父子不共耕，此悔真噬臍。明年城西社，爛醉相扶攜。（註五八）

前面引用的是送行詩，這是送別後的懷念詩。在結構上，別見特色，全首十二句中，前八句是將陸游與子虡二人分開寫，一寫子虡，一寫自己；既寫地，亦寫時；既寫兩地生活，亦寫兩地相思情。時空上如此相隔的情況之下，第八、九兩句嘆過去之相離，末二句希望明年能相聚。

陸游晚年由於諸兒常出外作官，詩中常流露思念之情。平日偶而有事出外，也就「老子可憐煎百慮」（註五九）、「既夕不能食」（註六〇），如此長期相隔不得見，則懷念之情更加深，偶至鏡湖觀賞之餘，看「行人各歸村」、「翻翻鳥投林」，就愀嘆「吾兒望未到，誰與共盤飧」（註六一）；看「街頭有良醞」，就想「與兒一尊同」（註六二）。因而更惆悵地嘆父子相隔：「父子團欒笑語譁，豈知雲散各天涯」（註六三）、「人別易千里，書來眞萬金」（註六四）；遺憾由於家貧，團欒才被破壞，兒子出外覓官（註六五）；恨不能插兩翅，跨越空間，「與兒相會銷百憂」（註六六）。但是兒子秩滿返里，就滿懷高興地說：「兒輩漸還家暖熱，預知燈火語團欒」（註六七），心中充滿「團欒」的期待。

總之，由上引諸詩，可見陸游多麼珍惜天倫之情，時時掛在心上。

二、朋友之情

陸游以慈愛深情對待兒孫，已如上文所述，待朋友也是如此，一定交誼，始終不渝，珍惜友情。陸游的交遊甚廣，集中不少有關詩篇。這裡不談一般性的交友，而特舉一些尤重者，以見陸游與他們的友誼。

隆興元年（一一六三），陸游因指責當時主和派曾覿與龍大淵的「招權植黨」，觸犯了孝宗之怒，從樞密院編修官貶為鎮江府通判。次年（隆興二年）十一月，以前在臨安認識的韓元吉（字无咎）以省親到鎮江來，與陸游晤見。他們相處甚樂，兩個月之後，因韓元吉赴任地，兩人就相別。（无咎兄郡齋燕集有詩末章見及敬次元韻）一詩是作於這段期間內的。詩云：

城樓畫角吹晚晴，梅花墮地草欲生。綺盤翠杓春滿眼，我胡不樂君將行。
君歸吾黨共增氣，往往怪我衰涕横。我來江干舊交少，見君不啻河之清。
北風共愛地爐暖，西日同賞油窗明。微吟劇飲不知倦，坐閱漢臘逾周正。
君文雄麗擅一世，凜凜武庫藏五兵。酸寒如我每自笑，顧辱刻畫爲虛聲。
乃知好士如好色，遇合不必皆傾城。君方與世作水鏡，如此過許人將驚。
千金敝帚有定價，周玉鄭鼠難強名。失言議罰不可緩，敬白府主浮金觥。
君看失腳落塵土，豈復毫髮餘詩情。自傷但似路旁堠，雨剝風摧供送迎。（註六八）

首二句寫時序，「綺盤」四句寫臨別之悲。次言被貶後見韓元吉得到很大的安慰，以「不啻河之清」形容其快。「北風」四句指兩人相處之樂。以下稱頌韓元吉文、才之高，最後用「路旁堠」的比喻傷兩人將別。此詩足見兩人交誼之深。後來把這段日子裡所作的詩篇編為〈京口唱和集〉，陸游曾作了序文，觀此則可窺看兩人當時相處的概況。文中說：「相與道舊故，問朋遊，覽觀江山，舉酒相屬，甚樂。明年，改元乾道，正月辛亥，无咎以考功郎徵。念别有日，乃益相與遊。遊之日，未嘗不更相和答，道群居之樂，致離闊之思，念人事之無常，悼吾生之不留。又丁寧相戒，以窮達死生毋相忘之意，其詞多宛轉深切，讀之動人。嗚呼，風俗日壞，朋友道缺，士之相與如吾二人者，亦鮮矣。」（註六九）可見二人眞摯之友誼。既歎「風俗日壞，朋友道缺」，即更珍惜與韓元吉之交誼。兩人這次相離後，十三年没相見，直到自蜀東歸，在臨安晤面，之後，又不見往還之跡。直到淳熙十年（一一八七）陸游六十三歲時，聞韓元吉卒，作詩文祭之。詩中敘悲痛的心情，說：「故友去為山下土，衰翁何恨鬢邊絲。憑高老淚無揮處，神武衣冠挂已遲。」（註七〇）紹熙三年（一一九二），陸游開書篋見韓元吉書，作詩云：「龍圖老子今安在，把卷燈前淚滿衣。」（註七一）此時從韓元吉死後已過五年，仍未忘情，可見陸游對韓元吉的情誼之深。

乾道八年（一一七二），陸游從戎南鄭，認識了張季長（名縯）。此後，他們以「異體同心，有善相勉，闕遺相箴」（註七二），成為終生摯友。他們的友誼建立在堅定的憂國思想上，以此共勉，〈次韻季長見示〉說：「中原阻絕王師老，那敢山林一枕安。」（註七三）紹熙四年（一一九三），陸游在故鄉過著閑適生活，有一天在東村散步，憶及張季長，寫了一首〈東村散步有懷張漢州〉，詩云：

扶杖村東路，秋來始此回。寒鴉盤陣起，野菊臥枝開。
憂國丹心折，懷人雪鬢催。房湖八千里，那得尺書來。（註七四）

此詩寫觸景思友，兼寄憂國之意。「房湖」指張季長當時任官漢州，說「八千里」，嘆相遙隔，陸游自蜀東歸後，還一直與張季長維持通信關係，常懷念對方。有一段時間沒得張季長的消息，常賦詩表焦慮之心，〈久不得張漢州書〉云：「儘道三巴遠，那無一紙書，衰遲自難記，不是故人疎」（註七五）；〈箜篌謠二首寄季長少卿〉第二首云：「少壯離別時，回顧日月長。會合終有期，何恨天一方。我齒如敗屐，君髮如新霜。餘日復幾何，萬里遙相望。欲泣老無淚，欲夢不可常。寄書何時到，江漢春茫茫。」（註七六）都極表思友之切。陸游在宦途上屢次經歷挫折，深感壯志難伸、沒有知音，尤其至晚年更感交誼的無常，嘆道：「少年喜結交，患難謂可倚。寧知事大謬，親友化虎兕。」（註七七）因此，晚年很多詩裡面常流露知音凋零、「老來懷抱為誰傾」（註七八）之類的嘆息。正因為如此，陸游更懷念舊友，更珍惜與張季長的友誼。慶元五年（一一九九），陸游七十五歲時，以詩寄張季長，詩中道：「野人蓬戶冷如霜，問訊今惟一季長。」（註七九）開禧元年（一二〇五），時已八十一歲，給張季長寄詩云：「舊友豈知常阻闊，一尊那得敘悲歡」（註八〇），希望有晤面敘懷之日，但此後幾年，一直沒有張季長的消息，陸游就常掛念他，開禧三年（一二〇七）才聽到張之逝世，就哀痛道：「一慟寢門生意盡，從今無復季長書。」（註八一）次年，陸游登山西望，懷念張季長：「送子岷山下，想見車百兩。我徒哭寢門，淚盡氣塞吭。」（註八二）由以上所述，足見陸游與張季長之間到死為止所秉持的深厚交誼。陸游詠朋友之情的作品中，有關張季長者最多，共有二十篇。此外，〈夜歸偶懷故人獨孤景略〉云：

> 買醉村場半夜歸，西山落月照柴扉。劉琨死後無奇士，獨聽荒雞淚滿衣。（註八三）

獨孤景略名策，河中人，能文善射，喜擊劍（註八四）。陸游曾推崇說：「韜略豈勞平大敵，文章亦足主齊盟。」（註八五）二人的交誼也建立在驅逐金人、恢復失地的愛國思想上，〈獵罷夜飲示獨孤生〉說：「關輔何時一戰收，蜀郊且復獵清秋。洗空狡穴銀頭鶻，突過重城玉腕騮。賊勢已衰真大慶，士心未振尚私憂。一樽共講平戎策，勿為飛鳶念少游。」（註八六）陸游寫上引詩時獨孤策已死。陸游在村場上喝醉酒，半夜才歸，聽雞鳴，因而聯想到祖逖與劉琨的故事，就懷及故人，發奇士已死、無人共圖大業之歎。寥寥數語中，思友之情畢現無遺。又如〈紹興中與陳魯山王季夷從兄仲高以重九日同遊禹廟後三十餘年自三橋泛舟歸山居秋高雨霽望禹廟樓殿重複光景宛如當時而三人者皆下世予亦衰病無聊慨然作此詩〉云：

重樓傑閣倚虛空，紅日蒼煙正鬱葱。鄉國歸來渾似鶴，交朋零落不成龍。
人生真與夢何校，我輩故應情所鍾。淚漬清詩卻回棹，不眠一夜聽鳴蛩。（註八七）

陳魯山名山，是陸游早年友人之一。王季夷名嵎，也是早年友人，陸游曾說：「平生吾子最知心」（註八八）。仲高名升之，陸游於諸從兄弟中，與仲高最善。此詩第一句寫禹廟，次句寫雨後之景。第三句藉丁令威事喻歸鄉，第四句用華歆、邴原、管寧交遊事以喻諸友之死。《世說新語・德行》篇劉峻注引《魏略》曰：「靈帝時，（華歆）與北海邴原、管寧俱遊學，相善，時號三人為一龍，謂歆為龍頭，寧為龍腹，原為龍尾。」頸聯寫觸景思友。最後二句寫懷友不眠。諸友已死三十餘年，而仍慨然懷念者如此，誠可謂性情中人。

此外，陸游與周必大、范成大亦有友誼關係。陸游與周必大的交誼，始於紹興三十年（一一六○）陸游在臨安任敕令所刪定官時。周必大比陸游小一歲，當時兩人住在鄰居，有暇就晤面，陸游後來對當時的交遊說：「每一相從，脫帽褫帶。從容笑語，輸寫肝肺。鄰家借酒，小圃鉏菜，熒熒青燈，瘦影相對，西湖弔古，并轡共載，賦詩屬文，頗極奇怪。淡交如水，久而不壞。各謂知心，絕出流輩。」（註八九）後來他們各奔波宦途，晤面較少，但一直保持深厚的交誼。周必大非常珍惜此交誼，曾說：「吾曹交以淡，悠久或采韭，此味只自知，他人薄元酒。」（註九〇）周必大逝世時，陸游不勝哀痛，「涕泗澎湃」（註九一）。

陸游在紹興三十二年（一一六二）兼編類聖政所檢討官，認識范成大，淳熙二年（一一七五）范成大來蜀，陸游做他的幕僚，一同飲酒賦詩，結「文字交」。或因對時局的看法或政治立場有不同，此時期陸游仍嘆「壯志成虛」，但淳熙四年（一一七七）范成大還朝時，陸游還叮囑千萬要驅逐金人。（註九二）此後他能未能再會面，也沒有詩文往還之跡，而陸游還是珍惜兩人之間的交誼，淳熙八年（一一八一）在山陰，賦詩懷念范成大（註九三）。紹熙四年（一一九三）范成大卒，陸游以極其哀痛之情撰輓詞二首，其中「孤拙知心少，平生僅數公。凋零遂無幾，遲暮與誰同。瓊樹世塵外，神仙雲海中。夢魂寧復接，慟哭向西風」一首（註九四）更將悲慟之情表露無遺。

最後，綜括上面所論，可見陸游無論對家人，還是對朋友，都終其一生始終不渝其深情。以兒孫為主要內容的詩篇，數量多，內容又豐富，很有特色。

【附　註】

註　一　《詩稿》卷二〈鄉中每以寒食立夏之間省墳客夔適逢此時淒然感懷〉二首之一，頁三三。

註　二　《詩稿》卷五〈五月五日蜀州放解牓第一人楊鑑具慶下孤生淒然有感〉，頁七九。

註　三　《詩稿》卷六〈宿彭山縣通津驛大風鄰園多喬木終夜有聲〉，頁九六。

註　四　《詩稿》卷四十八〈生日子聿作五字詩十首為壽追懷先親泫然有作〉，頁七一二。

註　五　《放翁逸稿》〈續添〉，頁一一二。

註　六　但此外不見詠兄弟之情的作品。對續娶王氏夫人，也沒有明顯的感情表現，是一件令人費解的事。

註　七　《詩稿》卷十九〈余年二十時嘗作菊花詩頗傳於人今秋偶復采菊縫枕囊悽然有感〉二首之一，頁三三二。

註　八　《詩稿》卷三十八〈沈園〉二首之一，頁五九一。

註　九　對〈釵頭鳳〉詞的本事，清人吳騫提懷疑後（《拜經樓詩話》卷三），吳熊和〈陸游「釵頭鳳」詞的本事質疑〉、周本淳〈陸游「釵頭鳳」主題辨析〉認為〈釵頭鳳〉未必是沈園題壁詞，而葉嘉瑩《靈谿詞說》、唐圭璋編《唐宋詞鑒賞集成》、王偉勇《南宋詞研究》等不少人仍從舊說。

註一〇　《詩稿》卷三十八〈沈園〉二首之二，頁五九一。

註一一　《詩稿》卷七十五〈春遊〉四首之四，頁一〇四〇。

註一二　如紹興三十二年有〈喜小兒輩到行在〉（頁八），乾道二年有〈示兒子〉（頁一六），乾道三年有〈統分稻晚歸〉（頁一九）（以上皆見卷一）。

註一三　《詩稿》卷四十三〈齋中雜興十首以丈夫貴壯健慘戚非朱顏為韻〉之一，頁六四七。

註一四　《詩稿》卷五十四〈六藝示子聿〉，頁七七九。

註一五　《詩稿》卷五十八〈示元敏〉，頁八三四。
註一六　《詩稿》卷六十七〈示子遹〉，頁九三四。
註一七　《詩稿》卷四十四〈讀經示兒子〉，頁六五八。
註一八　《詩稿》卷五十四〈六藝示子聿〉，頁七七九。
註一九　《詩稿》卷四十二〈冬夜讀書示子聿〉八首之三，頁六三一。
註二〇　同註一七。
註二一　《詩稿》卷二十三〈五更讀書示子〉，頁三九七。
註二二　如《詩稿》卷八〈讀書〉二首之一云：「歸老寧無五畝園，讀書本意在元元，燈前目力雖非昔，猶課蠅頭二萬言。」頁一二六。
註二三　《詩稿》卷五十七〈示兒〉，頁八一四。
註二四　《詩稿》卷四十四〈感事示兒孫〉，頁六五七。
註二五　《詩稿》卷二十六〈示元禮〉，頁四二六。
註二六　《詩稿》卷四十九，二首之一，頁七一七。
註二七　《詩稿》卷五十五〈示諸孫〉，頁七九八。
註二八　《詩稿》卷六十六〈東齋雜書〉十二首之十二，頁九三一。
註二九　《詩稿》卷五十四〈示兒〉，頁七八〇。

註　三〇　《詩稿》卷五十九〈遣舟迎子遹因寄古風十四韻〉，頁八三七。
註　三一　《詩稿》卷七十八〈示子遹〉，頁一〇七六。
註　三二　《詩稿》卷四十九〈子聿入城〉，頁七一九。
註　三三　《詩稿》卷二十九〈與子坦子聿遊明覺十四韻〉，頁四六九。
註　三四　《詩稿》卷二十四，頁四〇七。
註　三五　《詩稿》卷一，頁八。
註　三六　《詩稿》卷二十三〈早自偏門入城晚出南堰門以歸〉，頁三九三。
註　三七　《詩稿》卷七十八〈驛壁偶題〉三首之一，頁一〇六六。
註　三八　《詩稿》卷二十二〈梅僊塢小隱〉，頁三八〇。
註　三九　《詩稿》卷三十二〈雨中示子聿〉，頁五〇七。
註　四〇　《詩稿》卷七十五〈園中晚飯示兒子〉，頁一〇三三。
註　四一　《詩稿》卷七十九〈得子虡書言明春可歸〉，頁一〇八四。
註　四二　《詩稿》卷二十二〈山居〉，頁三七九。
註　四三　《詩稿》卷三十五〈秋夜示兒輩〉，頁五三八。
註　四四　《詩稿》卷三十八〈春日小園雜賦〉二首之一，頁五九〇。
註　四五　《詩稿》卷八十〈示兒輩〉，頁一〇九六。

註　四六《詩稿》卷七十四〈歲暮〉六首之二，頁一〇二五。
註　四七《詩稿》卷四十五，頁六七四。
註　四八《詩稿》卷二十三〈苦雨歎〉，頁三九〇。
註　四九《詩稿》卷二十五〈睡覺聞兒子讀書〉，頁四二一。
註　五〇《詩稿》卷二十六〈示子聿〉，頁四三〇。
註　五一《詩稿》卷四十九〈誦書示子聿〉二首之二，頁七二五—七二六。
註　五二《詩稿》卷二十六〈白髮〉，頁四二四。
註　五三《詩稿》卷五十四〈村居〉四首之四，頁七七九。
註　五四《詩稿》卷六十三〈讀書示子遹〉，頁八八五。
註　五五《詩稿》卷二十九，頁四七三。
註　五六《詩稿》卷七十〈煙波即事〉十首之十，頁九七六。
註　五七《詩稿》卷五十，頁七二七—七二八。
註　五八《詩稿》卷八十一，頁一一〇一。
註　五九《詩稿》卷三十六〈十一月二十二日夜待子聿未歸〉，頁五五五。
註　六〇《詩稿》卷四十〈九月七日子坦子聿俱出斂租穀雞初鳴而行甲夜始歸勞以此詩〉，頁六一四。
註　六一《詩稿》卷七十〈暮春新路至湖上示元敏〉，頁九七七。

註　六二　《詩稿》卷五十六〈寄子虡〉，頁八〇七。

註　六三　《詩稿》卷五十九〈送子坦赴鹽官縣市征〉，頁八三九。

註　六四　《詩稿》卷七十六〈雨夜思子虡〉，頁一〇四二。

註　六五　《詩稿》卷五十〈送子龍赴吉州掾〉：「人誰樂離別，坐貧至於此。」，頁七二七。

註　六六　《詩稿》卷六十二〈寄子虡子遹〉，頁八七七。

註　六七　《詩稿》卷六十三〈喜書〉，頁八八八。

註　六八　《詩稿》卷一，頁卄三。

註　六九　《文集》卷十四，頁七六。

註　七〇　《詩稿》卷十九〈聞韓无咎下世〉，頁三二六—三二七。

註　七一　《詩稿》卷二十六〈開書篋見韓无咎書有感〉，頁四三〇。

註　七二　《文集》卷四十一〈祭張季長大卿文〉，頁二五七。

註　七三　《詩稿》卷九，頁一五三。

註　七四　《詩稿》卷二十八，頁四五〇。

註　七五　《詩稿》卷二十九，頁四六八。

註　七六　《詩稿》卷三十，頁四八三。

註　七七　《詩稿》卷五十二〈雜興十首以貧堅志士節病長高人情為韻〉之四，頁七五七。

註七八《詩稿》卷二十七〈秋興〉，頁四四四。
註七九《詩稿》卷四十〈次季長韻回寄〉，頁六〇五。
註八〇《詩稿》卷六十二〈寄張季長〉，頁八七七。
註八一《詩稿》卷七十一〈雜詠〉十首之二，頁九八二。
註八二《詩稿》卷七十八〈登山西望有懷季長〉，頁一〇七五。
註八三《詩稿》卷二十一，頁三六九。
註八四《詩稿》卷十四有詩，題中云：〈獨孤生策字景略河中人工文善射喜擊劍一世奇士也……〉頁二四一。
註八五《詩稿》卷十四〈有懷獨孤景略〉，頁二四二。
註八六《詩稿》卷八，三首之二，頁一四一。
註八七《詩稿》卷十五，頁二六一。
註八八《詩稿》卷九〈寄王季夷〉，頁一五五。
註八九《文集》卷四十一〈祭周益公文〉，頁二五八。
註九〇《省齋文稿》卷三〈病中次務觀通判韻〉，引自于北山《陸游年譜》，頁一三三。
註九一《文集》卷四十一〈祭周益公文〉，頁二五八。
註九二《詩稿》卷八〈送范舍人還朝〉，頁一三一。

註　九三　《詩稿》卷十三〈月夕睡起獨吟有懷建康參政〉：「月上虛堂一榻横，斷香漠漠欲三更。隔簾清露挾秋氣，繞樹驚鴉啼月明。只怪夢尋千里道，不知愁作幾重城。苦吟更恨知心少，西望金陵闕寄聲。」頁二二三。

註　九四　《詩稿》卷三十三〈范參政挽詞〉二首之二，頁五一五。

第四節　自然景物

陸游進入宦途，始終不得志，奔波各地常感飄零身世，嘆息「吾道非邪來曠野，江濤如此去何之」（註一），「羈遊如此眞無策」（註二）。集中處處可見觸景傷情的征行詩。不過另一方面，由一再的羈遊中他重新發現大自然的美，在早「有放浪山水之興」（註三）的基礎上，更在山水自然中尋求暫忘苦悶。

陸游在夔州，時常遊山玩水以求解悶，〈風雨中望峽口諸山奇甚戲作短歌〉中寫出他在濛濛煙雨中發現諸山之奇的經驗：「白鹽赤甲天下雄，拔地突兀摩蒼穹。凜然猛士撫長劍，空有豪健無雍容。不令氣象少渟滀，常恨天地無全功。今朝忽悟始歎息，妙處元在煙雨中。太陰殺氣横慘澹，元化變態含空濛。」（註四）〈過靈石三峰〉寫的也是對奇景的感受：

奇峰迎馬駭衰翁，蜀嶺吳山一洗空。拔地青蒼五千仞，勞渠蟠屈小詩中。（註五）

描繪奇峰，寫法也奇特。他喜以「奇」字表現美感經驗，不僅山峰如此奇，漁村之景也奇（註六），雲也奇（註七），枯荷也奇（註八），影子也奇（註九）；不但有形可視的如此，香也奇（註一〇），聲也奇（註一一）。他在如此美的山水自然中暫忘現實中失志不遇的鬱悶，遂道：「平生愛山每自歎，舉世但覺山可玩」（註一二），〈遊疏山〉詩中表現得更明白：

　　我願匹馬飛騰遍九州，如今苦無騕褭與驊騮。葛陂之龍又難致，兀兀安得忘吾愁。
　　幸餘一事差可喜，雲山萬里芒鞋底。曳杖行穿嶓冢雲，試茶手挹香溪水。
　　江西山水增怪奇，疏山之名舊所知。惜哉不見侏儒師，尚想薪水俱空時。
　　寺門欲近山若拆，老樹蒼崖含古色。挂包便住吾豈能，一來要是疏山客。（註一三）

在宦途，無法以「匹馬飛騰遍九州」、施展平生抱負時，只有藉遨遊山水，才能忘憂愁，得到慰藉。因為「江山不世情，作意娛此客」（註一四），就「從來樂山水，臨老愈跌宕」（註一五）；「好景人間隨處有，未埋白骨且閑遊」（註一六）、「餘年端有幾，風月且婆娑」（註一七），是志於遨遊山水；「登覽不嫌鳩喚雨，十年芒屩慣山程」（註一八），則說實際經驗；為了「散愁聊復作山行」（註一九），而出山時則「似與高人別，回首時時一悵然。」（註二〇）山水絕景大都在寺院與道觀所在地，至此山水勝地，乃得「我無一事行萬里，青山白雲聊散愁」（註二一）、「月明流水閑，一洗世濁昏。」（註二二）〈獨遊城西諸僧舍〉云：

　　我是天公度外人，看山看水自由身。蘚崖直上飛雙屐，雲洞前頭岸幅巾。

萬里欲呼牛渚月，一生不受庾公塵。非無好客堪招喚，獨往飄然覺更真。（註二三）

身處「山從飛鳥行邊出，天向平蕪盡處低」（註二四）的高地，「看山看水」，暫脫離世俗的塵累，獲得「自由身」。陸游「平生喜登高」（註二五），其意或在此。如〈登太平塔〉云：

我從平地來，忽寄百尺巔。眼力與腳力，初不減少年。漸高山愈出，杳杳浮雲煙。舉手捫參旗，日月磨螘旋。天風忽吹衣，便欲從此仙。且復下梯去，著書未終篇。（註二六）

「漸高」四句生動地描繪登高處，站在此地，頓生「便欲從此仙」的感覺。「登」的行為使人胸懷擴展，還含有超脫的象徵。〈秋日登仙遊閣〉則寫伴飛仙登閣，「始知仙與人，混跡無異處。」（註二七）他不僅從山水得到慰藉與解脫，在心目中，山水是友人：「山水曾遊是故人」（註二八），尤其是陸游晚年常嘆知己漸稀時，山水還是唯一安慰他的親友：「年來親友凋零盡，惟有江山是舊知。」（註二九）

陸游還常藉觀花賞花以暫時排遣苦悶，〈花時遍遊諸家園〉云：

爲愛名花抵死狂，只愁風日損紅芳。綠章夜奏通明殿，乞借春陰護海棠。（註三〇）

觀此，可知他愛花惜花之深情。這首詩作於淳熙三年（一一七六），當時陸游在不得施展壯志的無奈之下，只好以賞花、飲酒、博塞等排遣苦悶。他酷愛海棠，如此詩所云，因被人喚作「海棠顛」：「看花南陌復東阡，曉露初乾日正妍。走馬碧雞坊裡去，市人喚作海棠顛。」（註三一）他又在〈遊東郭趙氏園〉中說：「人言白頭翁，胡為尚兒癡。老翁故不癡，借花發吾詩」（註三二），「借花發吾詩」即借花排遣苦悶之意。因此，他的詠花、賞花詩，雖寫探花、賞花之樂，但一面仍見鬱惱，如〈二月十六日賞海棠〉先說：「常年春半花事竟，今年春半花始盛。衰翁不減少年狂，走馬直與飛蝶競。」，但最後以「夜闌感事獨淒然，繁枝空折誰堪贈」（註三三）終之。又如〈西郊尋梅〉云：

西郊梅花矜絕艷，走馬獨來看不厭。似羞流落蒙市塵，寧墮荒寒傍茆店。
翛然自是世外人，過去生中差一念。淺顰常鄙桃李學，獨立不容鶯蝶覘。
山礬水仙晚角出，大是春秋吳楚僭。餘花豈無好顏色，病在一俗無由砭。
朱欄玉砌渠有命，斷橋流水君何欠。嗟余相與頗同調，身客劍南家在剡。
淒涼萬里歸無日，蕭颯二毛衰有漸。尚能作意晚相從，爛醉不辭盃瀲灩。（註三四）

此詩先寫梅花的氣節與處境：鄙視桃李等俗花，獨自開放於荒寒郊外的茅店傍、斷橋流水邊。「嗟余」以下把自己比作梅，慨嘆身處異鄉、歲月蹉跎，實則嘆息欲大展抱負而不得的身世。最後一聯表示他對梅花的深厚情誼。此詩寫梅花，兼寫自己，他借詠梅花以自喻，以梅花的高尚氣節來表示自己不願同流合污的節操；以梅花的處境來喻自己所處劣惡環境，如〈梅花絕句〉所云：「幽谷那堪更北枝，年年自分著花遲。高標逸韻君知否，正在層冰積雪時。」（註三五）寫幽谷層冰積雪中的梅花的「高標逸韻」，這是對梅花的讚揚，同時亦寄託自己的情操；如「與卿俱是江南客，剩欲尊前說故鄉」（註三六），指同樣流落異鄉之身世；「精神最遇雪月見，氣力苦戰冰霜開。羈臣放士耿獨立，淑姬靜女知誰媒。摧傷雖多意愈厲，直與天地爭春回。」（註三七）寫環境雖艱苦，卻愈加堅強的氣概。如上引諸例所看，陸游從梅花的氣節與遭遇覺得有同類感，似乎在不遇生涯中遇見知音一樣。他滿懷愁苦時，就去找梅花，只要見到梅花，就得以消愁解悶：

放翁年來百事惰，唯見梅花愁欲破。（註三八）

出郊索一笑，放浪謝形役。把酒梅花下，不覺日既夕。（註三九）

體中頗覺不能佳，急就梅花一散懷。（註四〇）

我本塵外客，已絕區中緣。惟當及未死，勤醉梅花前。（註四一）

有時梅花自來迎詩人：

欲尋梅花作一笑，數枝忽到拄杖邊。（註四二）

還跟隨詩人回歸：

帶月一枝低弄影，背風千片遠隨人。（註四三）

詩人與梅花之間產生了有情的關係，春天一到，梅花便叫醒醉中的詩人：

歲月相尋豈有窮，早梅喚醒醉眠翁。（註四四）

春盡梅歸，詩人就不勝傷感：

零落梅花不自由，斷腸容易付東流。與人又作經年別，問月應知此夜愁。（註四五）

恨無壯士挽斗柄，坐令東指催年華。今朝零落已可惜，明日重尋更無跡。

情之所鍾在我曹，莫倚心腸如鐵石。（註四六）

竹籬數掩傍魚磯，萬點梅花掠地飛。正喜巡簷來索笑，已悲臨水送將歸。

影横月處愁空絶，子滿枝時事更非。自古情鍾在吾輩，尊前莫怪淚沾衣。（註四七）

送梅如送親友，當臨别時，就「愁空絶」，「淚沾衣」。别梅之後，還是念念不忘：

護惜常愁滿樹開，況無一片在蒼苔。眼高嬾爲凡花醉，腸斷驚聞暮角哀。

寫向素綃時拂拭，移來幽圃自栽培。論心竟是明年事，輸與酴醿在酒盃。（註四八）

篇中十分流露詩人懷念梅花之深情。陸游晚年痛感「苦心自古乏眞賞，此恨略與吾曹同」，這時梅花就成為共度長夜的友伴：「歸來空齋卧淒冷，燈前病骨巉巉影。獨吟古調遣誰聽，聊與梅花分夜永。」（註四九）他「平生不喜凡桃李，看了梅花睡過春」（註五〇），「老年樂事少關身，猶喜尊前見玉人。」（註五一）集中下面所引〈梅花絶句〉，可算是最能表現他愛梅程度的一首：

聞道梅花坼曉風，雪堆遍滿四山中。何方可化身千億，一樹梅花一放翁。（註五二）

聽到梅花的開放，出門看看後，就起了奇想，由此可知陸游愛梅之至，還流露他聽到、看到梅花盛開時的喜悦。

陸游晚年除早已嗜好的周易之外，還喜讀老莊，對一切順其自然的道理，有更深的體會。集中他一再說：

百年歸老死，萬事付乾坤。（註五三）

惟餘此身在，分付與乾坤。（註五四）

在宦途上屢受打擊與挫折之餘，他覺得「人間無處著，山水歸寄傲」（註五五），回鄉後，日常生活中處處遇見自然界之友：

豈但漁樵與爭席，海邊漚鳥亦相親。（註五六）

秋來有奇事，鷗鷺日相親。（註五七）

勿言地僻少過從，清風明月俱吾客。（註五八）

清泉白石皆吾友，綠李黃梅盡手栽。（註五九）

身處江湖如富貴，心親魚鳥等朋儔。（註六〇）

他與他們之間是「忘形」之交：

賦罷新詩自高詠，滿汀鷗鷺欲忘形。（註六一）

閑隨戲蝶忘形久，細聽啼鶯得意同。（註六二）

車馬雖掃跡，猿鳥與忘形。（註六三）

上下風煙還竟日，往來魚鳥各忘形。（註六四）

也是沒有人為機心的交往：

施藥鄉鄰喜，忘機鳥雀馴。（註六五）

欲作小詩還復嬾，海鷗與我兩忘機。（註六六）

因而他們之間就發生了「有情」的關係：

澹月窺窗似有情，更堪梅影向人橫。（註六七）
山丹石竹俱零落，孤蝶飛來伴寂寥。（註六八）
叢竹如有情，代我發孤詠。（註六九）
最是扁舟暮歸處，一川風月遠相迎。（註七〇）

從以上諸例，可見詩人與自然景物之間和諧的關係，此外，如〈養生〉所云：「邀雲作伴遠忘返，與鶴分窠寬有餘」（註七一），寫的也是沒有任何機心之下共處之樂。又如〈二友〉云：

剩儲名酒待梅開，淨掃虛窗候月來。老子幽居得二友，人間萬事信悠哉。（註七二）

說「儲酒待梅」、「掃窗候月」，足見他們之間的親密關係。暮年能得此二友，還奢求什麼？又如〈登擬峴臺〉云：

層臺縹緲壓城闉，倚杖來觀浩蕩春。放盡樽前千里目，洗空衣上十年塵。
縈迴水抱中和氣，平遠山如蘊藉人。更喜機心無復在，沙邊鷗鷺亦相親。（註七三）

春日登臺，極目千里，滌除衣上十年塵土，也就是說洗盡十年塵慮。這時江水充滿和氣，遠山也像有修養的人，處在此中的詩人也渾然忘機，與沙邊鷗鷺相親，大自然中的一切渾化一體。

宦途上的不得志常使陸游滿懷鬱悶，但一方面寄情山水以暫得解脫，所謂「我似人間不繫舟，好風好月亦閑遊」（註七四）；一方面藉愛花詠花以得慰藉，或以自喻，此外，或在與大自然的諧和中求得自適，大致如上文所述。

【附註】

註一《詩稿》卷一〈望江道中〉，頁一四。

註二《詩稿》卷二〈新安驛〉，頁三〇。

註三《詩稿》卷七十〈煙波即事〉十首之七，自註，頁九七六。

註四《詩稿》卷二，頁三四。

註五《詩稿》卷十，二首之一，頁一七四。

註六《詩稿》卷二十一〈晚秋風雨〉：「儘道漁村陋，秋來物色奇。」頁三七〇。

註七《詩稿》卷二十九〈泛舟過吉澤〉：「稽山出雲極奇變，陸子岸幘方微吟。」頁四七三。

註八《詩稿》卷二十三〈小舟自紅橋之南過吉澤歸三山〉二首之二：「世間好景元無盡，霜落荷枯又一奇。」頁三九三。

註九《詩稿》卷三十一〈夜坐燈滅戲作〉：「忽因燈死得奇觀，明月滿窗梅影橫。」頁四九〇。

註一〇《詩稿》卷二十五〈月夜作〉：「庭菊卧殘枝，奇香猶絶塵。」頁四二〇。

註一一《詩稿》卷二十九〈四月晦日小雨〉：「霏霏亂點暗朝光，蔌蔌奇聲渡野塘。」頁四七三。

註一二《詩稿》卷三〈飯三折舖舖在亂山中〉，頁三九。

註一三《詩稿》卷十二，頁二〇二。

註一四　《詩稿》卷八〈南津勝因院亭子〉，頁一三八。
註一五　《詩稿》卷二〈將離江陵〉，頁二七。
註一六　《詩稿》卷十一〈平生〉，頁一八二。
註一七　《詩稿》卷十四〈幽事〉，頁二五〇。
註一八　《詩稿》卷八〈次韻使君吏部見贈時欲遊鶴山以雨止〉，頁一三八。
註一九　《詩稿》卷五〈擣藥鳥〉，頁九〇。
註二〇　《詩稿》卷五〈出山〉，頁九〇。
註二一　《詩稿》卷七〈與青城道人飲酒作〉，頁一二〇。
註二二　《詩稿》卷九〈宿龍華山中寂然無一人方丈前梅花盛開月下獨觀至中夜〉，頁一五三。
註二三　《詩稿》卷四，頁五八。
註二四　《詩稿》卷四〈遊修覺寺〉，頁七四。
註二五　《詩稿》卷七〈雨中登安福寺塔〉，頁一一四。
註二六　《詩稿》卷八，頁一四〇。
註二七　《詩稿》卷八，頁一三四。
註二八　《詩稿》卷三〈閬中作〉二首之二，頁四六。
註二九　《詩稿》卷二十一〈過六和塔前江亭小憩〉，頁三六〇。

註　三〇　《詩稿》卷六，十首之一，頁一〇七。

註　三一　《詩稿》卷六，十首之一，頁一〇六。

註　三二　《詩稿》卷七，頁一一一。

註　三三　《詩稿》卷九，頁一五八。

註　三四　《詩稿》卷三，頁五四。

註　三五　《詩稿》卷二十四〈梅花絶句〉二首之一，頁四〇〇。

註　三六　《詩稿》卷四〈梅花〉四首之二，頁六九。

註　三七　《詩稿》卷九〈故蜀別苑在成都西南十五六里梅至多有兩大樹夭矯若龍相傳謂之梅龍予初至蜀嘗為作詩自此歲常訪之今復賦一首丁酉十一月也〉，頁一四九。

註　三八　《詩稿》卷九〈芳華樓賞梅〉，頁一五二。

註　三九　《詩稿》卷九〈大醉梅花下走筆賦此〉，頁一五二—一五三。

註　四〇　《詩稿》卷四十九〈梅花絶句〉四首之一，頁七二一。

註　四一　《詩稿》卷十七〈置酒梅花下作短歌〉，頁二九九。

註　四二　《詩稿》卷二十六〈探梅〉，頁四二七。

註　四三　《詩稿》卷九〈浣花賞梅〉，頁一五二。

註　四四　《詩稿》卷六十〈探梅〉，頁八五四。

註　四五　《詩稿》卷九〈小飲落梅下戲作送梅一首〉，頁一五六。
註　四六　《詩稿》卷十二〈庚子正月十八日送梅〉，頁一九七。
註　四七　《詩稿》卷十七〈別梅〉，頁二八九。
註　四八　《詩稿》卷十七〈憶梅〉，頁二九〇。
註　四九　《詩稿》卷二十一〈夜歸塼街巷書事〉，頁三五九。
註　五〇　《詩稿》卷十五〈探梅〉二首之二，頁二七〇。
註　五一　《詩稿》卷十一〈江上梅花〉，頁一九六。
註　五二　《詩稿》卷五十，六首之三，頁七二七。
註　五三　《詩稿》卷二十三〈不寐〉，頁三九一。
註　五四　《詩稿》卷二十七〈題齋壁〉，頁四四四。
註　五五　《詩稿》卷二十五〈上書乞再任沖佑〉，頁四一八。
註　五六　《詩稿》卷二十〈閑中戲書〉三首之二，頁三五二。
註　五七　《詩稿》卷二十七〈幽居〉，頁四四四。
註　五八　《詩稿》卷二十九〈石洞餉酒〉，頁四六〇。
註　五九　《詩稿》卷七十九〈小園〉，頁一〇八〇。
註　六〇　《詩稿》卷五十五〈醉題〉，頁七九四。

註六一《詩稿》卷二十二〈樊江〉，頁三七六。
註六二《詩稿》卷二十四〈山園〉，頁四〇四。
註六三《詩稿》卷二十八〈感懷〉四首之二，頁四四九。
註六四《詩稿》卷六十七〈舟過道士莊〉，頁九三七。
註六五《詩稿》卷六十九〈野興〉四首之二，頁九三〇。
註六六《詩稿》卷七十九〈獨坐〉，頁一〇七八。
註六七《詩稿》卷三十一〈霜夜〉三首之三，頁四八七。
註六八《詩稿》卷六十七〈睡起〉二首之一，頁九三四。
註六九《詩稿》卷六十九〈作雪遇大風遂晴〉，頁九六七。
註七〇《詩稿》卷五十九〈舟中日占〉，頁八四〇。
註七一《詩稿》卷五十五，頁七九六。
註七二《詩稿》卷七十四，頁一〇一八。
註七三《詩稿》卷十二〈登擬峴臺〉，頁一九七。
註七四《詩稿》卷三十一〈泛舟湖山間有感〉，頁四八六。

第五節　方外

陸游一生始終一貫地把強烈的憂國憂民精神表露於詩文中，但同時還有不少詩顯示有關道、釋思想，尤其是前者。他的儒家經世思想屢遭到挫敗，他就從此二者求得精神上的慰藉與解脫。

陸游晚年愛讀老莊，想以此寬解宦途上所受的打擊與痛苦。他一面歎「官拙讒銷骨」（註一），一面則說：「一篇說盡逍遙理，始信蒙莊是達生」（註二），「身常枕藉老莊書」（註三），〈晚步門外散懷〉所云「彭殤共盡孰脩短，堯桀兩忘無是非」（註四），就是莊子思想，前句出於《莊子・齊物論》：「莫壽于殤子，而彭祖為夭」；下句見於〈大宗師〉篇：「與其譽堯而非桀也，不如兩忘而化其道。」不過，陸游尤其嚮往求仙、服食，究其背景淵源，乃因道教在唐代極盛，到了宋代，由於眞宗、徽宗等君主的崇奉，仍普遍流行，此外最主要的還可舉出家學的影響。陸游生長在信奉道教的家庭，〈跋修心鑒〉中記載高祖父陸軫的逸事說：

初，公生七年，家貧未就學，忽自作詩，有神仙語，觀者驚焉。晚自號朝隱子。嘗退朝，見異人行空中，足去地三尺許，邀與俱歸，則古仙人嵩山栖真施先生肩吾也。因受錬丹辟穀之術，尸解而去。然其術祕不傳，今惟此書尚存。某既刻板傳世，並以七歲吟及自贊附卷末，庶幾篤志方外之士讀之，有所發焉，亦公之遺意也。（註五）

〈歲晚幽興〉說：「全家共保一忍字，累世相傳三住銘」，自注云：「先太傅親受三住銘于施肩吾先生，授游曰：『汝其累世相傳，毋忽。』因即以傳聿、虡諸子。」（註六）高祖以後，祖父陸佃與父親陸宰也都多跟方外人士來往，陸家富有藏書，道書一類就有二千卷（註七），陸游早年就喜讀這一類書，〈讀老子次前韻〉說：「焚香讀書戶常閉，少年曾預老聃役」（註八），從此可見家庭影響之大。此外，曾幾曾作〈陸務觀讀道書名其齋曰玉笈〉一詩，對儒道釋之道，說「三家一以貫」，又云：「願君益沉涵，持以奉仁聖。遠師曹相國，下視劉子政」（註九），給陸游的影響很大。

一般講來，一位文人踏入仕途後，對於理想與現實的乖離，感到失望，便往往棄官退隱，在思想上亦有所轉變，從儒家思想轉遁，入道、佛思想。陸游的情況，與此不盡相同。第一，陸游的「退隱」，不是出於自己主動的「棄官」，這點與陶淵明有些不同；第二，陸游的學道，是從少到老貫穿一生不變，並不始於他在宦途上經過挫折之後。《老學庵筆記》中的一段話提供我們更深切了解陸游的學道觀念，如：

> 青城山上官道人，北人也，巢居食松麨，年九十矣，人有謁之者，但粲然一笑耳，有所請問，則託言病瘖，一語不肯答。予嘗見之于丈人觀道院，忽自語養生曰：「爲國家致太平，與長生不死，皆非常人所能，然且當守國使不亂，以待奇才之出，衛生使不夭，以須異人之至。不亂不夭，皆不待異術，惟勤而已。」予大喜，從而叩之，則已復言瘖矣。（註一〇）

在這裡，上官道人把「為國家致太平」與「長生不死」相提並論，就陸游說，此二者也是同時追求的對象。正因為這樣，他才可以一面高唱愛國思想，同時還可以實際煉丹求長生不老。陸游對神仙、金丹之說始終相信不疑。他在詩文中一再申明道：

人間事事皆須命，惟有神仙可自求。（註一一）

子有金丹鍊即成，人人各自具長生。（註一二）

神仙元可學，往矣不須疑。（註一三）

世或疑神仙，以爲渺茫，豈不謬哉。（註一四）

兩宋文人詩人多沉迷於道教或煉丹術，如南宋大儒朱熹也曾為《參同契》作注，當時的風氣就是如此，陸游還有濃厚的家世影響。只是，通過煉丹，求得不老不夭，可算是人人的願望，而求為神仙，游仙，還是與要解消現實上的苦悶，關係很大。這大概是他在仕途上飽嚐挫折之後的事。寫政治抱負不能實現，離絕塵世的情感的，如乾道二年（一一六六）以張浚事被罷免隆興通判職後，在故鄉寫的〈夜讀隱書有感〉云：

平生志慕白雲鄉，俯仰人間每自傷。倦鶴摧頹寧望料，寒龜蹙縮且支床。力探鴻寶尋奇訣，剩采青精試祕方。常鄙臞仙老山澤，要令仰首看飛翔。（註一五）

他還更直接地表露嚮往遊仙的企望：

五雲覆鼎金丹熟，笙鶴飄然戲十洲。（註一六）

喚取鄰翁同結社，他年仙去與君偕。（註一七）

逝從公遊亦未遲，聯杖跨海尋安期。（註一八）

〈安期篇〉就寫逢仙人，服丸藥，共騎蒼龍，周遊天空：

> 我昔遊峎峨，捫蘿千仞峰。丈人倚赤藤，恐是安期翁。贈我一丸藥，五雲出瓢中。服之未轉刻，瑩然冰雪容。素手掬出靄，綠髮吹天風。丈人顧我喜，共騎一蒼龍。蓬萊亦何求，愛此萬里空。卻來過齊州，螘垤看青嵩。（註一九）

〈遊仙〉云：

> 玄圃春風賜宴時，雙成獨奏玉參差。侍晨飲罷虛皇喜，一段龍綃索進詩。（註二〇）

又云：

> 初珥金貂謁紫皇，仙班最近玉爐香。爲憐未慣叢霄冷，獨賜流霞九醞觴。（註二一）

他說「自鈞天帝所有知音」（註二二），透露了他不滿現實之意，這才是他嚮往遊仙，做遊仙詩的動機。

陸游四十二歲時，在豫章西山遇見異人，傳得《司馬子微松菊法》，又從玉隆萬壽宮（觀）借讀《坐忘論》、《高象先金丹歌》、《天隱子》、《造化權輿》等書。（註二三）入蜀後，他與上官道人、宋道人、景道人、蘧道人等來往，其中與上官道人最善。回故鄉後認識的，就有童道人、錢道人、葉道人、林使君等。他在不少詩中說時時研讀道書：

> 一室冷如水，人疑在定僧。手稱丹竈火，紗護佛龕燈。食減形雖槁，心虛氣自凝。

平生坐忘論，字字欲銘膺。（註二四）
數槱留得西窗日，更取丹經展卷看。（註二五）
陰符後出君無忽，三百奇文要細論。（註二六）
學道知專氣，尊生得養形。精神生尺宅，虛白集中扃。出岫孤雲靜，凌霜老柏青。晨興取澗水，漱齒讀黃庭。（註二七）

他還親自做過煉丹、服食，「芝房及乳石，日夜躬采掇」（註二八）、「早訪丹砂上峋嶁，晚提河派泝崑崙」（註二九）是尋找材料的工作；「若使金丹眞入手，飛騰亦在立談中」（註三〇）是對煉丹的期望；「露下丹芽生藥壟，月明金粉落松梢」（註三一）是煉丹的實際狀況；「種玉餐芝術不傳，金丹下手更茫然」（註三二）是感歎煉丹的困難。雖難以煉成金丹，〈夏日〉則說他製造草芝丹：「草芝方出峨眉老，力比金丹似更多。秦不及期周過曆，始知養壽在中和。」（註三三）〈道室書事〉還說他修煉內丹有所得：「五十餘年讀道書，老來所得定何如。目光焰焰夜穿帳，胎髮青青晨映梳」（註三四），後二句後自注說：「二事皆紀實」。

從以上所論，可看出陸游求仙煉丹的生活。陸游對道家的關注，可以說受家世影響而開始。後來，經歷理想的挫折，就更欲藉道家思想來忘卻煩惱，獲致精神上的慰藉。但這並不意味他就此逃避現實，儘管求仙、服食，他從未放棄「以天下為己任」的思想。

陸游接觸佛教，始於早年，或許可以說是父親的影響，〈持老語錄序〉云：「持禪師，明州鄞人。……予先君會稽公知之最深。予時甫數歲，侍先君旁，無旬月不見師。至今想其抵掌笑語，瞭然在目前，夷粹眞率，眞山林間人也。」（註三五）二十餘歲時，與蕺山天王廣教院老僧惠迪遊，略無十日到。（註三六）陸游四十五歲時，周必大作〈寒巖升禪師塔銘〉云：「故人山陰陸務觀儒釋並通」（註三七），指出陸游對佛學的造詣。不過，據現傳《劍南詩稿》，四十五歲以前，有關佛教內容的，只有〈寄黃龍升老〉一首，此「升老」即周必大上文中所云陸游「獨與僧道升遊，敬愛之如師友」者，詩中云：「世衰道喪士自欺，山林亦復踐駭機。長謠寄公公試思，吾輩救此當何施。」（註三八）擔憂「世衰道喪」。陸游至入蜀後，詩中始漸多見因不得志的苦悶而尋訪山寺，或嚮往佛教的表現，如〈觀音院讀壁間蘇在廷小卿兩小詩次韻〉云：

老去癡頑不受鐫，姓名身後更須傳。世間商略無歸處，只合長齋繡佛前。（註三九）

〈飯昭覺寺抵暮乃歸〉云：

身墮黃塵每慨然，攜兒蕭散亦前緣。聊憑方外巾盂淨，一洗人間匕箸羶。

靜院春風傳浴鼓，畫廊晚雨溼茶煙。潛光寮裡明窗下，借我消搖過十年。（註四〇）

東歸後任官建安時，有詩說暮年只有佛堪依，表藉此求心安之意（註四一），至嚴州還說：「功業雖蹉跌，光陰且破除。更須求半偈，回向此心初。」（註四二）淳熙十六年（一一八九）為何澹所彈劾，免官返里則說：「欲酬清淨三生願，先洗功名萬里心。」（註四三）陸游晚年，以佛養心，以佛解憂，詩中或言及參禪：

早誇劇飲無勍敵，晚覺安禪有宿因。赫赫心光誰障礙，鼻緜緜鼻息自輕勻。（註四四）

身寄窮山裡，心安一事無。新傳小止觀，漸解半跏趺。（註四五）

或抒寫讀佛經的情形：

朱弦靜按新傳譜，黃卷閑披累譯書。（註四六）

讀罷楞伽四卷經，其餘終日坐茆亭。（註四七）

過往的僧人有傑上人、瑩上人、哲上人等，詩中自然可見反映佛教思想者，如〈探梅〉云：

相逢風味宛如昨，人生何者非前緣。（註四八）

〈書屋壁〉云：

放生魚自樂，施食鳥常馴。（註四九）

〈戒殺〉云：

物生天地間，同此一太虛。林林各自植，但坐形骸拘。日夜相殘殺，曾不置斯須。
皮毛備裘褐，膏血資甘腴。雞鶩羊彘輩，尚食稗與芻。飛潛何預汝，禍乃及禽魚。
豹虎之害人，亦爲飢所驅。汝顧不自省，何暇議彼歟。又於人類中，各私六尺軀。
方其忿怒時，流血視若無。我欲反其源，默觀受氣初。梃刃之所加，慘若在我膚。
朝飯一鬴豆，暮飯一盂蔬。捫腹茆簷下，陶然歡有餘。（註五〇）

他要隨緣而安，陶然自適，〈遣興〉云：「塵中且復隨緣住，又見湖邊草木新。」（註五一）陸游始終站在儒者的立場，決不佞佛，或盲目追從，也不曾受到佛教消極棄世觀念的影響，但還是從佛教得到精神上的慰藉。

【附註】

註一《詩稿》卷二十八〈村居〉二首之二，頁四五六。

註二《詩稿》卷四十二〈雜興〉二首之二，頁六三五。

註三《詩稿》卷七十六〈自笑〉，頁一〇四六。

註四《詩稿》卷二十九，二首之二，頁四六八。

註五《文集》卷二十六，頁一五五。

註六《詩稿》卷五十六，四首之四，頁八〇一。

註七　夏承燾〈論陸游詞〉（代序），《放翁詞篇年箋注》，頁九。

註八《詩稿》卷六十三，頁八九四。

註九《茶山集》卷一，頁一一。

註一〇　卷一，頁七。

註一一《詩稿》卷四十四〈讀僊書作〉，頁六六三。

註一二《詩稿》卷四十五〈金丹〉，頁六六九。

註一三　《詩稿》卷七十一〈道室秋夜〉二首之一，頁九九〇。
註一四　《老學庵筆記》卷五，頁三一。
註一五　《詩稿》卷一，頁一八。
註一六　《詩稿》卷七〈與青城道人飲酒作〉，頁一二〇。
註一七　《詩稿》卷六十〈題齋壁〉，頁八五四。
註一八　《詩稿》卷七十二〈予頃遊青城數從上官道翁遊暑中忽思其人〉，頁九九六。
註一九　《詩稿》卷十六，頁二八二。
註二〇　《詩稿》卷十五，五首之三，頁二六四。
註二一　《詩稿》卷十五，五首之四，頁二六四。
註二二　《文集》卷五十〈木蘭花慢〉，頁三一〇。
註二三　《文集》卷二十六，頁一五六—一五七。
註二四　《詩稿》卷九〈道室〉，頁一四三。
註二五　《詩稿》卷十九〈初寒在告有感〉三首之一，頁三三三。
註二六　《詩稿》卷四十六〈道室雜題〉四之首一，頁六八九。
註二七　《詩稿》卷七十四〈學道〉，頁一〇二六。
註二八　《詩稿》卷四十三〈自勉〉，頁六五一。

註　二九　同註二十六。

註　三〇　《詩稿》卷三十八〈冬夜爐邊小飲〉，頁五八一。

註　三一　《詩稿》卷六十一〈道室〉，頁八六一。

註　三二　《詩稿》卷二十六〈松下縱筆〉四首之三，頁四二五。

註　三三　《詩稿》卷七十二，四首之四，頁九九五。

註　三四　《詩稿》卷四十五，頁六七一。

註　三五　《文集》卷十四，頁七八—七九。

註　三六　《詩稿》卷十六〈天王廣教院在蕺山東麓予年二十餘時與老僧惠迪遊略無十日不到也淳熙甲辰秋觀潮海上偶繫舟其門曳杖再遊怳如隔世矣〉，頁二八五。

註　三七　《省齋文稿》卷四十，引自于北山《陸游年譜》，頁一四〇。

註　三八　《詩稿》卷一，頁二〇。

註　三九　《詩稿》卷七，二首之二，頁一〇九。

註　四〇　《詩稿》卷七，頁一一〇—一一一。

註　四一　《詩稿》卷十一〈白髮〉：「殘年賴有佛堪依」，頁一七九。

註　四二　《詩稿》卷十九〈冬夜讀書〉，頁三三一。

註　四三　《詩稿》卷二十一〈到家旬餘意味甚適戲書〉，頁三六三。

註四四　《詩稿》卷十四〈禪室〉，頁二三六。
註四五　《詩稿》卷十四〈宴坐〉，頁二三八。
註四六　《詩稿》卷十八〈千峰榭宴坐〉，頁三〇九。
註四七　《詩稿》卷七十五〈茆亭〉，頁一〇三三。
註四八　《詩稿》卷二十六，頁四二七。
註四九　《詩稿》卷七十五，二首之一，頁一〇三一。
註五〇　《詩稿》卷二十七，頁四三九。
註五一　《詩稿》卷七十五，二首之二，頁一〇三一。

第六節　紀夢

所謂夢詩可分為二類：一類是在詩中使用「夢」字的詩，這一類詩大致不包括作夢的具體內容。另一類是記述夢的內容，歷來對陸游夢詩的評論文字大致集中於此類所謂紀夢詩上。這兩類雖同名，但其意義則不同，從不同角度上呈露夢主陸游的某種心理與思想。我們首先從第一類開始探討。

屬於第一類的詩，其含義就合於「夢」的最基本特質，即「虛幻性」。凡屬於人事的，不論如何繁華有意義，終將隨時空的變幻而消沈磨滅，就是「人生如夢」的感慨。陸游在宦途上飽受種種挫折，壯志落空，就發出滿腔悲嘆：「人生萬事皆如夢」（註一）、「世間回首眞一夢」。（註二）今天最有意義的歡樂，明天一到就成為「昨夢」（註三），不僅如此，如果至於「浮生歲歲俱如夢」（註四），則其感受更難以消解。陸游詩中對夢的表現，可注意的是，他喜歡把特定地名與時間與夢字連在一起，如：

依然錦城夢，忘卻在南州。（註五）

切勿重尋散關夢，朱顏改盡壯圖空。（註六）

又如：

喚回二十三年夢。（註七）

江湖四十餘年夢。（註八）

這些例子都意味著曾經華麗的一段時光的落空，是已消逝、遺失，再也不能回歸的夢，從中可看見詩人惋惜消逝過去之感慨。在陸游詩中，「夢」常與現實裡所感的「愁」並置在一起，如：

酒醒愁哀哀，香冷夢悵悵。（註九）

百年未盡且作夢，三日閑行聊散愁。（註一〇）

陸游在詩裡一再歎息理想與現實的乖離，惋歎從政治中心遠隔，歎惜與故鄉相隔千萬里，慨歎過去有意義的一段時光已消失，歎與知音隔在天涯，歎與愛情隔離。在這種情況之下，夢就是從被封鎖世界中脫離通往現實中不可能有的世界的手段。

天闊素書無雁寄，夜闌清夢有燈知。（註一一）

「書」是相隔在各一方的兩人打通消息的手段。但是「素書」被置在「天闊」、「無雁」的情況之下時，「清夢」就代替擔當同樣的作用。因此，夢是通往另一個世界的通路，是救援，是補償。就因為這樣，夢具有「飛翔」的動作，打破時空的限制，可以慰撫被鎖在現實中的苦悶，可以在「此中與世暫相忘」（註一二）。〈感秋〉詩說他雖「一身寄空谷」，而「萬里夢天山」（註一三），還如：

夢每輕千里。（註一四）

只怪夢尋千里道。（註一五）

萬里夢回天未明。（註一六）

等夢超越了廣大空間的表現，在陸游詩中，俯拾即是。

記述夢中內容的就是紀夢詩，陸游集中共有一百五十七首。（註一七）我們直接探討陸游紀夢詩之前，理應先看夢之生成與夢之作品化。《周禮・春官・占夢》將夢之所以生分為六類，所謂六夢則為正夢、噩夢、思夢、寤夢、喜夢、懼夢等，這是將夢視為精神作用之一種現象而加以把握，依照身心之感覺變化而衍成。六朝時代清談名家樂廣則舉「想」與「因」二因素（註一八）。陸游既寫下了很多夢詩，則對夢也自有看法。他說：「心搖夢易驚」（註一九）、「心平了無夢，驚魘何自起」（註二〇），表示他明白夢與心理之關係，又更直截了當地指出「心安了無夢，一掃想與因」（註二一）的道理。但道理雖然如此，陸游一生坎坷，就不免嘆「常作夢中身」（註二二）。

歷來談陸游夢詩的人，都注意到夢詩內容的眞假問題。大致而言，主張不是眞夢的人占大多數，趙翼在《甌北詩話》（卷六）說：「人生安得如許夢，此必有詩無題，遂託之於夢耳。」對某首夢詩，判斷是眞是假，是不容易的。如果說是眞夢，我們先該探討陸游為什麼作這樣的夢。佛洛依德關於夢下定義，說夢「是一種願望的達成。它可以算是清醒狀態精神活動的延續。」（註二三）夢往往是醒時心理活動的剩餘，是一種在現實世界中未得到滿足的願望的實現。就陸游來說，陸游一生呼喊驅金，收復中原，寫下許多氣魄豪邁熱情奔放的憂國詩，但在南宋小朝廷的屈膝政策下，他的北進主張無法實現，內心極端苦悶，在這種心理狀態之下，雖「橫槊賦詩非復昔」，但「夢魂猶繞古梁州」，「三更撫枕忽大叫，夢中奪得松亭關」（註二四）也不是無理的，況且陸游詩中處處可見愛睡的表白。陸游還說：「夢不出心境」（註二五），已明白指出他自己作夢的心理依據。趙翼從夢詩嫌多的觀點上否定眞夢的可能性，但是作品的多寡並不是唯一判斷眞假的條件。如果說陸游的夢詩是託夢，那要看陸游為什麼假託夢？是因為理想在現實世界中得不到實現，就只好藉夢得到滿足，解消苦悶，此種情況類似於屈原的「天界遊覽」，或者郭璞等一些作家的「遊仙詩」。像没有人究探「遊仙詩」內容的眞實性，同時我們要知道雖是眞夢，成為作品，就須通過虛構化或改竄、補充一些部分，因此我們對待夢詩時，不必斤斤於內容的眞假，或者不宜只注意到他作如何神奇的夢，而要看詩人要表現的大旨，與他為什麼把這些夢作品化，以及如何作品化等。無論他所作的夢是眞是假，夢中的世界同樣是反映陸游的某種心理。

歷來論陸游的文章中，對陸游的夢詩，作全面且詳細的介紹的，首推張健先生的《陸游》一書（頁一一四至一二一），美國的Michael. S. Duke教授則將其內容分為十類：與道家哲學有關者、出遊或山水有關者、夢朋友者、英雄與愛國者、自哀者、懷舊或思鄉者、飲酒、讀書、有關詩藝與品書者等。（註二六）本文則兼顧紀夢詩與其他題材詩的主題關連，分為六類，即一、平戎夢、二、遠遊夢、三、方外夢、四、自適夢、五、倫情夢、六、故鄉夢。

一、平戎夢

陸游的驅敵壯志，往往形成奇夢，有一次，「夢入煙海」，「赤手騎怒鯨，橫身當渴龍」，醒後就感「平生擊虜意，裂眥髮上衝」（註二七）。在現實中，陸游在宦途上屢遭排擠，而夢中則「舉有司」、「趁早朝」（註二八）、「縱橫草疏論遷都」（註二九）。有時「夢裡遇奇士」，互相琢磨「霸圖」與「王道」，談及「陣法參奇正，戎旃相蕩摩」（註三〇）。終於報國的機會來了，「聖主下詔初親征」（註三一），詩人就「重鎧奮雕戈」（註三二），「忽夢行軍太行路」（註三三），「十萬全裝入晉陽」（註三四），終於收復失地。〈九月十六日夜夢駐軍河外遣使招降諸城覺而有作〉云：

殺氣昏昏橫塞上，東並黃河開玉帳。晝飛羽檄下列城，夜脫貂裘撫降將。
將軍櫪上汗血馬，猛士腰間虎文韔。階前白刃明如霜，門外長戟森相向。
朔風卷地吹急雪，轉盼玉花深一丈。誰言鐵衣冷徹骨，感義懷恩如挾纊。

腥臊窟穴一洗空，太行北嶽元無恙。更呼斗酒作長歌，要遣天山健兒唱。（註三五）

此詩寫於乾道九年（一一九三），當時陸游在嘉州，作此詩之前，有「書生又試戎衣窄」（註三六）、「壯心未許全消盡，醉聽檀槽出塞聲」（註三七）等詩，或可作當時寫此詩之心理背景。此詩首二句切題中「駐軍河外」，可見「殺氣昏昏」的雄偉場面。下二句切題中「遣使招降諸城」，極言招降的迅速。詩題中之意，至此大都已發揮，以下再加數筆，來形容、渲染軍容的壯盛威嚴，征軍不怕寒的氣魄，以及勝利後的喜悅。全詩用一韻，一氣直下，與詩中之意境頗切合。又有詩云：

天寶胡兵陷兩京，北庭安西無漢營。五百年間置不問，聖主下詔初親征。
熊羆百萬從鑾駕，故地不勞傳檄下。築城絶塞進新圖，排仗行宮宣大赦。
岡巒極目漢山川，文書初用淳熙年。駕前六軍錯錦繡，秋風鼓角聲滿天。
苜蓿峰前盡亭障，平安火在交河上。涼州女兒滿高樓，梳頭已學京都樣。（註三八）

此詩寫夢中從大駕親征，盡復故地，修築新城，宣布大赦，軍容威武雄壯，邊境恢復太平。「五百年間置不問」是對歷史的批判，還隱含著陸游對當時主和派的批判；「聖主下詔初親征」是陸游處在「和戎壯士廢，憂國清淚滴」（註三九）的現實，所抱「征遼詔儻下，從我屬櫜鞬」（註四〇）的願望的反映。依佛洛依德，夢是願望的達成，夢中的願望又是一種受到壓抑的欲望。陸游的願望是「盡復漢唐故地」，這個願望，在現實中無法實現，屢遭壓抑，而在夢中得到補償和滿足。「故地不勞傳檄下」言王師聲威豪壯，胡人不戰而降，望風來歸，較上引詩中所云「晝飛羽檄下列城」，表現更加強，這種欒觀精神是陸游驅敵恢復中原思想的主幹之一，《劍南詩稿》中處處可見。末二句藉「涼州女兒滿高樓，梳頭已學京都樣」，表現故地盡復與邊境的太平，這種藉側面描寫加強正面事實的手法，也是陸游在憂國功名詩中慣用的手法，有即小見大之妙。上引詩中末二句所云「更呼斗酒作長歌，要遣天山健兒唱」，也有同樣的妙味，若能讓天山的健兒放聲歌唱，即天山以下的故地已收復，是不待言而自知。

〈記九月三十日夜半夢〉繼上詩，寫戰勝群英班師：「東閣群英鳴珮集，北庭大戰捷旗來」（註四一）；〈夢中作〉則云：「拓地移屯過酒泉，策功圖像上凌煙，事權皂纛兼黃鉞，富貴金貂映玉蟬。油築毬場飛騕褭，錦裁步障貯嬋娟。擁塗士女千層看，應記新豐舊少年。」（註四二）像這首詩，如此極寫得意，是在陸游詩中極其罕見的，唯藉夢境才有可能。

二、遠遊夢

如果按照作詩的地點看，遠遊夢雖在異鄉做官時也可見，但更多數的有關作品是在故鄉山陰時寫成的。如在上節已述及，陸游歸鄉後，雖過著躬耕自適的生活，但是他總是忘不了國事，就往往在夢中遠遊到往日極其有意義的地方——蜀地與一生強烈希望收復而仍陷於金人手中的中原。陸游在理想屢遭乖離的現實世界中，時時流露傷感與不平。在異鄉，常夢到故鄉，而在故鄉則又不時回溯到過去。處在這種情況之下，遠遊夢就成為暫時消除悶惱的一種心理方法。雖然遠遊的結果不一定就讓人開心，但總要出遊：

夢不出心境，曠然成遠遊。（註四三）

江湖送老一漁舟，清夢猶成塞上遊。（註四四）

陸游晚年常常懷念曾經在蜀住過的一段日子，甚至說：「自計前生定蜀人」（註四五），夢中遠遊之地，自也是蜀地，夢詩中見的，有成都、南鄭、小益、江淮、大散關、渭水等。蜀地之使陸游不斷懷憶，而成為夢中遠遊之對象，究其因，不外如下：一則蜀地的得意歡樂生活是空前絶後的，主要以成都為中心，二則比以前、以後任何時期，都接近宋金對峙戰線，投入戎馬生涯。因此，在夢中遠遊蜀地之作，常有蜀地與山陰的鮮明對比，詩題或詩中不斷流露慨嘆。寫蜀地的歡樂的，有如「春風小陌錦城西，翠箔珠簾客意迷。下盡牙籌閑縱博，刻殘畫燭戲分題。紫氍毹暖帳中醉，紅叱撥驕花外嘶。」（註四六）

此外，大都詩寫遠遊南鄭、小益等地，從中可見往來蕭瑟景象的邊地，慨歎壯志難酬的詩人，如〈夢中作〉（己未十二月五日夜作，所書皆夢中事也）云：「長隄行盡古河濆，小市人稀霧雨昏。櫪馬垂頭齧菅草，驛門移路避槐根。斷碑零落苔俱遍，漏壁微茫字半存。催喚廚人燎狐兔，強排旅思舉清樽」（註四七），〈五月七日夜夢中作〉云：「征行過孤壘，寂寞已千年。馬病霜菅瘦，狐鳴古冢穿。煙塵身欲老，金石志方堅。零落英雄盡，何人共著鞭。」（註四八）還有〈遠遊夢〉詩的特色是：常常以蜀地與山陰、豪壯與寂寞、過去與現在，形成強烈且鮮明的對比，往往流露濃厚的悲慨。如〈十月二十六日夜夢行南鄭道中既覺恍然攬筆作此詩時且五鼓矣〉詩（註四九），首八句寫南鄭道中景物，以下二十四句所言，均為由此夢所引起的過去回憶與今日的無限感慨。南鄭的「雪中痛飲百榼空」與今日的「對花把酒學醞藉」、南鄭的刺虎快舉與今日的落魄臥病，形成強烈的對比，由此對比，就產生「生不逢時」、「有志難施」的悲慨。這首詩在全體構成上，寫夢境的分量少，也沒有夢中突出的行動，反之，寫覺醒後的感懷的分量大，感情也濃厚，宛似借夢抒懷的詠懷詩。這樣的情況，在遠遊淪陷地區的詩中，也可見到。

陸游在夢中遠遊的淪陷地區，有華山、潼關、中條山、長安、驪山、黃河，都在華山附近，離南鄭也不遠，曾是他冀望出兵收復中原的起點。（註五〇）這些地區均是實際上不可隨便去的地方，借夢才像〈夜夢於驪山〉中所云：「秦楚相望萬里天，豈知今夕宿溫泉」（註五一），可能不受空間上的拘束，得到現實世界中不能有的補償。紹熙元年（一一九〇）七月二十七日，陸游夢中抱「平生忠憤意，來拜華嶽廟」，有詩云：「牲碑僞正朔，祠祝虜衣冠。神亦豈堪此，出門山雨寒。」（註五二）首二句意味華山正淪陷於金人手中，繼言「神亦豈堪此」，大有神與人共悲華山陷於敵僞之嘆，事雖微小，但頗具意味，以此來敘事敘懷，是陸游慣用的手法，此手法的運用已見於上面所引詩中。陸游有一天還夢遊荊軻墓，〈丙午十月十三夜夢過一大冢傍人為余言此荊軻墓也按地志荊軻墓蓋在關中感歎賦詩〉云：「采藥遊名山，物外富眞賞。秋關策蹇驢，雪峽蕩孤槳。還鄉忽十載，高興寄遐想。夢行河潼間，初日照仙掌。坡陀荊棘冢，狐兔伏榛莽。悲歌易水寒，千古見精爽。國讐久不復，驚覺涕泚吾顙。何時眞過茲，薄酹神所饗。」（註五三）荆軻行刺秦王不遂，引起「國讎久不復，驚覺泚吾顙」之悲慨。「何日眞過茲」明示過荆軻墓是夢中之事。此詩可分三段，第一段中「還鄉忽十載，高興寄遐想」，是作此夢的「因」，所謂「日有所思，夜有所夢」。自「夢行河潼間」至「千古見精爽」是夢的內容。以下是第三段，是醒後的「感歎」。夢詩大抵由這樣的三段構成，此詩就是合於此正格的例子。不過，這樣的構造按夢的性格而有不同，「平戎夢」主要寫收復中原之勝戰，因此詩中所寫戰勝愈痛快愈不見「感歎」的部分，如上引〈九月十六日夜夢駐軍河外遣使招降諸城覺而作〉只寫戰勝之歡悅。陸游的夢詩，也有些詩則包括兩個部分。主要是夢的內容與感嘆部分。「遠遊夢」尤其凸顯對山河失陷、飄泊身世、壯志未遂之感慨。

三、方外夢

理想的乖離、對現世的失望與煩厭，都使陸游作道佛的「方外夢」。有一次，他夢中避雨叩一僧院：「畫簷急雨傾高秋，夜投丈室燈幽幽。耆年擁毳雪滿頭，拂拭牀敷邀我留。雛猊戲擲香出喉，蓬蓬結成蒼玉毬。蠻童揭簾侍者憂，觸散香煙當罰油。」（註五四）在那裡可以得到安慰與休息，老宿「拂拭牀敷邀我留」，接待非常慇懃，想起「若舊相識者」的親近感。〈夢入禪林有老宿方陞座或云通悟禪師也〉云：「塵埃車馬何憧憧，聾頭鼠目厭妄庸。樂哉夢見德人容，巍巍堂堂人中龍。舉頭仰望太華峰，攝衣欲往路無從。忽然夢斷難再逢，空記說法聲如鐘。」（註五五）此詩可分三段，「塵埃」、「睾頭」句寫對妄庸世俗之疾惡，也是作此夢之「因」。自「樂哉」句至「攝衣」句是作夢的內容，「德人容」、「巍巍堂堂人中龍」，與上二句形成鮮明的對比。末二句是夢醒，寫「難再逢」的惋惜。陸游在夢中進禪林、僧院，求取安息，但是綜覽《劍南詩稿》，有關道教的作品還比尋寺類多。（註五六）

陸游在道教方面的方外夢，大致集中於練丹，詩中常出現的地點是華山。華山是道教聖地之一，當時淪陷於敵地，因此只有夢中才可以尋訪。那是重遊。看遠遊華山詩，陸游好像是前生就與華山有緣，曾經住過一段日子似的，〈夢中作〉云：「華山敷水本閑人，一念無端墮世塵。」（註五七）夢遊華山詩，首先可看對華山與附近景物的描繪：

黃河哀哀抱潼關，蒼翠中條接華山。（註五八）

太華巉巉敷水長，白驢依舊繫斜陽。（註五九）

重尋華山，自不禁喜悅：「路入河潼喜著鞭，華山忽到帽帬邊。」（註六〇）到達時，那裡所住的人都欣然迎客，他說：「西巖老宿雪垂肩，白石為糧四百年。喜我未忘山下路，慇懃握手一欣然」（註六一）、「鄰叟一樽迎谷口，蠻童三髻拜溪傍。」（註六二）方外夢中，我們不能見到他對現實政治的憂慮與悲嘆：

中原俯仰成今古，物外自閑人自忙。（註六三）

他只在「下臨萬里空，渺渺一鶴飛」的悠閑世界中，流露「安得棄家去，丹竈常相依」之願望。（註六四）他雖沒有因練丹而棄家，但還是實際從事道教所講諸修道，〈夢中作〉云：「鶴巢投暮宿，松纘朝餐。進火金丹熟，凌風玉宇寒。」（註六五）

在陸游的方外夢中，我們還可注意的是「遊仙夢」，或遨遊仙境（註六六），「或朝謁大官殿」（註六七），或寫長眉老仙勸他一同歸崑閬（註六八），都表示陸游對仙界仙境之嚮往。

四、自適夢

陸游還時時夢中自樂其閑適生活，或表明自己對人生的某種態度。〈九月六夜夢中作笑詩覺而忘之明日戲追補一首〉云：「紛紛世事何足計，盡付撫掌掀髯中。清樽可醉風月好，虛空萬象皆絕倒。」（註六九），明白表示對待「紛紛世事」的行動方式：「盡付撫掌掀髯中」。從「清樽可醉風月好，虛空萬象皆絕倒」中可見自適、豪爽的態度。

〈夜夢從數客雨中載酒出遊山川城闕極雄麗云長安也因與客馬上分韻作詩得遊字〉云：「有酒不謀州，能詩自勝侯。但須繩繫日，安用地埋憂。射雉侵星出，看花秉燭遊。殘春杜陵雨，不恨濕貂裘。」（註七〇）「有酒」、「能詩」、「出遊山川」，皆是極有價值的樂事。從中可見「及時行樂」之意。陸游夢詩中的歡樂，大致由此三個價值形成。〈記夢〉言他的樂天知命：「信命從來不問天，經旬無酒亦陶然」（註七一），〈七月二十一日午睡夢泛江風濤甚壯覺而有賦〉則寫泛舟觀賞江西壯觀之樂：「夢中不記適何邦，風飽蒲颿入大江。久矣眼中無此快，蹴天雪浪濺船窗。」（註七二）陸游素來愛花，尤其到成都後甚愛梅花、海棠、牡丹，有一天，夢牡丹（註七三），牡丹在中州以洛陽為第一，因而他為見牡丹，夢到洛陽，（夢至洛中觀牡丹繁麗溢目覺而有賦）云：「老去已忘天下事，夢中猶看洛陽花。妖魂艷骨千年在，朱彈金鞭一笑譁。」（註七四）陸游頗喜遊山，有一天夢遊鳳山寺，有詩云：「已窮阿閣勝，更作味軒遊。不盡山河大，無根日月浮。吾身元是幻，何物彊名愁。久覓卓菴處，是間應可留。」（註七五）此是一首山水詩，若不看詩題，就不會知道其為夢詩。面臨「不盡山河」、「無根日月」，頓覺吾身之幻，起暫留此勝遊處之念。如在上面所看，陸游在日常生活中的嗜好，均在夢中反映，「自適夢」的閑適遊樂，自然形成與別類詩不同的特色。

五、倫情夢

陸游是感情極為豐富的人，對待任何人，都情誼深篤。他在壯年時常年漂泊，在晚年則又在故鄉常感寂寞，因此他懷念家人和朋友之情，都在夢詩中充分流露出來，相隔千萬里，或有幽明之異，在現實中不能遇見的人都藉夢境重逢。

乾道七年（一一七一），陸游任夔州通判時，適逢州有考試，他擔當考官，住進試院。按照慣例，通常有四十多天與外界斷絕來往。在這段時間裡，閒著没事做，頗感悶悶無聊之餘，他不時懷念家人，尤其是孩子們。回家只剩下三天的時候，他就夢見孩子：「稚子歡迎先入夢。」（註七六）他羈旅蜀地時，還夢見孩子：「稚子入旅夢，挽鬚勸還家」（註七七），可見陸游思子深切之情。

陸游與前妻唐琬之往事，留下鉅大的心創痛，終生傷感，老死難忘。陸游在開禧六年（一二〇五），八十一歲時，還夢中重遊沈園：

路近城南已怕行，沈家園裡更傷情。香穿客袖梅花在，綠蘸寺橋春水生。（註七八）

城南小陌又逢春，只見梅花不見人。玉骨久成泉下土，墨痕猶鎖壁間塵。（註七九）

第一首首句「路近城南已怕行」既點明詩題中的「遊」，又逼眞地描繪欲往同時又「怕行」的複雜矛盾心理，既到沈園就不免「更傷情」。以下至第二首末句，今昔強烈的對比中很自然地流露物是人非的痛苦。

曾幾是在作詩與愛國思想方面都給陸游很大影響的業師。陸游夢見曾幾兩次，一在兒時，一在晚年，均對陸游有深刻的意義。他有一首〈別曾學士〉中說：「兒時聞公名，謂在千載前。稍長誦公文，雜之韓杜篇。夜輒夢見公，皎若月在天。起坐三歎息，欲見亡繇緣」（註八〇）。夢中可見疑隔在千年前的人，夢後就歎無由相見。嘉定元年（一二〇八），陸游時八十四歲，曾幾死後已過四十二年，而陸游還夢見曾幾，有詩云：「有道眞為萬物宗，巋然使我歎猶龍。晨雞底事驚殘夢，一夕清談恨未終」（註八一）。醒後恨嘆未能暢談。由此可見他一生敬慕曾幾。

陸游對朋友，情意深厚，在現實世界相逢，對待眞誠，相隔遠方，就夢中會見朋友。夢中，超越「少城駿馬逐春風，二十年間萬事空」的時空，重逢故友，享受「清夢都忘雙鬢改，繡筵還喜一尊同。烏巾掩冉簪花重，羯鼓敲鏗列炬紅」的快樂，但大部分的夢詩中詩人被外界的壓力（曉雞或鐘）

喚起現實，乃嘆「安得此歡眞入眼」（註八二）。〈夢范參政〉（註八三）則寫與范成大死別之情景，極其哀慟。陸游夢友詩的另一個特色是夢見亡友，有韓无咎、范成大、尤袤、譚德稱、王嵎、宇文袞臣、劉紹美、朱孝聞等，敘寫極其悲慟。（註八四）

除了以上知名的朋友外，一些不知名的客人也有很多夢中來尋訪陸游。客人有時一個人，有時是四個人或多至數人。他們既然是「客」，按理說，應是素昧相逢，但是陸游在夢中見了他們，卻覺得「一見如宿昔」（註八五）。陸游便與此「清眞」、豪爽的客人們，在山水奇麗處開設宴會，作詩、喝酒、看畫、暢談、觀賞山水、論詩文，甚為快樂。如〈十月四日夜記夢〉（註八六）分為二大段，前段寫夢中四客尋訪，共賞新詩、暢談飲酒之樂；後段寫醒後之歎。前後夢中與醒後，樂與嘆，相成強烈的對比。尤其由後段幾句中，可見陸游深慨世俗人情之刻薄與可怕：「爾來風俗壞，動腳墮險巇」、「森然義府力」，還可看出陸游期望能得到好友之懇切：「誰為叔度陂」。也許這就是陸游做此類夢的原因。陸游在現實生活中常感寂寞：「屏迹歸休後，頤生寂寞中」（註八七）。因他期望「石鼎烹茶火煨栗，主人坦率客情眞」（註八八），這樣富於溫暖與人情味的世界，在夢中得到報償。

六、故鄉夢

這樣富於人情味，給人溫馨的世界，除夢境外，便是現實中的故鄉。陸游出外做官，常懷念故鄉山陰，每賴夢回家。

旅夢遊何地，分明禹廟傍。不嫌村餉薄，但愛野蔬香。筍市連山塢，菱歌起夕陽。一蓑元所樂，枉道嬾衣裳。（註八九）

回到故鄉，既喜村餉、野蔬，又愛閑適、豐饒之景。不僅如此，故鄉更使陸游起懷念之情，是因為故鄉是富於人情味的世界。試看〈初秋夢故山覺而有作〉（註九〇）其二云：

陂水白茫茫，草煙濕霏霏。牧童一聲笛，落日無餘暉。逢山已漸隱，村巷亞竹扉。老翁延我入，苦謝柿栗微。幸逢歲有秋，一醉君勿違。念此動中懷，命駕吾將歸。

其三云：

昔我東歸時，父老迎船頭。開蓬相勞苦，怪我領雪稠。故山何負君，且作數月留。豈知席未煖，疋馬來南州。蠻花四時紅，瘴霧日夜浮。歸哉不可遲，勿與婦子謀。

看此二首中故鄉的老翁、父老等對待他的情誼，何等眞誠感人！陸游在此間，實在是怡然自樂，因而在外則夢想故鄉、懷念故鄉。〈夢歸〉云：「細傾新釀酒，盡讀舊藏書」（註九一），從「細」、「盡」字中充分看出詩人愛惜寸陰、享受此樂的心理。

以上將陸游的夢詩分為兩類，即是詩中只用夢字詩與敘述夢中內容詩，來探討其特色。從以上分析可知陸游常常注意所作夢的內容、觀察夢。最後，總結上面所說，可歸納為如下幾點。

(1)我們將夢詩從兩方面理解：一是眞夢，二是假夢，即作家把某種思想或情緒託之於夢。古人說「日有所思，夜有所夢」，我們可以用這個說法來理解陸游的夢詩。下面舉幾個例子來看，「日有所思」怎樣影響「夜有所夢」。

主題	現實	夢想
1 平戎	「何當凱旋宴將士，三更雪壓飛狐城」（註九二）	〈五月十一日夜且半夢從大親征盡復漢故地……〉（註九三）
2 遠遊	①〈思蜀〉（註九四） ②〈懷南鄭舊遊〉（註九六） 〈愁坐忽思南鄭小益之間〉（註九八） ③〈直舍獨坐思成都〉（註一〇〇）	①〈夢蜀〉（註九五） ②〈……夢行南鄭道中……〉（註九九） 〈頻夜夢至南鄭小益之間慨然感懷〉（註九九） ③〈夢至成都悵然有作〉（註一〇一）
3 方外	①〈遊仙〉（註一〇二）	①〈夢仙〉（註一〇三）
4 自適	①〈憶天彭牡丹之盛有感〉（註一〇四） ②〈遊山〉（註一〇六）	①〈夢觀牡丹〉．〈夢至洛中觀牡丹……〉（註一〇五）
5 倫情	①「妻孥八月離夔州，寄書未到今何處」（註一〇八） ②〈沈園〉（註一一〇） ③〈歲暮懷張季長〉（註一一二） ④〈無客〉（註一一四）	②〈夢中作遊山絕句〉（註一〇七） ①「稚子入遊夢」（註一〇九） ②〈……夢遊沈氏園亭〉（註一一一） ③〈……夢赴季長招飲〉（註一一三） ④「四客聯轡來」（註一一五）
6 故鄉	①〈懷故山〉．〈獨立思故山〉（註一一六） ②〈禹祠〉（註一一八） ③〈思歸〉（註一二〇）	①〈初秋夢故山覺而有作〉（註一一九） ②〈夢中遊禹祠〉（註一一九） ③〈夢歸〉（註一二一）

看了上表，更明白夢詩之所由產生。平時他最關心的事或物，都出現在夢中，在現實裡無法實現的，都在夢中得到實現，或得到補償。

⑵夢詩的內容相當廣汎，清醒時所詠的，大致都見於夢詩中。

⑶夢詩中所見的世界，是立足於現實世界中的世界，是頗富人情味的情感世界。詩中出現的人，都以善意接待陸游，給他溫暖、快樂。

⑷夢詩的結構，大致以三段分法為基本，即入夢前的狀況（「因」）、作夢、夢醒。這樣的模式使我們聯想到神仙故事（fairy tale），夢詩與神仙故事在某一點上有相似之處，神仙故事的基本模式是，出發（往向仙境之動機）、歷程（或變形、遂願）、回歸，與夢詩的結構相似。神仙故事所追求的是得仙，此不外是自我完成，這點又與夢詩之追求自我實現相似。夢詩的基本結構，在各不同的作品中有各不同的變型，或只具兩個部分，或只寫作夢的內容。夢醒部分，大致都是悲嘆，詠懷的氣息甚濃。

⑸別的詩人也作夢詩（註一二三），但都不及陸游內容之豐富多采、表現之生動感人。

【附　註】

註　一　《詩稿》卷十五〈紹興庚辰余遊謝康樂石門與老洪道士痛飲賦詩既還山陰王仲信為予作石門瀑布圖今二十有四年開圖感歎作〉二首之一，頁一二五八。

註　二《詩稿》卷七〈夜登江樓〉，頁一一二。

註　三《詩稿》卷十四〈九月十日〉：「風帽可憐成昨夢，菊花已覺是陳人。」頁二六〇。

註　四《詩稿》卷六〈別榮州〉，頁一〇〇。

註　五《詩稿》卷十一〈雨夜〉，頁一八一。

註　六《詩稿》卷十〈宿仙霞嶺下〉，頁一七四。

註　七《詩稿》卷二十七〈枕上聞急雨〉二首之一，頁四四六。

註　八《詩稿》卷五〈夏日湖上〉，頁七九。

註　九《詩稿》卷十三〈九月六日小飲醒後作〉，頁二二五。

註一〇《詩稿》卷十二〈東堂晨起有感〉，頁二〇二。

註一一《詩稿》卷十三〈暮秋有懷王四季夷〉，頁二二八。

註一二《詩稿》卷七〈午夢〉，頁一一七。

註一三《詩稿》卷三十七，頁五六八。

註一四《詩稿》卷十三〈冬夜〉二首之二，頁二三二。

註一五《詩稿》卷十三〈月夕睡起獨吟有懷建康參政〉，頁二二三。

註一六《詩稿》卷十四〈夜意〉二首之一，頁二五〇。

註一七　趙翼《甌北詩話》卷六云陸游的紀夢詩共有九十九首，本文中的總數根據郭有遹的統計（一題有數首者亦包括在內），見〈陸游・辛棄疾成名的時代背景與心理因素（二）〉，《中山學術文化集刊》二十七集。

註　一八　《世說新語・文學》篇：「衛玠總角時，問樂令『夢』。樂云是『想』。衛曰：『形神所不接而夢，豈是想耶。』樂云：『因也。未嘗夢乘車入鼠穴，擣齏噉鐵杵，皆無想無因故也。』」頁一五五。

註　一九　《詩稿》卷十〈欲行雨未止〉，頁一七二。

註　二〇　《詩稿》卷八〈眉州驛舍睡起〉，頁一三一。

註　二一　《詩稿》卷十一〈午睡〉，頁一九三。

註　二二　《詩稿》卷十四〈記夢〉，頁二三九。

註　二三　見佛洛依德《夢的解析》，新潮文庫，賴其萬、符傳孝譯本，頁五五。

註　二四　《詩稿》卷八〈樓上醉書〉，頁一二七。

註　二五　《詩稿》卷二十七〈記夢〉，頁四三七。

註　二六　參閱註十八。

註　二七　《詩稿》卷二十〈我夢〉，頁三五八。

註　二八　《詩稿》卷八十一〈書夢〉，頁一一〇一。

註　二九　《詩稿》卷二〈記夢〉，頁三二。

註三〇《詩稿》卷六十五〈二月一日夜夢〉，頁九一九。

註三一《詩稿》卷十二〈五月十一日夜且半夢從大駕親征盡復漢唐故地見城邑人物繁麗云西涼府也喜甚馬上作長句未終篇而覺乃足成之〉，頁二〇三。

註三二《詩稿》卷七十七〈異夢〉，頁一〇五四。

註三三《詩稿》卷六十三〈記夢〉二首之二，頁八九六。

註三四《詩稿》卷六十三〈記夢〉二首之一，頁八九六。

註三五《詩稿》卷四，頁六四。

註三六《詩稿》卷四〈八月二十二日嘉州大閱〉，頁六三。

註三七《詩稿》卷四〈醉中感懷〉，頁六〇。

註三八《詩稿》卷十二〈五月十一日夜且半夢從大駕親征盡復漢唐故地見城邑人物繁麗云西涼府也喜甚馬上作長句未終篇而覺乃足成之〉，頁二〇三—二〇四。

註三九《詩稿》卷十三〈書悲〉，頁二二五。

註四〇《詩稿》卷三十四〈村飲示鄰曲〉，頁五三三。

註四一《詩稿》卷三十三，頁五一六。

註四二《詩稿》卷十三，頁二三一。

註四三《詩稿》卷二十七〈記夢〉，頁四三七。

註　四四　《詩稿》卷二十七〈枕上述夢〉（五月十二日雞鳴時作），頁四四〇。
註　四五　《詩稿》卷七十六〈夢蜀〉，頁一〇四五。
註　四六　《詩稿》卷十〈夢至成都悵然有作〉二首之一，頁一七一。
註　四七　《詩稿》卷四十二，頁六三〇。
註　四八　《詩稿》卷三十四，頁五三一。
註　四九　《詩稿》卷十四，頁二三四。
註　五〇　參閱張健先生《陸游》，頁一一八。
註　五一　《詩稿》卷二十三，頁三九七。
註　五二　《詩稿》卷二十七〈癸丑七月二十七夜夢遊華嶽廟〉二首之二，頁四四三。
註　五三　《詩稿》卷十八，頁三一五。
註　五四　《詩稿》卷八〈九月十八夜夢避雨叩一僧院有老宿年八十許邀留甚勤若舊相識者夢中為賦此詩〉，頁一四二。
註　五五　《詩稿》卷五，頁八八—八九。
註　五六　夢遊山寺的，有卷三十二〈夢遊山寺焚香煮茗甚適既覺悵然以詩記之〉，頁五〇七；卷三十五有〈丁巳正月二日雞初鳴夢至一山寺名鳳山其尤勝處曰味軒予為賦詩既覺不遺一字〉，頁五四四。

註　五七　《詩稿》卷六十一，頁八六一。
註　五八　《詩稿》卷二十八〈記夢〉三首之一，頁四六〇。
註　五九　《詩稿》卷五十八〈八月四日夜夢中作〉，頁八三四。
註　六〇　《詩稿》卷八十四〈夢華山〉，頁一一三八。
註　六一　《詩稿》卷二十八〈記夢〉三首之二，頁四六〇。
註　六二　《詩稿》卷五十八〈八月四日夜夢中作〉，頁八三四。
註　六三　《詩稿》卷五十八〈八月四日夜夢中作〉，頁八三四。
註　六四　《詩稿》卷四十二〈記夢〉，頁六三九。
註　六五　《詩稿》卷六十八，頁九五四。
註　六六　《詩稿》卷二十三〈記九月二十六夜夢〉，頁三九四。
註　六七　《詩稿》卷十二〈夢仙〉（夢朝謁大官殿，仰視去天甚近，星皆大如月，氣候清寒如十月間，時庚子六月一日也），頁二〇六。
註　六八　《詩稿》卷三十二〈五月二十三夜記夢〉，頁五一〇。
註　六九　《詩稿》卷四，頁六三。
註　七〇　《詩稿》卷一，頁一五。
註　七一　《詩稿》卷五十，頁七三〇。

註七二《詩稿》卷三十，頁四七六。
註七三《詩稿》卷三十七〈夢觀牡丹〉，頁五七四—五七五。
註七四《詩稿》卷二十七，頁四四七。
註七五《詩稿》卷三十五〈丁巳正月二日雞初鳴夢至一山寺名鳳山其尤勝處曰味軒予為賦詩既覺不遺一字〉，頁五四四。
註七六《詩稿》卷二〈拆號前一日作〉，頁三五。
註七七《詩稿》卷三〈鼓樓舖醉歌〉，頁四二。
註七八《詩稿》卷六十五〈十二月二日夜夢遊沈氏園亭〉二首之一，頁九一三。
註七九《詩稿》卷六十五〈十二月二日夜夢遊沈氏園亭〉二首之二，頁九一三。
註八〇《詩稿》卷一，頁一。
註八一《詩稿》卷七十九〈夢曾文清公〉，頁一〇八七。
註八二《詩稿》卷三十〈六月二十六日夜夢赴季長招飲〉，頁四七五。
註八三《詩稿》卷三十，頁四八三。
註八四《詩稿》卷十一有〈夢與劉韶美夜飲樂甚〉（頁一八三）；卷三十一有〈正月十一日夜夢與亡友譚德稱相遇於成都小東門外既覺慨然有作〉（頁四九七）；卷三十四有〈六月二十四日夜分夢范至能李知幾尤延之同集江亭諸公請予賦詩記江湖之樂詩成而覺忘數字而已〉（頁五三三）；卷

四十三有〈宇文衮臣吏部予在蜀日與之遊至厚契闊死生二十年矣庚申三月忽夢相從如平生愴然有賦〉（頁六四二）；卷四十九有〈夢韓无咎王季夷諸公〉（頁七二二）；卷五十二有〈夢韓无咎如在京口時既覺枕上作短歌〉（頁七五九）；卷六十二有〈予初仕為寧德縣主簿而朱孝聞景參作尉情好甚篤後十年景參下世今又幾四十年忽夢見之若平生覺而感歎不已〉（頁八八三）。

註八五　《詩稿》卷六十三〈乙丑七月二十九日夜分夢一士友風度甚高一見如宿昔出詩文數紙語皆簡淡可愛讀未終而覺作長句記之〉，頁八八四。

註八六　《詩稿》卷十七，頁二八八。

註八七　《詩稿》卷五十一〈自述〉三首之三，頁七四〇。

註八八　《詩稿》卷十三〈晝寢夢一客相遇若有舊者夷粹可愛既覺作絕句記之〉，頁二二八。

註八九　《詩稿》卷五十三〈記夢〉，頁七六八。

註九〇　《詩稿》卷十一，頁一八七。

註九一　《詩稿》卷十九，頁三三五。

註九二　《詩稿》卷五〈長歌行〉，頁九二。

註九三　《詩稿》卷十二〈五月十一日夜且半夢從大駕親征盡復漢唐故地見城邑人物繁麗云西涼府也喜甚馬上作長句未終篇而覺乃足成之〉，頁二〇三。

註九四　《詩稿》卷十七（頁二九九）、二十三（頁三九六）、三十二（頁五〇九）、三十八（頁五八三）、七十三（頁一〇一四—一〇一五）。
註　九五　《詩稿》卷四十一（頁六二三）、七十六（頁一〇四五）。
註　九六　《詩稿》卷二十三，頁三九五。
註　九七　《詩稿》卷十四，頁二三四。
註　九八　《詩稿》卷三十二，頁五〇六。
註　九九　《詩稿》卷十八，頁三一二。
註一〇〇　《詩稿》卷五十二，頁七五九。
註一〇一　《詩稿》卷十，頁一七一。
註一〇二　《詩稿》卷十五，頁二六四。
註一〇三　《詩稿》卷十二〈夢仙〉（夢朝謁大官殿，仰視去天甚近，星皆大如月，氣候清寒如十月間，時庚子六月一日也），頁二〇六。
註一〇四　《詩稿》卷三十四，頁五三一。
註一〇五　《詩稿》卷三十七（頁五七四）、卷二十七（頁四四六）。
註一〇六　《詩稿》卷五十九，頁八三六。
註一〇七　《詩稿》卷四十一，二首，頁六二六。
註一〇八　《詩稿》卷三〈鼓樓舖醉歌〉，頁四二。

註一〇九　《詩稿》卷三〈鼓樓舖醉歌〉，頁四二。
註一一〇　《詩稿》卷三十八，二首，頁五九一。
註一一一　《詩稿》卷六十五〈十二月二日夜夢遊沈氏園亭〉二首之一，頁九一三。
註一一二　《詩稿》卷三十六，頁五五六。
註一一三　《詩稿》卷三十〈六月二十六日夜夢赴季長招飲〉，頁四七五。
註一一四　《詩稿》卷五十二，頁七五一。
註一一五　《詩稿》卷十七〈十月四日夜記夢〉，頁二八八。
註一一六　《詩稿》卷五十二（頁七五二）、卷五十三（頁七六四）。
註一一七　《詩稿》卷十一，頁一八七。
註一一八　《詩稿》卷二十二（頁三七六）、卷七十（頁九七〇）。
註一一九　《詩稿》卷三十六，頁五五二。
註一二〇　《詩稿》卷十九，頁三三一。
註一二一　《詩稿》卷十九，頁三三五。
註一二二　《古今圖書集成》卷一四五〈曆象彙編・庶徵典〉收錄自沈約至錢謙貞等四十四人的五十八首夢詩，而多至一百五十七首的陸游的夢詩，竟一首也沒被選錄。茲舉二首以供參考，沈約〈夢見美人〉云：「夜聞長歎息，知君心有憶。果自閶闔開，魂交覩顏色。既薦巫山枕，又奉齊眉食。

立望復橫陳，忽覺非在側。那知神傷者，潺湲淚沾臆。」頁一四六八；朱熹〈夢山中故人〉云：「風雨蕭蕭已送愁，不堪懷抱更離憂。故人只在千岩裡，桂樹無端一夜動。把袖追歡勞夢寐，舉杯相屬暫相繆。覺來卻是天涯客，簷響潺潺瀉未休。」頁一四六九。

第七節　遠隔世界

陸游一生以執著堅忍的態度去追求崇高的理想，但是在現實上屢次遭到乖離的挫折，時常以悲涼的語調慨嘆不遇。黃永武先生分析李商隱詩，指出李商隱追求理想，在現實上嚐到失敗與絕望時，常表現處於遠隔時空裡的自己，說這種「遠隔孤獨的流離心態，是李商隱詩中的基本情調。」（註一）更進一步指出：

這「日暮」與「路遠」的象徵，從先秦屈原寫離騷，已成爲中國詩中一種象徵的「原型」。（註二）

確實，中國文學史上所見的不少文人騷客，自感懷才不遇時，作品中往往表現日暮途遠與自己和現實乖離的悲慨。我們通讀陸游詩，也可以發現這種原型。詩的內容雖如上文所分析那樣多彩多樣，但全部作品中所貫串的是遠隔世界裡的心態。他所遠隔的，是他的理想，是政治中心京師，也是不可返去的過去，還有一部份親友、愛情。陸游對此遠隔，時常在詩中流露沈痛的感喟，如：

殘年作客遍天涯，下馬長亭便似家。（註三）

樓鼓聲中日又斜，憑高愈覺在天涯。（註四）

客路半生常淚眼，鄉關萬里更危臺。（註五）

久客天涯憶故園，疆名宦寺只衡門。（註六）

此嘆流落天涯。

京華歸未得，聊此送流年。（註七）

七千里外新閑客，十五年前舊史官。（註八）

此嘆遠隔京師。

丈夫有志苦難成，修名未立華髮生。（註九）

功名墮甑誰能問，羞作飢鷹夜掣韝。（註一〇）

此嘆壯志難酬。

舊交幾歲音塵隔，三撫闌干有所思。（註一一）

盧家蕭條頻霣涕，交朋零落久離群。（註一二）

此嘆遠隔知音。

喚回四十三年夢，燈暗無人說斷腸。（註一三）

夢斷香消四十年，沈園柳老不吹綿。（註一四）

此嘆遠隔愛情。—無一不表現處在遠隔時空裡的痛苦。

造成此遠隔是由於自己與現實不調和的結果，陸游對此常表慨嘆。但儘管如此，他始終不肯放棄自己的理想與立場，不肯屈己合俗。因此，他愈感愈隔，愈嘆乖離。

處在這種情況之下，他既不肯隨意流俗，則在另外世界中求安慰、調劑心理創痛。或藉「閉門」的象徵，在田園生活中尋求安慰；或取樂於天倫關係中；或於老莊佛教，以及神仙世界中尋求暫時的超脫；或尋求安慰於山水自然之中；或藉夢境安慰心理創痛，求得報償；或藉讀書在古人中尋找知音（註一五）。就如此，他遍及現實世界、自然界、方外世界，以及超現實世界，尋求安慰，主要的內容，已見於上文中。在這一節，我們探討他處在遠隔世界，面對現實，所採取的處世態度。有了對此的認識，我們才能對陸游的文學世界，有深一層的了解。

我們縱覽陸游詩，可以發現陸游執意固守「癡頑」與「狂」兩種處世方式。他四處奔波，眼看沒有希望達成自己的理想，內心就不免興起矛盾與挫折感：「起坐不能寐，愁腸如轉車」，但還是說：「四方丈夫事，行矣勿咨嗟」（註一六），來安慰自己。他在現實中雖然一再遭到挫折，但並不因此就頹喪絕望，還求能如石頭般堅強：「厭煩只欲長面壁，此心安得頑如石」（註一七）。〈山頭石〉詩就表現這樣的願望：

秋風萬木霣，春雨百草生。造物初何心，時至自枯榮。惟有山頭石，歲月浩莫測。不知四時運，常帶太古色。

老翁一生居此山，腳力欲盡猶躋攀。時時撫石三歎息，安得此身如爾頑。（註一八）

詩中可見「他有山登山，有河渡河的積極向前的精神」，「希望自己也能像石頭那樣，頑固地抗拒歲月的推移以至於永恆」（註一九），屹立於時間拘束之外的強烈意識。他不僅如此希望，還施之於現實生活，我們從詩中處處可見以「癡頑」面對現實，以此堅持自己的表現，如〈閑中偶題〉說：「癡頑直為多更事，莫怪胸懷抵死寬」（註二〇），〈大雨〉說：「老子獨癡頑，長歌對醇酎」（註二一），或用「頑鈍」、「憨癡」、「頑」等字以表示（註二二），如：「平生萬事付憨癡，兀兀騰騰到死時」（註二三）、「更事老翁頑到底，每言宜睡好燒香。」（註二四）他遂以「癡頑」二字作為座右銘，〈雜感〉說：「古言忍字似而非，獨有癡頑二字奇。此是龜堂安樂法，大書銘座更何疑。」（註二五）他說「低頭就世吾所諱」（註二六），近於孔子所云「狷者有所不為」（《論語．子路》篇），但「癡頑」不同於只忍而默守，還積極追求「安樂」，則莫不要有賴於「狂」。

《論語．微子》篇中有一段記載，說：「楚狂接輿歌而過孔子曰：鳳兮鳳兮，何德之衰，往者不可諫，來者猶可追，已而已而，今之從政者殆而。孔子下，欲與之言，趨而辟之，不得與之言。」從這個故事，可知接輿的狂是士人眼見目前的政治社會狀況，而所採取的一種處世態度，稱他為「佯狂」，則持有濃厚的韜晦意識。我們看《史記》對箕子的記述，也可見類似行動模式，說：「箕子，紂親戚也。……紂為淫泆，箕子諫，不聽。人或曰：可以去矣。箕子曰：為人臣諫不聽而去，是彰君之惡而自說於民，吾不忍為也。乃被髮，詳狂而奴。遂隱而鼓瑟以自悲。」（註二七）此後，「狂」、「佯狂」，或者「楚狂」、「接輿狂」成為一種象徵，見於後代衆多詩人騷客之詩文中。他們藉此等字眼，或寫自己的理想與現實乖離的不平、矛盾心理與不遇身世；或藉此表示自己處在此狀況中的行為表現。或安慰自己的不遇，或拒絕隨波從俗。例如李白、杜甫、白居易，以及蘇軾等人，雖各人的程度有所不同，但他們都把嘆己與外界不協調的心理與因此所取的行動，託之於「狂」而表現了上述諸端內容（註二八）。這樣的寫作意識或表現在行動的意識，我們可取名為「狂意識」。

通觀陸游詩，自初期詩到晚年詩，集中處處見「狂」字，詩中用此字的，共有三百十一首，約佔百分之三的比例。或以狂者自居，或用「狂」字表現自己的行動。詩中用「狂」字，是已如上文所簡述，廣泛地見於衆多詩人的作品中的普遍現象，不能斷定是陸游詩獨有。但單舉其數量之大，以及明白表示以「狂」做處世態度之意，卻不多見（註二九）。不僅如此，陸游詩中的「狂」與其遠隔心態有很大的關係，更是不能忽略其存在。故下文將對此有所論述。

陸游初期詩中已有用「狂」字的表現，如：「老子舞時不須拍，梅花亂插烏巾香。尊前作劇莫相笑，我死諸君思此狂」（註三〇）、「君聞拊手笑，怪我狂未瘳」（註三一），但狂意識還未明顯。至乾道二年（一一六六）被免隆興通判職回鄉，漸見身世之感，〈自笑〉中說：「自笑平生醉後狂，千鍾使氣少年場。那知病葉先摧落，卻羨寒龜巧縮藏」（註三二），〈鷓鴣天〉則說：「插腳紅塵已是顛，更求平地上青天。」（註三三）但後來入蜀，尤其至成都，始有明顯的轉變，詩中直接用「陽狂」字以更明白表現自己的行為，以「楚狂」自稱。晚年他有詩說：

我年甫三十，出身事明主。狂愚斥不用，晚辟征西府。
蹭蹬過錦城，邂逅客嚴武。十年醉郫筒，陽狂頗自許。（註三四）

看此詩，可知其間消息。陸游以「狂愚」被免隆興通判後，報國無路的悲嘆已不時流露於作品中，而在南鄭嚐到北伐的期待落空的挫折，更感到無比的痛苦。至成都以後，雖轉輾成都、嘉州、蜀州、榮州等地，仍是「冷官無一事」（註三五），只好以飲酒、賦詩、賞花、遊寺來解悶。雖說：「斟酌人生要行樂，燈前起舞落烏紗」（註三六），但同時發出「豈其馬上破賊手，哦詩長作寒螿鳴」（註三七）的慨嘆。這樣的處境中，就產生了寓悲憤於行樂生活，以此消愁的「陽狂」。他說：「人生行樂從來事，此理何須更細推」（註三八），因而「每求寬地寄吾狂」（註三九），就有「天公為我齒頰計，遣飫黃甘與丹荔；又憐狂眼老更狂，令看廣陵芍藥蜀海棠」（註四〇）、「狂夫無計奈狂何，何況登臨逸興多」（註四一）的生活。但他的本意豈在苟耽於此等遊樂中？自己也頗不滿：「頹然卻自嫌疏放」（註四二），只是「人生未死貴適意，萬里作客元非窮」（註四三），處在萬里遙隔的空間裡積極尋求適意而已，其實「浮沈不是忘經世」（註四四）。但是他的苦衷與行為，不為時人理解，世人反而譏誚為「燕飲頹放」，他就自號「放翁」。我們從〈樓上醉書〉中可看他這一時期的心情。

丈夫不虛生世間，本意滅虜救河山。豈知蹭蹬不稱意，八年梁益凋朱顏。
三更撫枕忽大叫，夢中奪得松亭關。中原機會嗟屢失，明日茵席留餘潸。
益州官樓酒如海，我來解旗論日買。酒酣博　爲歡娛，信手梟盧喝成采。

牛背爛爛電目光，狂殺自謂元非狂。故都九廟臣敢忘，祖宗神靈在帝旁。（註四五）

此詩說雖壯志未酬，只好以痛飲博簺度日，但仍不忘收復中原。從中他說：「狂殺自謂元非狂」，這是蘇東坡被新法黨排擠後所云「人皆笑其狂」、「我本不違世，而世與我殊」（〈送岑著作〉）之意。但他既說「牛背爛爛電目光」，仍堅守自尊。他自號「放翁」，雖出於憤激，也可以說他至此時已有隱然以此標榜他的處世態度之意，此後一生不棄此號。此「放」就是「狂意識」所追求的一種境界，含有一種傲岸自得、從乖離與苦悶的遠隔世界中求得超脫之意。〈遊萬里橋南劉氏小園〉說：「可憐隔岸人，車馬日夜忙。我歸門復掩，寂歷挂斜陽」（註四六），詩中有「隔岸人」與「我」、「車馬日夜忙」與「寂歷挂斜陽」的對比世界。詩人雖隔於一方，但既對對方表示鄙薄，說「可憐」，又說自己再回到關門的生活中，明白可見其「孤芳自賞」。但既說寂寞，又求解悶。〈過筰橋道中龍祠小留〉中就是說：「安得身為雙白鷺，飛上灘頭卻飛去」（註四七），表露脫離閉鎖世界飛翔而去的願望。〈久雨小飲〉表現的也是追求「擴大空間」的心理：「未除豪氣每自笑，欲吐狂言無與同。安得并刀剪簷溜，憑高萬里望晴空。」（註四八）末二句，表現得很深刻。

陸游既在現實中不得志，也不能放棄現實的情況之下，遂以「狂」作為他處世的方式。〈狂吟〉中說：

浮世何須宇宙名，一狂自足了平生。秋風湘浦紉蘭佩，夜月緱山聽玉笙。（註四九）

詩一開始就表明了他在蜀中生活中所悟的心得：「一狂自足了平生」。後二句具體地說其內涵。上句指「陽狂羞與俗人同」（註五〇）的氣節，下句則「曠然獨與造物遊」（註五一）之意。陸游有此體認後，更以此調劑心中的苦悶，以此追求和享受生活中的樂趣。自蜀東歸後，淳熙十年（一一八三）五十九歲時在山陰寫的〈狂歌〉，將這樣的意識的變貌與生活，表現無遺：

少年雖狂猶有限，遇酒時能傲憂患。即今狂處不待酒，混混長歌老巖澗。
拂衣即與世俗辭，掉頭不受朋友諫。挂帆直欲截煙海，策馬猶堪度雲棧。
枵然癡腹肯貯愁，天遣作盎盛藜莧。髮垂不櫛性所便，衣垢忘濯心已慣。
眼前故人死欲無，此生行矣風雨散。羞爲塵土伏轅駒，寧作江湖斷行雁。（註五二）

可見羞與世俗浮沈的精神與任眞自適的生活。淳熙十六年（一一八九），陸游再度被罷官，他對「嘲詠風月」的罪名，不甘屈服，把自己的小軒名為「風月軒」，表示對當權者的抗議，還毫不氣餒地表明狂意識，說：「世事熟看無一可」、「便用陽狂了此生。」（註五三）以後，他在故鄉山陰度晚年，還一再表明自己的狂意識的淵源在於楚狂接輿。〈草堂〉詩中說自己是接輿（陸通）的後裔：「浩歌陌上君無怪，世譜推原自楚狂」，自注說：「陸氏舊譜云：本出接輿後。」（註五四）他在幾首詩屢表效法接輿狂之意，如〈初夏喜事〉云：「箕穎元非爭奪場，瀟湘自古水雲鄉。采荃歌裡春光老，煮繭香中夏景長。斂版早知遊宦惡，署門晚悟世情長。茹芝卻粒雖無術，散髮猶當效楚狂。」（註五五）又如〈山居〉云：「平生絶愛山居樂，老去初心亦漸償。直道本知天可恃，曠懷眞與世相忘。徑穿脩竹衣巾爽，盤設靈苗匕著香。但恨相逢無魯叟，浩歌小試接輿狂。」（註五六）〈偶作夜雨詩明日讀而自笑別賦一首〉則直接以接輿狂稱自己：「東家卻笑接輿狂」（註五七）。實則早在蜀中時已有自稱楚狂之例，〈廣都道中呈季長〉中說：「天上石渠郎，能來伴楚狂。」（註五八）但更深切享受生活的樂趣，還是晚年閑居時期，上引「散髮猶當效楚狂」的〈初夏喜事〉詩是八十四歲時所作的，從此可見他晚年逝世之前還懷有狂意識，以及他所嚮往的生活境界。對晚年的田園生活，已在上文（第二節田園）討論，再舉幾個例子來見其生活的樂趣：

浩歌野渡驚雲起，狂舞空庭挽月留。（註五九）

小市狂歌醉墮冠，南山山色跨牛看。（註六〇）

兒童共道先生醉，折得黃花插滿頭。（註六一）

一嬾便知生世了，午窗酣枕敵千金。（註六二）

花前自笑童心在，更伴群兒竹馬嬉。（註六三）

無論是狂舞狂歌，或者是豪飲簪花、疏嬾嗜睡、陪伴群兒玩嬉等，都是任眞自適的境界。

綜而言之，陸游雖一再遭到挫敗，但不至於灰心絕望、自暴自棄，而仍再站起來，積極面對現實，追求有意義的生活，是由於他始終堅持狂意識與癡頑精神，此二者實為了解陸游文學的關鍵之一。

接著論陸游詩中所見遠隔世界與心態的另一特色。陸游在〈寓歎〉詩先有句歎「已分功名非力致」，這並不是頹喪的表現，而是對現實發出極深的憤激與痛苦。然後他提出隨從俗人與自適的兩種人生態度，就說寧願擇後者：「端居漸覺從人嬾，熟睡偏於聽雨宜。」（註六四）「熟睡聽雨聲」，這原代表閑適自樂的生活境界，但另一面，還象徵陸游詩中某一特色。

我們打開陸游詩集，可以發現集中充斥著音響。無論人間世界或自然天籟，多彩多樣的音響都以不同的姿態出現在裡面。陸游的日常生活像是開始於聽音響，結束於聽音響（註六五）。他很愛聽音響，還很能欣賞其美感，如〈四月晦日小雨〉云：「蔌蔌奇聲渡野塘」（註六六），又如：「枕上雨聲如許奇」（註六七）、「日長處處鶯聲美」（註六八），用「奇」、「美」字表現其音響美感（註六九）。我們還從他情聲並寫的表現中，可體會到他的各種心聲，尤其不少詩在結構上往往最後一句寫聲以結束全篇（註七〇），給人篇終尚有餘韻的感覺，這也是我們可以初步指出的特色之一。

陸游常慨歎自己處於遠隔世界裡，不勝寂寞之餘，懷念及親友，就發出「所願聞足音」的心情。但總是只有發現「風雨斷官道，吾廬況幽深」（註七一），或者「豈是平生少親友，略無人肯訪孤村」（註七二）的現實而已。這時，來找他、安慰他的就是自然界的音響，〈閉戶〉詩寫他「屏居無一事，閉戶常經旬」時，就有「幽禽語撩人」（註七三）的高興，〈春日雜題〉則喜道：「好鳥何山來，向我飛復鳴。」（註七四）因此，集中處處見「聽」這個動作的表現。〈枕上聞風鈴〉說：

老人不辦搖團扇，靜聽風鈴意已涼。（註七五）

儘管「毒暑今年倍故常」，他不用做任何人為動作，只由聽風鈴聲，就已感到涼快。或聽水鳥聲，就像洗盡世俗之念：

臥聞水鳥聲，世念去如洗。（註七六）

〈松下縱筆〉則說不用鍊丹服食，只聽松風聲，就怳如成仙：

陶公妙訣吾曾受，但聽松風自得仙。（註七七）

聽雞鳴聲則自勉以修德：

善孳孳進德新，雞鳴每念舜何人。此身強健直須勉，一日會當無此身。（註七八）

自然界的音響有時在與權貴生活的對比之下給詩人以田園生活的樂趣：

酒肉朱門非我事，諸君小住聽松聲。（註七九）

〈春夜讀書感懷〉則寫詩人通過音響與鳥相諧契。

荒林梟獨嘯，野水鵝群鳴。我坐蓬窗下，答以讀書聲。（註八〇）

〈鳴禽〉詩給我們從另一方面進一步了解詩人為何如此喜歡聽音響之啟示：

小徑霜泥結凍時，幽人十日廢筇枝。新晴池館春來早，簾外鳴禽聖得知。（註八一）

《藝文類聚》引《風俗通》云：「聖者聲也，通也，言其聞聲知情，通於天地，條暢萬物也。」（註八二）據此，可知詩人處在「小徑霜泥結凍」、「十日廢筇枝」的遠隔時空裡時，使得他知道「簾外」的外在世界，就是音響。換言之，音響是助詩人跨越遠隔世界的媒介。〈枕上〉詩說：

枕上三更雨，天涯萬里遊。（註八三）

詩人由雨聲所觸發，他的思念就跨越「枕上」、「三更」的時空，飛到「萬里」「天涯」之外遊動。此地也許是驅逐金人的戰線，也許是達成理想之處。「萬里」是平日詩人與理想之間存在的距離。〈春雨〉詩則寫詩人由於聽春夜的雨聲，就想起過去二十餘年相隔而未得見的兒子：

擁被聽春雨，殘燈一點青。吾兒歸漸近，何處寄長亭。（註八四）

更多的詩寫照由於聽音響，而返回到他平日念念不忘的過去。〈聞蟬思南鄭〉云：

昔在南鄭時，送客褒谷口。金羈叱撥駒，玉盌蒲萄酒。醉歸涉漾水，鳴蟬在高柳。回鞭指秦中，所懼壯心負。人生豈易料，蹭蹬十年後。蟬聲悅如昔，而我已白首。逆胡亡形具，輿地淪陷久。豈無好少年，共取印如斗。（註八五）

此詩一開始就回憶到南鄭，寫一段往事，接著嘆自己不得志已衰老，最後寫金人已至必亡的地步，豈無有志之少年人共圖建功立業。詩寫詩人的過去與現在、南鄭與山陰此二時空裡的處境，聯繫這兩者，就是蟬聲。與此類似的尚有〈冬夜聞雁有感〉（註八六）、〈秋夜感舊十二韻〉（註八七）、〈枕上聞急雨〉（註八八）等，〈疏雨〉詩中，詩人由雨聲喚起三十年前的泉聲，流露今昔之慨（註八九）。音響在陸游詩，亦與夢有不少關係。陸游常常借夢跨越現實，在那裡實現現實中難以如願的一切。這個夢往往在聽音響中形成，如：

夜漏欲盡雞初鳴，夢到神仙信非妄。（註九〇）

甚至在夢的內容中還聽到音響，〈夢蜀〉云：

醉帽傾盡歌未闋，罰觥潋灩笑方譁。（註九一）

但這美好的夢偏偏常由音響覺醒，詩人不得不再回到現實，如〈乙丑夏秋之交小舟早夜往來湖中戲成絶句〉云：「菱唱一聲驚夢斷，始知身在釣魚船。」（註九二）詩人就不免嘆「因思世事悲身事，更聽風聲雜雨聲。」（註九三）

由上所論，我們可以知道音響對陸游的遠隔世界有很大的意味。陶淵明〈桃花源記〉裡的漁父，由發現桃花，經過洞窟，就進入桃花源——一個理想的世界。在陸游來說，是由於音響。通過音響，他與大自然之間有交感、和諧的關係，以此慰療內心創痛。「山泉瀉幽竇，塔鈴搖天風。清音無時盡，靜夜尤璁瓏。嗟我走紅塵，市聲聒欲聾，多生耳根業，賴此一洗空。」（註九四）他嘆息「紅塵」的「市聲」，欲賴自然的清音洗掉此「市聲」，無非反襯出他的苦悶。我們翻一翻陸游的詩集，常發現深夜睡不著覺的詩人，不寐之夜是黑暗的時間，象徵英雄的挫折，也象徵詩人的處境。深更靜夜，詩人心中不能平靜，浩歎不已，但他仍不失希望，等待「東窗日升」（註九五）、新的早晨來臨，「聽風聽雪待新春」（註九六）。〈卜算子〉（詠梅）一詞最能代表陸游一生的處境與此中的態度，茲析其內涵以結束本文。

驛外斷橋邊，寂寞開無主。已是黃昏獨自愁，更著風和雨。
無意苦爭春，一任群芳妬。零落成泥碾作塵，只有香如故。（註九七）

前片寫梅花的孤獨與寂寞，後片寫梅花的心意與勁節。寫梅，同時寫陸游自己。前片「驛外」、「寂寞」句中的驛和橋，本來都是衆多人頻繁來往的地方，而作品中的梅花則偏偏被斥在外面，没有人注意它，又說橋已斷，這些都指梅花處在遠隔的空間中。「已是」、「更著」句表現的是惡劣的環境。「黃昏」象徵白日即希望與期待的消失與崩壞。要對待如此的處境，所採取的方式，就是如在後片「無意」、「一任」句所見，把視線轉向自己，堅守自尊的孤高與末二句的堅忍、勁節。追求理想，雖遭現實的排斥，並不停留於哀傷嘆氣，仍然堅忍，執守勁節，積極追求，這就是陸游詩所呈現的生命世界。

【附　註】

註　一　見〈李商隱的遠隔心態〉，《中國詩學》（思想篇），頁八一。
註　二　見〈李商隱的遠隔心態〉，《中國詩學》（思想篇），頁八二。
註　三　《詩稿》卷三〈閬中作〉二首之一，頁四六。
註　四　《詩稿》卷六〈晚登橫溪閣〉二首之一，頁九九。
註　五　《詩稿》卷五〈秋色〉，頁八七。
註　六　《詩稿》卷五〈東園晚步〉，頁八六。
註　七　《詩稿》卷六〈曉過萬里橋〉，頁一〇七。
註　八　《詩稿》卷七〈閑中偶題〉二首之二，頁一一五。
註　九　《詩稿》卷六〈樓上醉歌〉，頁一〇二。

註一〇《詩稿》卷七〈三月十六日作〉，頁一一三。

註一一《詩稿》卷三〈望雲樓晚興〉，頁五七。

註一二《詩稿》卷五十九〈自閔〉，頁八四六。

註一三《詩稿》卷十九〈余年二十時嘗作菊花詩頗傳於人今秋偶復采菊縫枕囊悽然有感〉二首之一，頁三三二。

註一四《詩稿》卷三十八〈沈園〉二首之二，頁五九一。

註一五如卷二十一〈讀書〉云：「幸有古人同臭味」，頁三五九；卷二十一〈次韻和楊伯子主簿見贈〉云：「今人雖鄰有不覿，古人卻向書中見」，頁三六二；卷二十六〈晴甫一日復大風雨連日不止遣懷〉云：「得句已無前輩賞，開編時與古人遊」，頁四三五。

註一六《詩稿》卷三〈鼓樓舖醉歌〉，頁四二。

註一七《詩稿》卷三〈驛舍見故屏風畫海棠有感〉，頁五六。

註一八《詩稿》卷二十八，頁四五一。

註一九吉川幸次郎，《宋詩概說》（鄭清茂譯），頁二一〇。

註二〇《詩稿》卷七，二首之二，頁一一五。

註二一《詩稿》卷三十七，頁五六七。

註二二除本文中所引外，還有如卷三十六〈雜感〉十首之十云：「忍窮待死十年間，老子誰知老更頑」，頁五五八；卷三十八〈菴中晨起書觸目〉四首之一，云：「要識放翁頑鈍處，胸中七澤著猶寬」，頁五八四；卷八十四〈病中自遣〉三首之二云：「悠然一盃粥，頑鈍聊自保」，頁一一四一。

註二三　《詩稿》卷三十七〈自詠〉，頁五六五。

註二四　《詩稿》卷二十二〈春雨絕句〉六首之六，頁三七五。

註二五　《詩稿》卷五十五，四首之二，頁七九一。

註二六　《詩稿》卷三十八〈寒夜〉，頁五八七。

註二七　《史記》卷三十八〈宋微子世家〉，頁一六〇九。

註二八　如李白〈廬山謠寄盧侍御虛舟〉云：「我本楚狂人，鳳歌笑孔丘」；杜甫〈狂夫〉云：「欲塡溝壑惟疏放，自笑狂夫老更狂」；白居易〈贈諸少年〉云：「少年莫笑我蹉跎，聽我狂翁一曲歌」；蘇軾〈懷西湖寄晁美叔同年〉云：「嗟我本狂直，早為世所捐。獨專山水樂，付與寧非天。」宇野直人從《楚辭》到北宋初期的詩詞中抽出作品中用「狂」字例。見〈詩語「狂」柳耆卿詞〉。

註二九　陸游同時代的辛棄疾則詞中也喜用「狂」字，如〈賀新郎〉（甚矣吾衰矣）云：「不恨古人吾不見，恨古人、不見吾狂耳。」

註三〇　《詩稿》卷一〈看梅絕句〉五首之五，頁三。

註三一《詩稿》卷一〈送韓梓秀才十八韻〉，頁四。
註三二《詩稿》卷二，頁二一。
註三三《文集》卷四十九，頁三〇三。
註三四《詩稿》卷六十一〈雜感五首以不愛入州府為韻〉之五，頁八六二一。
註三五《詩稿》卷三〈登塔〉，頁五三。
註三六《詩稿》卷七〈小飲房園〉，頁一一〇。
註三七《詩稿》卷五〈長歌行〉，頁九二。
註三八《詩稿》卷七〈水亭偶題〉，頁一一八。
註三九《詩稿》卷七〈卜居〉二首之二，頁一一一。
註四〇《詩稿》卷七〈錦亭〉，頁一〇九。
註四一《詩稿》卷七〈登子城新樓遍至西園池亭〉，頁一一三。
註四二《詩稿》卷六〈午寢〉，頁一〇五。
註四三《詩稿》卷六〈醉中長歌〉，頁一〇五。
註四四《詩稿》卷七〈書歎〉，頁一一二。
註四五《詩稿》卷八，頁一二七。
註四六《詩稿》卷九，頁一五五。

註四七　《詩稿》卷九，頁一五五。
註四八　《詩稿》卷十四，頁二四二。
註四九　《詩稿》卷十二，頁二〇八。
註五〇　《詩稿》卷十七〈題齋壁〉四首之三，頁三〇七。
註五一　《詩稿》卷七〈夜登江樓〉，頁一一一。
註五二　《詩稿》卷十五，頁二六六。
註五三　《詩稿》卷二十一〈小院〉，頁三七〇。
註五四　《詩稿》卷六十一，頁八六一。
註五五　《詩稿》卷七十六，頁一〇四五。
註五六　《詩稿》卷八十二，頁一一一二。
註五七　《詩稿》卷四十六，頁六八五。
註五八　《詩稿》卷九，頁一五三。
註五九　《詩稿》卷十三〈醉題〉，頁二二一。
註六〇　《詩稿》卷二十四〈小市〉，頁四一〇。
註六一　《詩稿》卷三十三〈小舟遊近村捨舟步歸〉四首之三，頁五一七。
註六二　《詩稿》卷三十九〈書嬾〉，頁五九八。

註六三　《詩稿》卷四十八〈園中作〉二首之一，頁七〇九。

註六四　《詩稿》卷二十三，二首之一，頁三九三。

註六五　如卷二十三〈晨興〉云：「未旦雞三號，將旦鵝群鳴，湖陂地曠快，頗樂聞此聲。」頁三九五；卷三十四〈急雨〉云：「華胥一枕蘧然覺，卻聽蟬聲送夕陽。」頁五三二。

註六六　《詩稿》卷二十九，頁四七三。

註六七　《詩稿》卷二十七〈枕上聞急雨〉二首之一，頁四四六。

註六八　《詩稿》卷二十四〈戲詠村居〉二首之一，頁四〇六。

註六九　尤其喜歡用「奇」字，如卷二十一〈雪夜作〉云：「竹折有奇聲」，頁三六三；卷二十八〈夜歸舟中作〉云：「灘生更覺水聲奇」，頁四五四；卷三十〈時雨〉云：「庭木集奇聲。」頁四七四。

註七〇　如卷二十〈齋中聞急雨〉云：「一味疏慵養不才，飯蔬亦已罷銜盃。衡茆終日人聲絕，臥聽芭蕉報雨來。」，頁三五二；又如卷四十〈村飲〉四首之一云：「不來東舍即西家，野老逢迎一笑譁。試說暮年如意事，細傾村釀聽私蛙。」頁六〇九。

註七一　《詩稿》卷十五〈久雨道懷〉，頁二六〇。

註七二　《詩稿》卷十五〈秋思〉，頁二五八。

註七三　《詩稿》卷十五，頁二八八。

註七四　《詩稿》卷四十五，六首之二，頁六七一。
註七五　《詩稿》卷四十三，二首之一，頁六四九。
註七六　《詩稿》卷三十〈十月三日泛舟湖中作〉，頁四八五。
註七七　《詩稿》卷二十六，四首之三，頁四二五。
註七八　《詩稿》卷四十五〈聞雞鳴自警〉，頁六五九。
註七九　《詩稿》卷二十九〈西窗〉，頁四七一。
註八〇　《詩稿》卷十六，頁二七六。
註八一　《詩稿》卷四十四，頁六六四。
註八二　引自錢仲聯《劍南詩稿校注》（第五冊），頁二七四八。
註八三　《詩稿》卷九，頁一五一。
註八四　《詩稿》卷四十五，二首之一，頁六七〇。
註八五　《詩稿》卷十三，頁二二四。
註八六　《詩稿》卷十，頁一七〇。
註八七　《詩稿》卷二十七，頁四四三。
註八八　《詩稿》卷二十七，二首之一，頁四四六。
註八九　《詩稿》卷五十五。詩云：「檐間秋雨時一滴，絕似漢嘉方響泉。不聽此聲三十載，夢回搔首一悽然。」頁七八九。

註九〇《詩稿》卷三十二〈五月二十三夜記夢〉，頁五一〇。

註九一《詩稿》卷四十一，頁六二三。

註九二《詩稿》卷六十二，十二首之二，頁八七九。

註九三《詩稿》卷四十四〈風雨〉，頁六六三。

註九四《詩稿》卷四〈夜聞塔鈴及泉聲〉，頁七五。

註九五《詩稿》卷九〈夜意〉三首之二云：「心清知睡少，氣定覺神凝。但有一無媿，無妨百不能。燈昏如隔霧，研冷欲生冰。兀爾遺身世，東窗待日升。」頁一四五。

註九六《詩稿》卷四十一〈居室甚隘而藏書頗富率終日不出戶〉二首之一，頁六一七。

註九七《文集》卷四十九，頁三〇五。

第五章　陸游詩的寫作技巧

陸游詩的題材極為廣泛，對其主要內容已在前面分述，本章即探究他藉以表現上述內容的寫作技巧，一面見陸游詩歌在形式技巧上的造詣，一面期對陸游詩的內容與形式有綜合了解。本章的探討分為用字、句法、對仗、用典、對比、夸飾，以及比喻等七節。

第一節　用　字

詩是語言藝術，故本節先論陸游詩的語言特色，對其語言風格有基本了解。接著談的如「俗語」是陸游刻意嚐試者；「感慨語」是詩中常見者；「重字」是他好用者。茲對此分述如下。

一、平易自然

形成一位詩人的藝術風格的因素，是多方面的，如遣詞、造句、章法、聲律等，而其中語言風貌無疑是最主要的因素。例如李商隱喜歡用「很鮮麗濃厚的色彩與藻飾來塑造意象，結果就顯得艷光四射，華采奪目」（註一），形成了華美的風格。陸游詩的語言特色，可以「平易自然」四字來概括。因為其詩語平易，故不險怪；因為明暢，故不艱澀；因為自然，故無詰屈聱牙。前人對此特色已注意，有云：「出語自然老潔」（註二）、「明白如話」（註三）。同時還指出這是精鍊的產物，並非率意脫口而成的：「讀放翁詩，須深思其煉字煉句，猛力爐錘之妙，方得眞面目，若以淺易求之，不啻去而萬里。」（註四）陸游自己也已說過「細改新詩須枕上」（註五），未嘗不鍛煉推敲。

陸游詩大致以「平易自然」為基本特色，古體詩如此，近體詩亦如此，早期詩中已見此特色，至晚年詩更是觸目皆是。題材上而言，也無所分別，大致如此。例如寫報國志願與壯志難酬之慨，〈觀大散關圖有感〉云：

上馬擊狂胡，下馬草軍書。二十抱此志，五十猶癯儒。大散陳倉間，山川鬱盤紆。
勁氣鍾義士，可與共壯圖。坡陀拖陽城，秦漢之故都。王氣浮夕靄，宮室生春蕪。
安得從王師，汛掃迎皇輿。黃河與函谷，四海通舟車。士馬發燕趙，布帛來青徐。
先當營七廟，次第畫九衢。偏師縛可汗，傾都觀受俘。上壽太安宮，復如正觀初。
丈夫畢此願，死與螻蟻殊。志大浩無期，醉膽空滿軀。（註六）

大散關是當時宋與金劃界相峙的邊界，詩人偶看此地地圖，就引起萬千感慨。一開始就露出壯志未酬的悲慨，接著轉入正題，看圖激起報國壯志。先寫大散關附近的地勢與忠義人士，由此再聯想到故都，緊接設問：「安得從王師，汛掃迎皇輿」，抒收復故地的願望。以下馳騁想像，以豪快的語調描述中原收復。最後四句，詩人從想像回到現實，以沈痛的筆調歎「志大浩無期」。全詩語言平易暢達，沒有險怪之語，也沒有艱澀之處。陸游詩大多直抒臆臆，尤其是憂國詩，未假文字雕飾，眞情已流露，《唐宋詩醇》評此詩云：「忠憤蟠鬱，自然形見，無意於工而自工」（註七），頗能道出這樣的特色。又如〈病起書懷〉云：

> 病骨支離紗帽寬，孤臣萬里客江干。位卑未敢忘憂國，事定猶須待闔棺。
> 天地神靈扶廟社，京華父老望和鑾。出師一表通今古，夜半挑燈更細看。（註八）

此詩說雖遠離政治中心臨安，被人免官，但自信是非自有公論，仍關懷宗廟社稷與北方遺民，「更細看」三字更是深刻地表現詩人沉重的感慨。

他的議論詩同樣呈現平易自然的特色。如〈冬夜讀書示子聿〉云：

> 古人學問無餘力，少壯工夫老始成。紙上得來終覺淺，絕知此事要躬行。（註九）

以平易的文字明快地指出勤勉讀書、還應付諸實踐的道理，劉熙載所云「淺中有深，平中有奇，故足令人咀味」（註一〇），應是指這類詩的特色。此外，如〈泛瑞安江風濤貼然〉則用流暢的語言描繪美景，景中抒情：

> 俯仰兩青空，舟行明鏡中。蓬萊定不遠，正要一颿風。（註一一）

上面在第三章論陸游的詩論，曾指出他主張「自然論」，誠如從上引諸詩中可見，沒有雕琢之病與奇險之跡，從此可知他忠實地實踐了自己的主張。他還基於「自然論」，批判江西詩派：「琢琱自是文章病，奇險尤傷氣骨多。」（註一二）由此可知，「平易自然」就是陸游詩與江西詩派不同的語言風格特色。

二、俗語

民國以前評陸游其人其詩的許多人中，最能作比較全盤性的分析且提出精闢的見解者，當推趙翼，但他對陸游詩中俗語的表現，甚不以為然，直斥為「下劣詩魔」（下見）。但我們平心地說，俗語雖然不是陸游詩主要特色之一，卻也不能一筆就抹殺其存在。而且他也沒有顧到陸游運用俗語的眞正的特色與意義，這幾點就是本小節中辨論者。趙翼在《甌北詩話》論陸游與楊萬里的不同，云：

放翁與楊誠齋同以詩名。誠齋專以俚言俗語，闌入詩中，以爲新奇；放翁則一切掃除，不肯其窠臼，蓋自少學詩，即趨向大方家，不屑屑以纖佻自貶也。然間亦有一二語似誠齋者，如〈晚步〉云：「寓跡個中誰耐久，問君底事不歸休。」〈飢坐〉云：「落筆未妨詩袞袞，閉門猶喜氣揚揚。」〈老學菴〉云：「名譽不如心自肯。」〈醉中走筆〉云：「過得一日過一日，人間萬事不須謀。」〈自詠〉云：「作個生涯君勿笑。」〈新作籬門〉云：「雖設常關果是麼。」〈自詒〉云：「愈老愈知生有涯，此時一念不容差。」〈遣興〉云：「關上衡門那得愁。」此等詩

派，南宋時盛行，在放翁則爲下劣詩魔矣。（卷六）

觀此則可知趙翼不大欣賞俚言俗語，在清代，除他之外還不少人貶斥楊萬里詩為「俚俗過甚」、「粗梗油滑，滿紙邨氣」等。（註一三）但是宋人羅大經卻持與清人不同的欣賞態度，《鶴林玉露》（卷三）云：「余觀杜陵詩亦有全篇用常俗語者，然不害其為超妙」，「楊誠齋多效此體，亦自痛快可喜。」各人的審美觀點不一樣，而宋人詩話多肯定適度使用俚諺、俗語（註一四），以之入詩者亦不乏其例，北宋則有歐陽修、蘇軾、黃庭堅、陳師道等人。再就陸游詩而言，本已明白曉暢的語言愈至晚年更呈現接近口語的特色，上面趙翼所引的諸例，雖用俚言俗語入詩，反能見陸游晚居故鄉閑適生活時的某種思想與感情。又如〈山村經行因施藥〉一詩則通過作品中村民的話，親切地表現出陸游與村民之間的親密關係與村民感恩之情：「驢肩每帶藥囊行，村巷歡欣夾道迎。共說向來曾活我，生兒多以陸為名。」（註一五）因此，若以「下劣詩魔」一語遽下論斷，恐怕不是很公允的說法。

其實，趙翼就陸、楊作比較，本來應該舉出陸游使用俗語的另一種特色，即好用地方方言以見不同，而他卻忽略了。上文中所引的是「似誠齋者」，而這一點是楊萬里詩中所無者。（註一六）因為趙翼所論不夠周延，下面先作大體上的概觀，接著論俗語運用的技巧與意義。

陸游詩中的俗語就語法性質而言，大致可分三類，第一類是於動詞加上「不得」、「未得」、「不開」、「不住」等二字者。如「一枕淒涼眠不得」（註一七）、「百萬愁魔降未得」（註一八）、「逆旅門前撥不開」（註一九）、「年華偃蹇留不住」（註二〇）等。第二類是副詞、疑問辭等名詞以外的諸語詞，如：「身與浮名若個親」（註二一）中「若個」是哪個的意思；「小甑吳粳底樣香」（註二二）中「底樣」猶言這樣；「生怕尊前唱渭城」（註二三）中「生怕」即甚怕之意；「窮日文書有底忙」（註二四）中「有底」猶言有如許；「個是人間耐久朋」（註二五）中「個」猶言這，還有「端的」、「底處」、「眞個」等等。

第三類是名詞，這一類從詩人接觸的來源上大致可分二類：一是取之於前人詩文中者，另一類是詩人在生活經歷中可能直接間接地接觸聽聞者。但其中也許有兼屬兩類，或很難明白分別者，但其數決不會多，也不礙於本文之論述。首先關於前者舉若干例子：

急呼五百具畚鍤。（註二六）

《後漢書》卷七八〈曹節傳〉中有「越騎營五百」句，注引韋昭〈辨釋名〉：「五百字本為伍。伍，當也；伯，道也；使之導引當道陌中以驅除也」，曰：「案今俗呼行杖人為五百也。」此則用漢代俗語者。

一盤籠餅是豌巢。（註二七）

對「籠餅」，詩人自注云：「唐人正謂饅頭為籠餅」，則可知這是唐代俗語。〈春雨〉詩說：「稚子孤行八千里，喜聞炊熟可還家。」（註二八）詩人自注云：「家僮自行在來報，子布寒食前可到家。唐人以寒食前一日為炊熟。」看此注，始可知這也是用的唐代俗語。至於如「忘情付黑甜」與「欲騁銜蟬快」（註二九）中的「黑甜」與「銜蟬」，均為北宋時的俗語，各指睡覺與好貓。（註三〇）由以上所引，可知他對俗語關心之深。但這一類在數目上沒有下面所論者那麼大，也還不是本文所要討論的重點所在。

陸游在官或在鄉，都注意有關各地風物、風土的語言，用在詩中，被評為「殊有韻致」（註三一）者就是這一類詩。例如「鬼門關外逢人日，蹋磧千家萬家出」（註三二）句是任夔州通判時所作的，句中「蹋磧」指歲逢人日時的夔州風俗，王象之《輿地紀勝》云：「歲在人日，郡守宴於溪濱，人從守出於遊，簪花歌舞，團聚而飲，日暮乃歸，謂之踏磧。」陸游詩中的地方語言，可分為二類，一是在外地任官時所接觸的，另一是故鄉山陰語，數量上後者佔大多數。這些地方語言在內容性質上涉及的範圍相當廣泛，下面就各方面，各舉一例以見之。關於風俗，〈歲首書事〉云：「中夕祭餘分餺飥」（註三三），詩人自注云：「鄉俗以夜分畢祭享，長幼共飯其餘，又歲日必用湯餅，謂之冬餛飩、年餺飥」；關於人事，〈初晴〉詩自注云：「莊戶以雞魚之屬來餉，謂之送羹」（註三四）；關於飲食，則有云：「吳人謂飯不炊者為轑飯」（註三五）；「江南謂百舌為春鳥」（註三六）；「蜀人豢豬供祭，謂之歲豬」（註三七）；小梨稱為梨頭（註三八）；東方虹出而雨止，謂之隔雨（註三九），等等。

陸游詩中的地方口語，不分古體、近體，各詩體中均見之，而最多見者則七言律詩。接著，我們看陸游驅使地方民間口語之方式：大體上可分為二，一類是不改原語而直用者。如〈秋日郊居〉云：「兒童冬學鬧比鄰，據案愚儒卻自珍。授罷村書閉門睡，終年不著面看人。」（註四〇）詩中「冬學」、「村書」就是俗語，詩人自注云：「農家十月乃遣子入學，謂之冬學，所讀雜字、百家姓之類，謂之村書。」又如〈賽神〉云：「荒園抛鬼飯，高杌置神鵝。」（註四一）附注云：「村人謂祭神之牲曰神豬、神鵝。」以上是直用俗語者。另一類是經過加工、變貌的，〈秋興〉云：「屋村況值雨騎月，路惡更堪風打頭」（註四二），據詩人自注，「俗謂二十四五間雨為騎月雨，主霖霪不止。」「騎月雨」雖是民間口語，語言本身給人的卻是很美的感覺，詩人在上引詩中再把語順更改為「雨騎月」，就變成更新穎的表現。又如〈初春欲散步畏寒而歸〉云：「春困苦多無處賣，客魂欲斷倩誰招」（註四三），山陰有立春日未明，相呼「賣春困」的風俗（註四四），此詩用此語對「招客魂」，抒欲「賣春困」而不得的鬱悶之情；而〈乙丑元日〉詩則說「惟思買春困，熟睡過花時」（註四五），將「賣春困」改為「買春困」，表現「老憊思睡」的心理，讓人覺得更有妙趣。陸游以地方方言入詩的特色與技巧，尤見於以地方語言構成對偶。他使用的方法有兩種：一種是以自己的語配合地方語言來形成對偶者，如〈過野人家有感〉所云「隔籬犬吠窺人過，滿箔蠶飢待葉歸」（註四六），就是屬於這一類。下句中的「葉」是吳語，詩人自注云：「吳人直謂桑曰葉。」另一種方法是不同地方的兩種語言用在一聯之中以形成對偶者。如〈鄰曲〉云：「拭盤堆連展，洗鬴煮黎祁」（註四七），對「連展」自注云：「淮人以名麥餌」，又對「黎祁」云：「蜀人以名豆腐。」這是以江蘇方言對四川方言者，頗見工妙。陸游素以工於對仗著稱（詳見下文「對仗」節），於俗語運用上，亦見其特色。

由上引諸詩，我們可知陸游用俗語，並不是出於一時之好奇，單純地羅列於詩裡，而大致與文情相稱，且加以鍛鍊，除了上引〈鄰曲〉詩，稍見詩人求工之意外，無論是散行句，或是要求嚴格格律的對偶句中，大體上講，都不致給人堆砌之感。如〈秋晚雜興〉云：「聊將橫浦紅絲磑，自作蒙山紫筍茶」（註四八），上下句一氣流注的節奏中，只覺流暢，殆不覺用俗語，其實「作茶」就是山陰地方的俗語，詩人云：「鄉老舊謂碾磨茶為作茶。」儘管如此，我們還是感覺自然。

每位詩人都不斷追求嶄新的語言，以免落入前人的窠臼，陸游也是如此，周密評陸詩說：「放翁詩多用新語」（註四九），就指出陸游對詩語求創新的特色。陸游中年詩中已見用俗語的例子（如上見「蹋磧」），至晚年居住故鄉，更加注意地方民間口語。他在〈即事〉詩中曾自道：「還鄉吳語熟」（註五〇），他就將熟諳的吳語與曾經接觸過的各地民間口語，與前人遺下來的詩語遺產溶化在一起，使自己的創作語言更加豐富。他把俗語嚐試於各類內容中，如抒懷、寫景、敘事、議論等。上面三類已見於上文所引詩，再就最後一類，舉例，如〈示子遹〉詩，論詩云：「詩為六藝一，豈用資狡獪。」（註五一）附注云：「晉人謂戲為狡獪，今閩語尚爾。」以方言俚語，點化入詩，一方面可得存眞、傳神，另一方面可博得表現的擴大。

宋代詩人中大量地運用俗語的人，一般推楊萬里。但他用的還是以前人用者為限。（註五二）兩相比照，陸游用俗語，在全集中分量還不多，不至「俚俗過甚」的地步。但他沒像楊萬里般只求前人曾用過的，這一點就是論陸游詩的俗語時，可重視的特色。

三、感慨語

我們一翻開《劍南詩稿》，就容易發現處處顯露著濃烈的感傷。此感傷是陸游詩的一大本色，大致有賴於使用感慨憂傷的語彙，不僅在詩題中可見「歎」、「悲」、「淒然」、「悵然」、「愴然」、「憂」、「憤」等字眼（註五三），在詩句中用感慨傷感語的例子，比詩題更多。下面且舉數例以見其一斑。

㈠用「涕」字者：

小儒惟有涕縱橫。（註五四）

著鞭無日涕空橫。（註五五）

㈡用「淚」字者：

枕上屢揮憂國淚。（註五六）

北望中原淚滿巾。（註五七）

㈢用「悲」字者：

許國漸疏悲壯志。（註五八）

湖山冷落悲陳跡。（註五九）

㈣用「愁」字者：

羈旅饒愁思。（註六〇）

㈤用「憂」字者：

憂時語自悲。（註六一）

晚歲憂讒劇履冰。（註六二）

㈥用「恨」字者：

滅胡恨無人。（註六三）

獨恨故人消息斷。（註六四）

㈦用「歎」字者：

浩歎閔黎元。（註六五）

㈧用「慷慨」一詞者：

橫戈慷慨欲忘身。（註六六）

㈨其他

撫事一悽愴。（註六七）

傷心故里雞豚集。（註六八）

初換秋衣獨慨然。（註六九）

臨風悵望獨長吟。（註七〇）

歎息衰翁自鮮歡。（註七一）

孤臣報國嗟無地。（註七二）

或感時撫事，或觸景傷情，或憂讒思友等感慨萬端。而陸游最痛感者就是國土淪喪與壯志難酬，甚至「憂患夢常悲」（註七三）。以感慨語表達憂憤之例遍布於全集中，因「中年困憂患」（註七四），中年詩中最常見；心境漸趨恬靜的晚年詩中，仍能時時見到。（註七五）陸游在詩論上提出「悲憤說」，說：「蓋人之情，悲憤積於中而無言，始發為詩」（註七六）、「娛悲舒憂」（註七七），自己的詩也就如此，「憂時語自悲」，集中亦處處見憤怒、悲痛、沉鬱、鬱悶、感歎等的感情表現。方回評陸詩為「悲壯」（註七八），洪亮吉則云「沈鬱」（註七九），都指出此特色。陸游詩的沉鬱悲壯風格，往往由於使用上面所見感慨語而形成。

四、重　字

作詩要求以精鍊的語言表現豐富的意義，本忌重言，但詩人或適度使用，則反以此見工，既能加強表現力，又可得連綿不盡的節奏美。陸游也深明此理，以多樣的形態運用重字，形成詩中一大特色。茲分類以論之。

陸游用重字，就其出現的部位與特色而論，大體上可分為三大類，即一句之內用者，二句中用者，用頂眞者等，這三者又各可分為二小類，實則共六類，陸游在詩中用重字的方式，大致不出於此分類之外。

用在一句之中者

此類按形成句中對與否，又可分為二類。先舉不然者：

吾愛吾廬喜氣微。（註八〇）

梅中最晚是緗梅。（註八一）

此生生計愈蕭然。（註八二）

攝衣上上頭。（註八三）

今年春半不知春。（註八四）

新醅引睡睡味濃。（註八五）

以上諸例，雖用在同句之中，方式各不一樣。再舉當句對者：

溪北溪南飛白鷗。（註八六）

社肉如林社酒濃。（註八七）

千年萬年朝漢家。（註八八）

桐葉吹殘蕉葉黃。（註八九）

日月苦長身苦閑。（註九〇）

出門東行復西行。（註九一）

變化多端，頗見其工巧。

此類又分形成重字對仗者與不然者。不取對偶形態者，如：

㈡用在二句之中者

今年病過春，得健春欲盡。（註九二）

鈍菴來問鈍何如，真箇能參鈍也無。（註九三）

賣花得錢送酒家，取酒盡時還賣花。（註九四）

或一字重出，或一字連用三次，或重用三字，皆隨文情的展開，呈露迴環頓挫之節奏感。至於重字對仗，這是陸游常用的對偶方式之一，詳見下文，此處只舉二例，如：

畏事如畏虎，避人如避寇。（註九五）

四月欲盡五月初，九十未及八十餘。（註九六）

重字對仗往往將當句對包含在裡面，此二例就是。第一例中，除當句對外，還有同字重出。

用頂真者

此類又可分為二，一類是二句一聯中上句的結尾與下句的開端用同字以相緊接者。如〈雪夜作〉云：

雪重從壓竹，竹折有奇聲。（註九七）

詩中用頂眞法，由上下銜接，一氣滾下，就產生遒勁的文勢，此詩上句言重雪壓竹，竹禁不起重壓，一至下句，就被折開，響個奇聲，這是善用頂眞者。還有，如：

　　三更畫船穿藕花，花爲四壁船爲家。（註九八）

則更見重字使用之工妙，上下句由「花」字緊接，是用頂眞者，上下句中又「船」字重出，下句則再重用「為」字，形成當句對。

另一類，是二聯中第二句末與第三句開端用同字者，有如：

　　故鄉不敢思，登高望錦城。錦城那得去，髣髴蠶頤路。（註九九）

　　坐書窮至老，更欲傳吾兒。吾兒復當傳，百世以爲期。（註一〇〇）

　　更堪都梁下，一雪三日泥。泥深尚云可，委身餓虎蹊。（註一〇一）

　　區區計生死，不如持一觴。一觴澆不平，萬事俱可忘。（註一〇二）

　　平生所懷正如此，拜賜盧皇稱放翁。放翁七十飲千鍾，耳目未廢頭未童。（註一〇三）

等，都善用頂眞。第二例，除以「吾兒」連接上下句外，再重出「傳」字，更加強連綿不絕的效果；最後一例，於第四句作當句對，更見其豪情。

由上面所論，可見陸游用重字，依情設言，變化多端。再觀上面諸例，陸游用重字，堪稱善用：藉聲音的反覆與意義的重疊，流暢的節奏中，增強詩趣，加深感情，加強語勢。

綜括本節所論，陸游詩的語言特色，可以平易自然概括；陸游運用俗語，求詩語創新，由身世遭遇，詩中常見感慨語；用重字，反能得其工。

【附註】

註一　張淑香《李商隱詩析論》，頁三一。
註二　趙翼《甌北詩話》卷六，頁三。
註三　劉熙載《藝概》卷二，頁三。
註四　陳訏《宋十五家詩選》〈劍南詩選題詞〉，見《陸游卷》，頁一八七。
註五　《詩稿》卷七十〈見事〉，頁九七〇。
註六　《詩稿》卷四，頁六七。
註七　卷四十二，頁八四四。
註八　《詩稿》卷七，二首之一，頁一一六。
註九　《詩稿》卷四十二，八首之三，頁六三一。
註一〇　同註三。
註一一　《詩稿》卷一，頁六。
註一二　《詩稿》卷七十八〈讀近人詩〉，頁一〇六九。
註一三　依次見於田雯《古歡堂集》〈鹿沙詩集序〉二；李慈銘〈越縵堂日記〉。《楊萬里范成大卷》，頁六六、九八。

註一四　例如張戒《歲寒堂詩話》（卷上）云：「世徒見子美詩多粗俗，不知粗俗語，在詩句中最難，非粗俗，乃高古之極也。」《歷代詩話續編》，頁四五〇。

註一五　《詩稿》卷六十五，五首之四，頁九一二。

註一六　楊萬里自道：「詩固有以俗為雅，然亦須經前輩取鎔，乃可因承爾，如李之『耐可』、杜之『遮莫』、唐人之『裡許』『若個』之類是也。」則可知他注意並使用的俗語，不是當時日常生活裡的民間口語。見《誠齋集》卷六十六〈答盧誼詁伯書〉，頁五四三。

註一七　《詩稿》卷八〈感秋〉，頁一三六。

註一八　《詩稿》卷十一〈對酒〉二首之一，頁一九五。

註一九　《詩稿》卷六十一〈自詠絶句〉八首之四，頁八六三。

註二〇　《詩稿》卷三十六〈雜題〉六首之五，頁五五〇。

註二一　《詩稿》卷八〈醉題〉，頁一二七。

註二二　《詩稿》卷四十九〈遣興〉二首之二，頁七二四。

註二三　《詩稿》卷九〈即席〉，頁一五八。

註二四　《詩稿》卷十一〈遊鳳凰山〉，頁一七七。

註二五　《詩稿》卷六十三〈遊近村〉二首之二，頁八九六。

註二六　《詩稿》卷六〈齋中夜坐有感〉，頁九九。

註二七　《詩稿》卷十三〈蔬園雜詠〉五首之四，頁二三四。

註二八　《詩稿》卷四十五，三首之二，頁六七〇。

註二九　《詩稿》卷十二〈初秋小疾效俳諧體〉，頁二〇九；卷三十八〈嘲畜貓〉，頁五七八。

註三〇　蘇軾〈發廣州〉云：「一枕黑甜餘。」自注云：「俗謂睡為黑甜。」黃庭堅〈乞貓〉云：「買魚穿柳聘銜蟬。」史容注云：「銜蟬，用俗語也。」

註三一　揆敘《隙光亭雜識》卷一，見《陸游卷》，頁一五七。

註三二　《詩稿》卷二〈蹋磧〉，頁三三。

註三三　《詩稿》卷三十八，二首之二，頁五八八。

註三四　《詩稿》卷四十四，頁六五七。

註三五　《詩稿》卷七十七〈雜感十首以野曠沙岸淨天高秋月明為韻〉之八，詩人自注，頁一〇六〇—一〇六一。

註三六　《詩稿》卷十二〈晝臥聞百舌〉，詩人自注，頁二〇一。

註三七　《詩稿》卷七十四〈歲未盡前數日偶題長句〉五首之二，詩人自注，頁一〇二四。

註三八　《詩稿》卷四十一〈東村〉二首之二，詩人自注，頁六二三。

註三九　《詩稿》卷四十六〈夜雨有感〉，詩人自注，頁六八五。

註四〇　《詩稿》卷二十五，八首之七，頁四一三。

註四一　《詩稿》卷四十八，頁七〇三。

註四二　《詩稿》卷八十三，四首之一，頁一一三二。

註四三　《詩稿》卷三十六，頁五五六。

註四四　《詩稿》卷三十八〈歲首書事〉二首之一，詩人自注，頁五八八。

註四五　《詩稿》卷六十一，頁八六〇。

註四六　《詩稿》卷七，頁一一五。

註四七　《詩稿》卷五十六，頁八〇三。

註四八　《詩稿》卷七十一，十二首之五，頁九九二。

註四九　周密《浩然齋雜談》卷中，見《四庫全書》本，頁八二。

註五〇　《詩稿》卷六十四，六首之六，頁九〇三。

註五一　《詩稿》卷七十八，頁一〇七六。

註五二　錢鍾書《宋詩選注》（頁一七八）：「（楊萬里對俗語常談）並不平等看待、廣泛吸收；他只肯挑選牌子老、來頭大的口語，晉唐以來詩人文人用過的——至少是正史、小說、禪宗語錄裡載著的——口語。」

註五三　詩題中用「歎」字者，有如卷五〈曉歎〉（頁七五）、〈對酒歎〉（頁八〇）、卷六十一〈春晚歎〉（頁八六七）、卷八十四〈寓歎〉（頁一一三八）等；用「悲」字者，有如卷八〈悲秋〉（

頁一三六）、卷六十八〈老歎〉（頁九四八）等；用「悽然」一詞者，有如卷二〈鄉中每以寒食立夏之間省墳客夔適逢此時淒然感懷〉（頁三三）等；用「悵然」一詞者，有如卷七〈病中久廢遊覽悵然有感〉（頁二九六）等；用「愴然」一詞者，有如卷七十八〈冬夜思里中多不濟者愴然有感〉（頁一〇八一）；用「憂」者，有如卷七十六〈書憂〉（頁一〇四八）；用「憤」字者，有「書憤」五首，頁卷十七（頁二九九）、卷十八（頁三一八）、卷二十七（頁四四四）、卷三十五（頁五四七）。

註五四　《詩稿》卷一〈新夏感事〉，頁四。

註五五　《詩稿》卷三〈嘉川鋪得檄遂行中夜次小柏〉，頁四七。

註五六　《詩稿》卷八〈送范舍人還朝〉，頁一三一。

註五七　《詩稿》卷二十〈北望〉，頁三五六。

註五八　《詩稿》卷二〈晚晴書事呈同舍〉，頁三三。

註五九　《詩稿》卷二十一〈馬上作〉，頁三五九。

註六〇　《詩稿》卷十九〈初春感懷〉，頁三四四。

註六一　《詩稿》卷二十一〈寓歎〉三首之三，頁三七二。

註六二　《詩稿》卷二十四〈次韻范參政書懷〉十首之十，頁四〇五。

註六三　《詩稿》卷二十〈秋夜有感〉，頁三四九。

註　六四　《詩稿》卷二十三〈初寒〉，頁三九三。
註　六五　《詩稿》卷二十三〈不寐〉，頁三九一。
註　六六　《詩稿》卷三十四〈感事〉四首之三，頁五三〇。
註　六七　《詩稿》卷二十二〈夜過魯墟〉，頁三七七。
註　六八　《詩稿》卷四〈社日〉，頁六三。
註　六九　《詩稿》卷五〈秋思〉三首之三，頁八六。
註　七〇　《詩稿》卷三十四〈寄子布〉，頁五二九。
註　七一　《詩稿》卷五十三〈春日絶句〉八首之二，頁七六六。
註　七二　《詩稿》卷七十七〈夏夜納涼〉，頁一〇五七。
註　七三　《詩稿》卷二十九〈遣興〉，頁四七二。
註　七四　《詩稿》卷五十四〈入秋遊山賦詩略無闕日戲作五字七首識之以野店山橋送馬蹄為韻〉之一，頁七七八。
註　七五　上引例中已不少晚年詩，此外，還有如卷三十七〈感秋〉，云：「噫嗚怒皆裂，憤激悲涕潸」（頁五四八）；卷五十九〈詩酒〉，云：「呼鷹五陵路，惆悵少年心」（頁八三九）等。
註　七六　《文集》卷十五〈澹齋居士詩序〉，頁八六。
註　七七　《文集》卷二十七〈跋吳夢予詩編〉，頁一六五。

註七八　方回《桐江集》卷一〈跋遂初尤先生尚書詩〉云：「放翁善為悲壯。」頁一九四。
註七九　洪亮吉《江北詩話》卷五云：「渭南則主沈鬱。」頁五。
註八〇　《詩稿》卷三十〈新暑書事〉，頁四七四。
註八一　《詩稿》卷二十二〈春雨絶句〉六首之五，頁三七四。
註八二　《詩稿》卷二十六〈題老學菴壁〉，頁四二六。
註八三　《詩稿》卷三〈登塔〉，頁五三。
註八四　《詩稿》卷二十二〈春雨絶句〉六首之四，頁三七五。
註八五　《詩稿》卷二十五〈冬夜〉，頁四二三。
註八六　《詩稿》卷十八〈園中絶句〉二首之二，頁三一七。
註八七　《詩稿》卷二十七〈春社〉四首之二，頁四三八。
註八八　《詩稿》卷十九〈塞上曲〉，頁三三四。
註八九　《詩稿》卷二十〈寓蓬萊館〉二首之一，頁三五三。
註九〇　《詩稿》卷三〈遊漢州西湖〉，頁五二。
註九一　《詩稿》卷七十二〈秋思〉十首之五，頁一〇〇三。
註九二　《詩稿》卷二十一〈春晚〉，頁三六〇。
註九三　《詩稿》卷二十四〈仰首座求鈍菴詩〉頁四〇八。

註九四《詩稿》卷二十三〈城南上原陳翁以賣花為業得錢悉供酒資又不能獨飲逢人輒強與共醉辛亥九月十二日偶過其門訪之敗屋一間妻子飢寒而此翁已大醉矣殆隱者也為賦一詩〉，頁三九一。

註九五《詩稿》卷八十〈夜坐戲作短歌〉，頁一〇九二。

註九六《詩稿》卷六十六〈四月二十八日作〉二首之一，頁九三三。

註九七《詩稿》卷二十一，頁三六三。

註九八《詩稿》卷五〈同何元立賞荷花追懷鏡湖舊遊〉，頁八〇。

註九九《詩稿》卷六〈醉中懷眉山舊遊〉，頁九八。

註一〇〇《詩稿》卷三十九〈村舍雜事〉十二首之十一，頁六〇一。

註一〇一《詩稿》卷三〈畏虎〉，頁四〇。

註一〇二《詩稿》卷二十八〈對酒〉，頁四五〇。

註一〇三《詩稿》卷二十一〈醉書秦望山石壁〉，頁三六六。

第二節　句法

句法是安排詩句的方法。句由字成，因此論句法有時乃考察一句之中字詞的安排；由句成聯，因此談句法有時也探討二句之間的關係與所呈現的效果。本節就陸游詩中常見的句法，析論如下：

一、散化句

散化句，顧名思義，是指近於散文的句子。一提起散化句，就容易聯想到韓愈的「以文為詩」，而這二者的關係果如何？「以文為詩」的主要內容大致指運用以下數端：例如，古文式的章法、散文的記敘法、散文常用的虛詞與句法、近於散行的句子等。若求極盡這些特色，古體詩比近體詩還適合，趙翼評韓愈云：「蓋才力雄厚，惟古詩足以恣其馳驟，一束於格式聲病，即難展其所長。」（註一）韓愈遂發揮「古文手筆」（註二），於早他已有的散文風的傳統之外自創一格，被譽為「唐詩之一大變」（註三）。因此，若忽略上述幾點，僅以句子成分接近散文，就視為「以文為詩」，則為謬誤。因為韓愈詩的特色決非僅在於此。

入宋，歐陽修學習韓愈，而揚棄其古奧面，務趨平易，之後，以散化句入詩，幾乎成為普遍傾向，我們在陸游古體詩中也處處可見其例。但因為古體詩本來就不受嚴格格律的限制，較容易形成散化句，故在這裡不舉整篇，只舉一些似散文句法的例子，如〈谿上雜言〉云：「谿上之丘，吾可以休；谿中之舟，吾可以遊。一裘雖弊，可度風雪虐；一簞雖薄，未有旦夕憂。媿於此心，鼎食其敢飽；負其所學，蟬冕增吾羞。」（註四）此詩用散化句，酣暢地表達了詩人對田園生活的肯定與不願屈己的志趣。還有如「甘食而美睡」（註五）、「今日之集何佳哉」（註六）、「飽則捨而起」（註七）、「

久矣歎吾衰」（註八）、「從此衰翁自行耳」（註九）、「以我垂老境，送此將歸春」（註一〇）、「朝鐘暮鼓在何許，乃是會稽山陰之蘭亭」（註一一）等。

散化句，在陸游的近體詩中也多有所見。他以此表現各種內容，如：

> 只道才高始不容，無才也墮駭機中。（註一二）
>
> 老翁終日飽還嬉，常拾兒童竹馬騎。（註一三）
>
> 老寄孤村裡，悠然臥曲肱。（註一四）
>
> 逢山皆可隱，不必上三峨。（註一五）

無論是歎世上的險惡，或寫生活樂趣，或抒悠然自適、曠達自得之胸懷，詩人的感情都在直陳的語氣中，自然地流露出來。此外，或寫景：「青山自繞孤城去，畫角常隨晚照來」（註一六）；或敘事：「忽遇湖邊隱君子，相攜一笑慰餘生」（註一七）；或詠史：「秦人燔六經，非與經為仇」（註一八）；或說理：「萬物各有時，蟋蟀以秋鳴」（註一九）。再引整篇以見其散化句之運用：

> 吾嘗評拄杖，妙處在輕堅。何日提攜汝，同登入峽船。（註二〇）
>
> 老人不復事農桑，點數雞豚亦未忘。洗腳上牀真一快，稚孫漸長解燒湯。（註二一）
>
> 秋夜挑燈讀楚辭，昔人句句不吾欺。更堪臨水登山處，正是浮家泛宅時。
> 巴酒不能消客恨，蜀巫空解報歸期。灞橋煙柳知何限，誰念行人寄一枝。（註二二）
>
> 人間奇草木，天必付名流。菊待陶元亮，竹須王子猷。

我爲西蜀客，辱與海棠遊。再見應無日，開圖特地愁。（註二三）

以上諸例，詩中均有不少散化句，尤其是第一、二例，全篇都是。律詩首尾兩聯，在詩律上沒有一定要作對偶的規定，因此在此二處，若不作對仗，較易形成散化句。這與所謂律詩中間二聯該對偶而不對偶的散句，儼然有別，不可混為一談。陸游詩因為其語言以平明自然為特色，不分古體、近體，多見散化句。如上所引諸詩，詩語自然，間寓流暢的旋律，陸游詩的平易流暢，在散化句中更顯現其特色。

二、頓挫句

所謂「頓挫句」，指由相互衝突的字眼或意思緊接在一起，詩意上產生頓挫的句子。與此類似的，有所謂「對照句」。在「使詩意產生強烈的起伏和頓挫的效果」（註二四）這一點上，頓挫句與對照句子這兩者的功能相似。但是對照句子是對偶句，「不止是字眼的對照，更是詩意的對照」（註二五）；而頓挫句則不一定要形成對偶，有時是單句。這是兩者不同的地方。例如「寸心集百憂」（註二六），「寸心」與「百憂」，在數字上呈現顯著的不均衡，用在一句之中，就深刻地表現詩人幾乎無法撐受深重憂愁的痛苦心境。再如「九月無衣亦晏如」（註二七）也由於句中衝突的意思緊接在一起，詩意大作轉折，表現詩人安貧自若的氣節。觀上引二例，頓挫句比一般平鋪直敘的句子更能表現複雜且深入的思想和感情，此外，一句中表現矛盾、衝突，或逆折的詩意者，還有如：

身困氣愈完。（註二八）

佳日病中過。（註二九）

鋤草春愈茂。（註三〇）

欲出還中止。（註三一）

微陰卻快晴。（註三二）

壯心雖在事多違。（註三三）

斗柄春回老不知。（註三四）

等，各句都在詩意上有轉折，出之以強烈的感慨。形成為二句者，有如〈醉歌〉云：

讀書三萬卷，仕宦皆束閣。學劍四十年，虜血未染鍔。（註三五）

「三萬卷」與「四十年」都強調詩人為了實現驅敵復國的理想，學文練武，一向下很大的工夫。但一至下句，竟化為無用。此詩藉上下句間的互相衝突和矛盾，強烈表現了壯志未酬的悲痛。又如〈草書歌〉云：

傾家釀酒三千石，閒愁萬斛酒不敵。（註三六）

「傾家釀酒」，其氣勢之豪，已足攝人；「三千石」的酒，其量之大，更是驚人，但是逢到下句「萬斛」「閑愁」，只不過是「小巫見大巫」，簡直束手無策，只歎無奈。陸游一生痛感壯志未能付之於實現，因而其悲憤之情往往藉頓挫句表現出來。有時，一篇詩一開始就使用頓挫句，悲涼的氣氛籠罩全篇，上引二例即是；有時將頓挫心重複使用，更加強調地表現身世之慨，前見〈醉歌〉就是，〈三江舟中大醉作〉的開端也是如此：

志欲富天下，一身常苦饑。氣可吞匈奴，束帶向小兒。（註三七）

此外，二句中表現者，還有如：

著書雖如山，身不一錢直。（註三八）

但有一睡耳，展轉無由成。（註三九）

等，或歎身世，或抒鬱悶，都表現得深刻有力，這就是頓挫句的效用。

三、排比句

「排比句」指連綴相似的句型以表達同一範圍同一性質的內容的一種句法。使用排比句，可使得文意更為浮現，或強化語氣。排比句本適於散文中使用，暢快淋漓地表達作者的某種主張或感情，而用在詩中，雖受篇幅的限制，仍可收到相似的效果。例如在杜甫的〈草堂〉詩就是好的例子，詩中云：「舊犬喜我歸，低徊入衣裙。鄰里喜我歸，沽酒攜葫蘆。大官喜我來，遣騎問所須。城郭喜我來，賓落隘村墟。」寫詩人重歸之喜，用排比句，更能加強地顯示其氣氛。陸游詩中也不少以排比句表現各種內容。如：

千錢買一舟，百錢買兩槳。朝看潮水落，暮看潮水長。（註四〇）

則連用排比句，寫暮年生活的樂趣。又如〈晚秋農家〉云：

東鄰稻上場，勞之以一壺。西鄰女受聘，賀之以一襦。誠知物寡薄，且用交里閭。努力畢農功，租賦勿後輸。（註四一）

連用排比句，以寫詩人與鄉村鄰居之間的親密關係；用排比句表現，益見詩人「交里閭」的眞情。又如「漫漫蕎麥花，如雪覆平野；離離豆子莢，數枝忽堪把。」（註四二）則細寫秋花之可愛。詩人的情懷，往往藉排比句的運用，得以充分表達，如〈無酒歎〉云：

不用塞黃河，不用出周鼎。但願酒滿家，日夜醉不醒。不用冠如箕，不用印如斗。但願身強健，朝暮常飲酒。（註四三）

嗜酒之意，由排比句的連用與激昂的語氣，表現得相當深刻。

排比句的運用，在議論的詩中，更能發揮其特色，如：

苦寒牛亦耕，甚雨雞亦鳴。物物各有職，怠心其敢萌。我老返農圃，學業付後生。語兒續膏油，勿輟讀書聲。（註四四）

首先用排比句，以強調「物物各有職，怠心其敢萌」的道理。據此，接著表明以「學業付後生」之意，勉兒子勤快讀書。又如〈思歸引〉云：「善泅不如穩乘舟，善騎不如謹持轡。妙於服食不如寡欲，工於揣摩不如省事。」（註四五）連用四句排比，詳論養生之道。

以上所舉若干例子，足見陸游詩中排比句的各種表現。但上引諸例都是古體詩，若就近體詩而言，由於本身在格律與篇幅上的限制，就不若古體之酣暢運用。不過另外有一種句法，可與排比句並相論，或延伸以視為排比句，那是上下兩句具有對仗的形式，兩句表達詩意一致的句子。不僅在形態上兩者類似，更主要的是，在表達一致的意思這一點上，兩者也沒有不同。如：「蟲聲憎好夢，燈影伴孤愁」（註四六），說詩人夜深不寐，思緒萬千；又如「醉來身外窮通小，老去人間毀譽輕」（註四七），表現無論窮通還是人家的毀譽，都不足計較。此外，還有如：

稍與藥囊遠，初容酒醆親。（註四八）

敗壁青燈暗，幽窗稚子譁。（註四九）

書生又試戎衣窄，山郡新添畫角雄。（註五〇）

百歲光陰半歸酒，一生事業略存詩。（註五一）

等，集中處處可見，都是兩句表達一致的意思，使詩意更加豐富。

陸游鍊句之工妙，前人屢加賞讚，但句法的範圍本甚廣泛，本節乃就集中常見的句法而論散化句、頓挫句、排比句的特色，亦可見其主要技法。

【附　註】

註　一　趙翼《甌北詩話》卷三，頁六。

註　二　用方東樹《昭昧詹言》卷十二評韓愈〈山石〉詩語，頁一〇。

註三　葉燮《原詩・內篇上》，見《清詩話》，頁七〇一。

註四　《詩稿》卷二十七，頁四四八。

註五　《詩稿》卷五十二〈雜興十首以貧堅志士節病長高人情為韻〉之三，頁七五七。

註六　《詩稿》卷三〈東山〉，頁五二。

註七　《詩稿》卷八十〈對食有感〉二首之二，頁一一〇二。

註八　《詩稿》卷六十一〈衰歎〉，頁八七一。

註九　《詩稿》卷六十三〈幽居書事〉二首之二，頁八九四。

註一〇　《詩稿》卷八十一〈送春〉，頁一一一四。

註一一　《詩稿》卷六十一〈小築〉，頁八六七。

註一二　《詩稿》卷二十五〈書歎〉，頁四一一。

註一三　《詩稿》卷六十八〈老歎〉，頁九四八。

註一四　《詩稿》卷四十〈孤村〉，頁六一二。

註一五　《詩稿》卷六十八〈寓興〉，頁九五一。

註一六　《詩稿》卷十九〈地僻〉，頁三三〇。

註一七　《詩稿》卷六十一〈初夏閑步村落間〉，頁八七一。

註一八　《詩稿》卷四十一〈六經〉二首之二，頁六一八。

註一九《詩稿》卷十五〈雜興〉四首之一，頁二六一。
註二〇《詩稿》卷六十八〈柱杖〉，頁九五一。
註二一《詩稿》卷六十九〈泛舟過金梗贈賣薪王翁〉四首之二，頁九六六。
註二二《詩稿》卷五〈秋夜懷吳中〉，頁九二。
註二三《詩稿》卷三十五〈海棠圖〉，頁五四四。
註二四 李元貞《黃山谷的詩與詩論》，頁七一。
註二五 李元貞《黃山谷的詩與詩論》，頁七〇。
註二六《詩稿》卷十八〈夜雨枕上〉，頁三一二。
註二七《詩稿》卷二十三〈初寒〉，頁三九三。
註二八《詩稿》卷二十二〈寓懷〉四首之一，頁三七三。
註二九《詩稿》卷六十八〈寓興〉，頁九五一。
註三〇《詩稿》卷七十四〈雜興〉四首之一，頁一〇一九。
註三一《詩稿》卷七十四〈園居〉，頁一〇二八。
註三二《詩稿》卷七十四〈園居〉，頁一〇二八。
註三三《詩稿》卷五十八〈新涼示子遹時子遹將有臨安之行〉，頁八三三。
註三四《詩稿》卷三十五〈蹭蹬〉，頁五四四。

註　三五　《詩稿》卷二十一，頁三六六。每二句各為一例。
註　三六　《詩稿》卷十四，頁二四五。
註　三七　《詩稿》卷十四，頁二四七。每二句各為一例。
註　三八　《詩稿》卷三十二〈自規〉，頁五〇二。
註　三九　《詩稿》卷七十九〈秋思〉四首之一，頁一〇七七。
註　四〇　《詩稿》卷四十七〈漁父〉，頁六九〇。
註　四一　《詩稿》卷二十三〈晚秋農家〉八首之四，頁三八九。
註　四二　《詩稿》卷十九〈秋郊有懷〉，頁三三九。
註　四三　《詩稿》卷四十一，頁六一七。
註　四四　《詩稿》卷二十三〈晚秋農家〉八首之七，頁三八九。
註　四五　《詩稿》卷三，頁四九。
註　四六　《詩稿》卷九〈枕上〉，頁一五一。
註　四七　《詩稿》卷三〈即事〉，頁五一。
註　四八　《詩稿》卷十一〈醉書〉，頁一八八。
註　四九　《詩稿》卷三十三〈小舟晚歸〉二首之一，頁五一三。
註　五〇　《詩稿》卷四〈八月二十二日嘉州大閱〉，頁六三。

註五一　《詩稿》卷六十四〈衰疾〉，頁六三。

第三節　對仗

劉勰《文心雕龍・麗辭》曾對對仗的產生有精闢的看法，該篇一開始就說：「造化賦形，支體必雙，神理為用，事不孤立。夫心生文辭，運裁百慮，高下相須，自然成對。」何況中國文字既成方形，又是單音，容易形成對仗，若能運用妥帖，則可受「炳爍聯華，鏡靜含態。玉潤雙流，如彼珩珮」（劉勰語）的效果。《詩經》、《楚辭》中已可見對仗的例子，其後六朝齊梁聲律說興起，對仗之法日趨嚴密，作詩的人莫不注重於此。陸游尤其在對仗方面極為擅長，劉克莊說：「古人好對偶被放翁用盡」（註一），吳師道也說：「世稱宋詩人……對偶工切，必曰陸放翁」（註二）。清趙翼則在《甌北詩話》中將陸游五・七律的對句分以使事、寫懷、寫景等三方面來摘其佳者，共有二三九條。前人詩話莫不給陸游的對仗以極高的評價，可見它誠有可觀、可述之處。

對仗的方式與種類，自初唐上官儀提出「六對」、「八對」之後，後來的論者更推衍其說，如王力《漢語詩律學》既分十一類二十六小門，已相當詳細，又另設有「借對」、「句中自對」、「流水對」等小目，由此可知對仗的種類非常繁多。如果就對仗之性質而分類，則我們可以舉如下最基本的分法：一、對仗的句型、二、字面的性質、三、遣詞、四、表意、五、題材以及六、工寬等。這樣的分法，雖不敢說全備無漏，但重要的大致包括在內。下面就以上述的分法，略舉數例，以示陸游詩對仗之一斑。

一、對仗的句型

若按對仗出現的句型而分，則有當句對、雙句對、隔句對。

㈠當句對

當句對是一句之中自相對仗者，按句型又可分為二類，一是一句之中的當句對，另一類是句中含自對的二組。陸游詩中，此二類各自又有不同的變化。先看一句之中的當句對。

1.百卉千花了不存，墮溪飛絮看無痕。（註三）

「百卉」對「千花」。

2.四月欲盡五月來，峽中水漲何雄哉。（註四）

「四月欲盡」對「五月來」。句中自成對的位置，與上面1.類不同。還有不同之處在於上面的當句對，字面不相同，這裡的當句對，有一個字相同的，如「月」。

3.越王高樓亦已換，俯仰今古堪悲辛。（註五）

此是更富於變化者，「俯」對「仰」，「今」對「古」，一句之中有兩組自成對者。繼續看兩句之中的當句對。

1.借鉏斸藥喜微香，汲井澆花趁晚涼。（註六）

「借鉏」對「斸藥」，「汲井」對「澆花」，均為句中相對，而上下句則不相對。

2.山重水複疑無路，柳暗花明又一村。（註七）

出句「山重」對「水複」，對句「柳暗」對「花明」。

3.賣劍買牛衰可笑，壞裳爲袴老猶能。（註八）

「賣劍」對「買牛」，又「賣」對「買」；「壞裳」對「為袴」，又「壞」對「為」，均為反義對。

4.山橫水掩路欲斷，崔嵬可陟流可亂。（註九）

前句「山橫」對「水掩」；後句「崔嵬可陟」對「流可亂」，二句均用當句對，而組織各自不同。於此，亦可見其變化多端之妙。陸游的當句對，頗喜用來表達繽紛之色彩世界，如：「紅蕖綠芰梅山下，白塔朱樓禹廟邊」（註一〇）、「朱欄碧甃玉色井」（註一一）、「蒼顏白髮入衰境，黃卷青燈空苦心」（註一二）、「紅日將昇碧霧浮」（註一三）、「清泉白石皆吾友，綠李黃梅盡手栽」（註一四）等。當句對，杜甫詩中也有，如「高江急峽雷霆鬥，古木蒼藤日月昏」（〈白帝〉），而陸游詩較之變化更富。陸詩中當句對頗多，七言比五言還多，且容易造成變化。

(二)雙句對

此則兩句之間形成對偶，一般所謂對仗即指此，因其最普遍，此處只舉一例。〈閑中偶題〉云：「七千里外新閑客，十五年前舊史官」（註一五），在數字、時空、方位、正反、人物對上，無一不工整。

㈢隔句對

隔句對是二聯中第一句與第三句對，第二句與第四句對者，如〈醉歌〉云：「讀書三萬卷，仕宦皆束閣。學劍四十年，虜血未染鍔。」（註一六）隔句對的例子不易多見，古體比近體稍多，有如「身如林下僧，處處常寄食。家如梁上燕，歲歲旋作巢。」（註一七）。

二、字面的性質

將對仗按字面的性質而分，則有如下幾類：或既詞性（如，名詞、代名詞、形容詞、動詞、副詞、連介詞、助詞等）相同，又在細目中取對（如，人名對、地名對、方位對等）；或在字形上取對（如，疊字對）；或在字音上取對（如，雙聲對雙聲、疊韻對疊韻、雙聲對疊韻等）；或在字義上取對（如，同義詞對同義詞、反義詞對反義詞、同義詞對反義詞等）；或在字音與字義上取對；或在句子的結構上取對，或在借音或義上取對等等。茲就各小目，舉若干實例以見其概。

㈠詞性的細目

陸詩的對仗，詞性既相同，又細目亦門對門、戶對戶，頗為工穩，因此在這裡無須一一枚舉，僅舉地名對以見其一斑：

一點烽傳散關信，兩行雁帶杜陵秋。（註一八）

樓船夜雪瓜洲渡，鐵馬秋風大散關。（註一九）

陸游詩中上下句用地名相對者極多，究其因，不外為宦途四處奔波；四處奔波，自然作有很多記遊詩，很多地名出現於作品中，大致集中於中壯年期，但晚年回山陰後，因他依然喜歡出遊，仍不乏其作。詩中所用地名，不是單純的羅列，而均是與他的現實生活有關，或他的心目所嚮往之處。可知不是輕易隨便揮之於筆。陸游地名對又有細中見工巧之例，如：

暮雪烏奴停醉帽，秋風白帝放歸船。（註二〇）

「烏奴」是烏奴山，「白帝」是白帝城，均為地名，自成對，而其中「烏」對「白」是色彩對；「奴」對「帝」則是屬於人倫門。

蒼龍闕角歸何晚，黃鶴樓中醉不知。（註二一）

「蒼龍闕」與「黃鶴樓」自成地名對，而其中「蒼」與「黃」是色彩對；「龍」與「鶴」是動物對；「闕」與「樓」是屬於宮室門。可說獨具匠心，精巧之極。

陸游在地名對中特喜歡將包含色彩的地名相對，蓋已屢見於上文，如此例子還有不少，如：「造朝下白帝，弔古遊青神」（註二二）、「追奔露宿青海月，奪城夜蹋黃河冰」（註二三）等。至於「青羊宮中作暗天，白馬廟畔柏如山」（註二四），則地名中有色彩、動物、建築物的對。

㈡字形

同字重出者，還可分為疊字對與重字對。此本來是古今詩人喜用之者，而陸游也注意於此，集中頗有其例，今舉若干例以見之概。

1.疊字

漫漫蕎鋪白，纍纍橘弄黃。（註二五）

衣焙温温香欲透，雪簷滴滴日初晴。（註二六）

2.重字

風力漸添帆力健，艣聲常雜雁聲悲。（註二七）

年年歲歲見河漢，坊坊曲曲聞碪聲。（註二八）

以上兩種是常見的手法，還有一種，是使用同一偏旁的字，以亦加強視覺上重疊的印象，如：

肺肝澄澈納灝氣，毛髮慘慄臨塞流。（註二九）

倦遊但有笭箵與，久客真諳褦襶情。（註三〇）

以上諸例，各屬於「水」部、「心」部、「竹」部、「衣」部，除了偏旁的複疊經目視而加強意象外，亦顯見字形肥瘦對意趣的引發作用。（註三一）

㈢字音

在偶句中妥置雙聲疊韻之詞，不但使對仗顯得更精巧，而且能增加音調的宛轉鏗鏘，進而達到「

聲情相切」的境界。（註三二），陸游屬對，尤頗注意於聽覺美感，雙聲疊韻之運用，集中屢見不鮮，俯拾即是，如：

1.雙聲對雙聲

比鄰怪疏索，風月伴躊躇。（註三三）

繡羽觸機餘耿介，錦鱗出網尚噞喁。（註三四）

2.疊韻對疊韻

東風吹梅花，爛漫照城郭。（註三五）

山川慘澹秋多感，燈火青熒夜少眠。（註三六）

3.雙聲、疊韻錯綜對

空濛迷遠望，蕭瑟送寒聲。（註三七）

學經妻問生疏字，嘗酒兒斟瀲灩盃。（註三八）

陸游之非常注意音韻，可見之於〈山居疊韻〉，云：「禽吟陰森林，鹿伏樸　木。嗚呼吾徒愚，僕僕逐肉粟。聯翩憐鳶肩，覆餗速戮辱。難難還山間，獨欲足畜牧。躋梯棲西谿，築屋宿北谷。光茫常當藏，櫝玉觸俗目。」（註三九）每句五字皆疊韻，出句為平聲，對句皆仄聲（入聲）。此等詩不可多作，但仍可見難中之巧。

詩的聲律美，除了上述雙聲、疊韻的運用以外，還有賴於句型的變化。例如雖同為五言句，或分為「2・3」，或「3・2」，或分為「4・1」，誦讀時分法不同，就產生不同的節奏感，「常格讀來容易圓潤，變格讀來每多蹇吃。」（註四〇）而且聲情有密切的關係，隨詩人的心理，句式與之相應，聲由情發。陸游作對仗，也注意於此。一般說，五言以二三為正格，七言以四三為正格，其餘則變格，變格對變格，此謂拗句對。下面舉陸游詩中所見該例，五言如：

（一—四）食—似開僧缽，居—如寓店家。（註四一）

（三—二）報國計—安出，滅胡心—未休。（註四二）

（四—一）聲入楸梧—碎，清分枕簟—涼。（註四三）

七言如：

（二—五）身遊—萬死一生地，路入—千峰百嶂中。（註四四）

民貧—樂歲尚艱食，道喪—異端方肆行。（註四五）

多病—篇章無傑思，長閑—樵牧有新交。（註四六）

（六—一）夢徒隴客聲中—斷，愁向湘屏曲處生。（註四七）

細看以上所引，可知陸游五言句，雖變化甚多，但其數尚少；七言句則常喜用二五句式。

㈣字義

字義上取對，有同義字對同義字，反義字對反義字，還有同義字、反義字相對。同義字對，有如「呼盧喝雉連暮夜，擊兔伐狐窮歲年。」（註四八）陸游最喜歡的是反義字相對，例如：

書冊頻開闔，山飄任濁清。（註四九）

身世已歸南北陌，夢魂猶寄短長亭。（註五〇）

厚薄人情窮易見，陰晴天氣病先知。（註五一）

鵲鷺山月栖還起，螢避溪風墮又飛。（註五二）

此外，如「江山重複爭供眼，風雨縱橫亂入樓」（註五三），是同義字對反義字。

㈤其他

除上面諸類外，還有借對。例如：「丁年漢使殊方老，子夜吳歌昨夢殘」（註五四），上句出於李陵〈答蘇武書〉，云：「丁年奉使，皓首而歸」，「丁年」指男子二十歲，與「子夜」在數目上相對。其中又「丁」對「子」，是干支對，「年」又對「夜」。此屬借義對。又如「清秋九月瘴如洗，白鹽千仞高崔嵬」（註五五），清秋的「清」對白鹽山的「白」，是屬借音對兼借義對，九月的「九」對千仞的「千」，是借義對。陸游詩的借對，喜用專有名詞對普通名詞，除上引諸例外，還有如「已矣黑山戍，悵然青史名」（註五六）、「引盃快似黃河瀉，落筆聲如白雨來」（註五七）等。此外，以俗語構成對偶者，已見上文（第一節（二）「俗語」），再舉一例，〈初夏〉云：「白白資筒美，青青米果新」（註五八），詩人自注云：「蜀人名粽為資筒，吳中名粔籹為米果。」這是以方言對方言者。

三、遺詞

劉勰嘗論對仗，分別以「言對」與「事對」（《文心雕龍．事類》），這是按照用典故與否而分的。後者即是所謂用事對，其效用在於藉用典表達更深刻的內容。陸游詩的用典，擬將在下節專論，此處只舉數例。

不悟魚千里，終歸貉一丘。（註五九）

傳說春秋時，陶朱公在池中聚石作九座假山，令魚日行千里以致肥；下句出於《漢書，楊惲傳》，云：「古與今如一丘之貉」。陸游此時（四十四歲）被貶閑居，故有此閑居終難酬壯志的悲慨。既用典故，對仗亦非常工整，既「魚千里」對「貉一丘」，又「魚」對「貉」、「千」對「一」、「里」對「丘」，字字相對，頗為勻稱。

平原不復賦豪士，甫里但思歌散人。（註六〇）

陸機曾著「豪士賦」，陸龜蒙有「江湖散人歌」，本詩皆用陸姓作者典故，「平原」對「甫里」、「賦豪士」對「歌散人」，對得頗巧妙。

蹈海言猶在，移山志未衰。（註六一）

上句用魯仲連事，魯仲連言如果趙國奉秦為帝，他就蹈東海而死（見《戰國策．趙策》）；下句用《列子．湯問》中愚公移山的寓言。陸游用此二典故，表示自己始終堅定抗金的志向，所用典故既切合他的豪情壯志，詩中對偶亦頗勻稱。重視事對，討論講究，是宋人有別於唐人之處，這是宋人以學問為詩的其中一端，如王安石主張「用漢人語，止可以漢人語對」（《石林詩話》），就是一例，陸游既被稱「使事必切，屬對必工」（趙翼《甌北詩話》卷六），其事對亦頗多論述者。

四、表　意

兩句之間所形成的對偶，在表意上大致可分為三類：一類是所謂流水對，自上句至下句，一氣盤旋，兩句不能上下移換；一類是兩句所表現的意念相似，同於《文心雕龍》所謂「事異義同」的「正對」；一類是「反對」，「理殊趣合」。

㈠流水對

已聞雨斷空階滴，更覺風從細葛生。（註六二）

久戍遺民雖困弊，承平舊鎮尚繁雄。（註六三）

偶落山城無事處，暫還老子自由身。（註六四）

以上所引皆上下連貫，不可切割。

㈡對稱句

病多愁近酒，心弱怯題詩。（註六五）

寒螿悲鳴草根溼，水鳥暝哭菰叢深。（註六六）

對稱句用於抒情寫景敘事，能將同一或類似意念的反複強調，用事對也大都是對稱句，如：

宗文樹雞柵，靈照絜蔬籃。（註六七）

生無鮑叔能知己，死有要離與卜鄰。（註六八）

有些詩句在對稱句中含對照的字眼，句中形成相衝激的逆折，如：

人生富貴不逮親，萬鍾五鼎空酸辛。（註六九）

沈沙舟畔千帆過，剪翮籠邊百鳥翔。（註七〇）

「人生富貴」、「萬鍾五鼎」是極可羨慕、喜悅的事，而下面緊接「不逮親」、「空酸辛」，上面的兩種喜事就頓減其極有意義的價值。下面的例子亦由正、負兩價值的並置，其給予讀者的衝擊頗大。

㈢對照句

舉世皆嫌拙，平生剩得閒。（註七一）

末路淒涼老巴蜀，少年豪舉動京華。（註七二）

是上下二句句義恰好相反。

五、題材

對仗的題材，大致不外抒情、寫景和敘事議論三類。

㈠抒情

浩歌驚世俗，狂語任天真。（註七三）

憂國孤臣淚，平胡壯士心。（註七四）

捉衿見肘貧無敵，聳髆成山瘦可知。（註七五）

或寫豪放性格，或寫驅敵氣概與悲憤，或歎貧瘦，均代表陸游一生的心境。

(二)寫景

地連秦雍川原壯，水下荆揚日夜流。（註七六）

草合故宮惟雁起，盜穿荒冢有狐藏。（註七七）

池魚鱍鱍隨溝出，梁燕翩翩接翅歸。（註七八）

關山滿眼愁千斛，歲月催人雪一簪。（註七九）

或寫邊地的壯闊，或寫古都的荒涼，或寫雨景，或寫情景交融，融情入景。

(三)敘事議論

客主固殊勢，存亡終在人。（註八〇）

室廬封鐍多逋户，市邑蕭條少醉人。（註八一）

大事竟爲朋黨誤，遺民空歎歲時遒。（註八二）

以上諸例均在對仗的形式中或敘事或議論，最後一聯，立論尤痛切。

六、工寬

詩人作對偶，依其學問與才氣之優劣，乃有工拙之分。因此凡詩人之對偶要求嚴格工整，但同時也反對太人工造作，失去自然。江西詩派就追求對偶不甚對，《韻語陽秋》云：

近時論詩者，皆謂偶對不切，則失之粗；太切，則失之俗。如江西詩社所作，慮失之俗也，則往往不甚對。（卷一）

「其說與維持自然之質性無關，而和修辭風格有密切關係」，「因為他們最大的忌諱是俗，為了避免落俗，所以寧願追求不甚對」，「追求不工整以使詩風奇崛」（註八三）。從陳師道與陳與義等人的詩中，可見「似對非對」、也就是「寬對」的例子。陸游通過呂本中與曾幾接觸江西詩法，但是單說對仗，他走的不是江西詩派如上面所說的路。如已在上面所見，陸游的對偶非常工整，所顧慮的範圍也很廣，又往往數種種類同出於一聯中。例如：「慵追萬里騎鯨客，且伴千年化鶴仙」（註八四），上下句各用與李白、丁令威有關之語或事，是事對；全詩字字相對，「萬里」與「千年」是時空對，「萬」與「千」是數目對；句子的結構是上下共為「二五」，是「拗字對」；上句「騎鯨」是雙聲，下句「化鶴」亦為雙聲，此則雙聲對。還有上句「負」、下句「正」的對照，誠可謂工整。但陸游的對偶，不是只止於此。周必大嘗問陸游作詩之法，陸游就提示他對對偶的看法，說：「蓋詩家之病，忌乎對偶太過，如此則有形而無味。」（註八五）江西詩派與陸游同樣注意到對偶太切之弊，而趨向各不同，江西詩派寧願對仗不甚切；陸游則要把對偶句更提煉為自然圓轉，如：

書生又試戎衣窄，山郡新添畫角雄。（註八六）

一氣讀下，不覺其為對偶，而細讀則可知字字相對，還有，如：

長安之西過萬里，北斗以南惟一人。(註八七)

名花未落如相待，佳客能來不費招。(註八八)

顧弗影對最後一聯，贊云：「放翁律詩多有自然雋語，對仗之工，如天造地設」(註八九)，又評「盡捐塵世事，細看月湖詩」(註九〇)，云：「五律頸聯要在似對非對之間，最為有神，如此者是。」(註九一)但同時一些詩仍著意於工巧而未免雕琢之痕。(見第七章第三節)。

總括上面所論，可以知道陸游詩的對仗，既工整且變化豐富，又有不少詩呈現自然圓轉的特色。後人的評語果不虛誇。就詩體而言，七律比五律，更多妙者，但無論七律或五律，都堪稱代表宋人律句。不僅近體詩，陸游的古體詩亦往往以偶句入詩，不乏佳者，有如「冷冷漱齒頰，皓皓濯肺肝」(註九二)、「花外金羈絡雪駒，橋邊翠幙圍螭舫」(註九三)、「暮吹長笛發巴陵，曉挂高帆渡湘水」(註九四)等。

【附註】

註一　《後村詩話》前集卷二。

註二　《吳禮部詩話》，見《歷代詩話續編》，頁五九三。

註三　《詩稿》卷一〈寒食臨川道中〉，頁一六。

註四　《詩稿》卷二〈瞿唐行〉，頁三一。

註五《詩稿》卷三〈綿州錄參軍廳觀姜楚公畫鷹少陵為作詩者〉，頁五二。

註六《詩稿》卷七〈幽居晚興〉，頁一一五。

註七《詩稿》卷一〈遊山西村〉，頁一七。

註八《詩稿》卷九〈歎息〉，頁一五〇。

註九《詩稿》卷三〈飯三折鋪鋪在亂山中〉，頁三九。

註一〇《詩稿》卷一〈上巳臨川道中〉，頁一六。

註一一《詩稿》卷五〈睡起試茶〉，頁七九。

註一二《詩稿》卷九〈客愁〉，頁一五四。

註一三《詩稿》卷二〈夏夜起坐南亭達曉不復寐〉，頁三六。

註一四《詩稿》卷七十九〈小園〉，頁一〇八〇。

註一五《詩稿》卷七，二首之二，頁一一五。

註一六《詩稿》卷二十一，頁三六六。

註一七《詩稿》卷六〈自唐安徙家來和義出城迎之馬上作〉，頁一〇〇。

註一八《詩稿》卷八〈秋晚登城北門〉，頁一四二。

註一九《詩稿》卷十七〈書憤〉，頁二九九。

註二〇《詩稿》卷三〈赴成都泛舟自三泉至益昌謀以明年下三峽〉，頁四九。

註二二　《詩稿》卷十〈黃鶴樓〉，頁一六五。
註二三　《詩稿》卷十〈訪青神尉廨借景亭蓋山谷先生舊遊也〉，頁一五九。
註二三　《詩稿》卷四〈胡無人〉，頁七〇。
註二四　《詩稿》卷八〈雜詠〉四首之一，頁一三四。
註二五　《詩稿》卷二十五〈秋晚歲登戲作〉二首之二，頁四一九。
註二六　《詩稿》卷四十二〈愛閑〉，頁六三〇。
註二七　《詩稿》卷一〈望江道中〉，頁一四。
註二八　《詩稿》卷十五〈明河篇〉，頁二五五。
註二九　《詩稿》卷七〈夜登江樓〉，頁一一二。
註三〇　《詩稿》卷八〈夜行〉，頁一三六。
註三一　廖蔚卿先生〈論陸機的詩〉，《中國古典文學研究叢刊—詩歌之部（二）》，頁九五。
註三二　參閱王次澄〈南朝詩的修辭特色〉，《古典文學》第四集，頁八二。
註三三　《詩稿》卷六十二〈東籬雜題〉五首之五，頁八七三。
註三四　《詩稿》卷二十六〈冬日觀漁獵者〉，頁四二五。
註三五　《詩稿》卷八〈平明出小東門觀梅〉，頁一二七。
註三六　《詩稿》卷十五〈浪〉，頁二五六。

註三七《詩稿》卷十五〈秋雨排悶十韻〉，頁二二五六。
註三八《詩稿》卷九〈閑意〉，頁一四九。
註三九《詩稿》卷二十一，頁三七二。
註四〇黃永武先生《中國詩學》（鑑賞篇），頁一六四。
註四一《詩稿》卷六十〈排悶〉，頁八五七。
註四二《詩稿》卷九〈枕上〉，頁一五一。
註四三《詩稿》卷四〈晚雨〉，頁六三。
註四四《詩稿》卷二〈晚泊〉，頁二四。
註四五《詩稿》卷五十九〈書感〉，頁八三九。
註四六《詩稿》卷七十一〈書南堂壁〉二首之一，頁九八四。
註四七《詩稿》卷十二〈南窗睡起〉二首之二，頁二〇〇。
註四八《詩稿》卷十〈風順舟行甚疾戲書〉，頁一六〇。
註四九《詩稿》卷一〈秋兩〉，頁一一。
註五〇《詩稿》卷四十〈微雨午寢夢憩道傍驛舍若在秦蜀間慨然有賦〉，頁六一〇。
註五一《詩稿》卷六十九〈去新春纔旬餘霽色可愛〉，頁九六七。
註五二《詩稿》卷五十八〈新涼示子遹時子遹將有臨安之行〉，頁八三三。

註五三　《詩稿》卷十〈南定樓遇急雨〉，頁一五九。
註五四　《詩稿》卷六〈高齋小飲戲作〉，頁一〇〇。
註五五　《詩稿》卷二〈秋晴欲出城以事不果〉，頁三八。
註五六　《詩稿》卷十八〈老將效唐人體〉，頁三一八。
註五七　《詩稿》卷七〈合江夜宴歸馬上作〉，頁一一七。
註五八　《詩稿》卷五十七，頁八一五。
註五九　《詩稿》卷二〈聞雨〉，頁二三。
註六〇　《詩稿》卷十六〈小築〉，頁二七八。
註六一　《詩稿》卷六十六〈雜感〉六首之三，頁九二五。
註六二　《詩稿》卷七〈明日開霽益涼復得長句〉，頁一一九。
註六三　《詩稿》卷六〈上元〉二首之二，頁一〇六。
註六四　《詩稿》卷六〈別榮州〉，頁一〇〇。
註六五　《詩稿》卷十一〈雨夜〉，頁一八九。
註六六　《詩稿》卷五十九〈秋雨〉，頁八四四。
註六七　《詩稿》卷一〈小酌〉，頁一九。
註六八　《詩稿》卷二十七〈書歎〉，頁四四三。

註　六九　《詩稿》卷五〈五月五日蜀州放解牓第一人楊鑑具慶下孤生愴然有感〉，頁七九。
註　七〇　《詩稿》卷五〈讀胡基仲舊詩有感〉，頁七九。
註　七一　《詩稿》卷十四〈小立〉，頁二五二。
註　七二　《詩稿》卷八〈和范舍人書懷〉，頁一二九。
註　七三　《詩稿》卷十一〈醉書〉，頁一八八。
註　七四　《詩稿》卷三十一〈新春〉，頁四九七。
註　七五　《詩稿》卷六十四〈衰疾〉，頁九〇一。
註　七六　《詩稿》卷三〈歸次漢中境上〉，頁四七。
註　七七　《詩稿》卷二〈哀郢〉二首之一，頁二四。
註　七八　《詩稿》卷七〈雨〉，頁一〇九。
註　七九　《詩稿》卷五十〈新晴〉，頁七三一。
註　八〇　《詩稿》卷三〈劍門關〉，頁五〇。
註　八一　《詩稿》卷五十九〈過鄰家〉，頁八三八。
註　八二　《詩稿》卷四十一〈北望感懷〉，頁六二六。
註　八三　郭玉雯《宋代詩話的詩法研究》，頁二三二、二三四。
註　八四　《詩稿》卷七〈待青城道人不至〉，頁一一二。

註八五　見方回《瀛奎律髓》卷二十四蘇轍〈送龍共鼎臣諫議移守青州〉詩批，頁三三四。
註八六《詩稿》卷四〈八月二十二日嘉州大閱〉，頁六三。
註八七《詩稿》卷三十三〈感昔〉二首之二，頁五一一。
註八八《詩稿》卷七〈自芳華樓過瑶林莊〉，頁一一一。
註八九《劍南詩鈔》卷二，頁三四。
註九〇《詩稿》卷二十一〈簡何同叔〉，頁三六二。
註九一《劍南詩鈔》卷三，頁七〇。
註九二《詩稿》卷四〈十月十四夜月終夜如晝〉，頁六九。
註九三《詩稿》卷二十七〈春遊〉，頁四三六。
註九四《詩稿》卷五十三〈對酒作〉，頁七六五。

第四節　用　典

詩人善用典實，可以使詩顯得凝煉、含蓄，以精約的文字表達豐富、曲折的內涵。只要出之以自然、精切，便有佳致；不可牽強，一味堆垛。用典又可分為用事與用辭二類，先舉陸詩中之用事者：

誰知歎亡羊，但有喜得鹿。（註一）

尚應似安石，悠然雲海中。（註二）

羞蒙子公力，寧倦長卿遊。（註三）

方其未遇時，鵝炙動英雄。（註四）

夜行觸尉那能避，旦過隨僧不待招。（註五）

報國雖思包馬革，愛身未忍貨羊皮。（註六）

多事車前要八騶，老人惟與一藤遊。（註七）

會看神授如椽筆，莫改家傳折角巾。（註八）

庭前柏樹西來意，握手何時得共論。（註九）

第一例，出句「亡羊」事出於《莊子・駢拇篇》：「臧與穀二人相與牧羊，而俱亡其羊。問臧奚事，則挾筴讀書，問穀奚事，則博塞以遊。二人者事業不同，其於亡羊，均也。」對句「得鹿」事出自《列子・周穆王篇》：「鄭人有薪于野者，遇駭鹿，御而擊之，斃之。恐人見之也，遽而藏諸隍中，覆之以蕉，不勝其喜。俄而遺其所藏之處，遂以為夢焉。順途而詠其事，傍人有聞者，用其言而取之。薪者之歸，不厭失鹿，其夜眞夢藏之之處，又夢得之之主，爽旦案所夢而尋得之。遂訟而爭之。」第二例用謝安事，《世說新語・雅量篇》：「謝太傅盤桓東山時，與孫興公諸人汎海戲。風起浪涌，孫王諸人色並遽，便唱使還。太傅神情方王，吟嘯不言。」第三例出句用陳咸事，《漢書》卷七十本傳：「咸數賂遺（陳）湯，予書曰：『即蒙子公（陳湯字）力，得入帝城，死不恨。』」對句，《史記》卷一百十七（司馬相如傳）：「長卿故倦遊，雖貧，其人材足依也。」第四例事出《南史》卷三十五（庚悅傳）：「劉毅家在京口，酷貧，嘗與鄉曲士大夫往東堂，……悅廚饌甚盛，不以及毅。……又相問曰：『今年未得子鵝，豈能以殘炙見惠。』悅又不答。」第五例出句典出《史記・李將軍傳》：「（李廣）嘗從一騎出，從人田間飲。還至霸陵亭，霸陵尉醉，呵止廣。廣騎曰：『故李將軍。』尉曰：『今將軍尚不得夜行，何及故也。』止廣宿亭下。」第六例，出句用馬援事，《後漢書》卷二十四本傳：「援曰：『方今匈奴，烏桓尚擾北邊，欲自請擊之。男兒要當死於邊野，以馬革裹尸還葬耳，何能臥床上在兒女手中邪。』」對句用百里奚事，《孟子・萬章》：「百里奚自鬻于秦養牲者五羊之皮，食牛，以要秦穆公。」第七例出句用王融歎「車前無八騶卒，何得稱為丈夫」之事，見《南齊書》卷四百七十五。第八例，上句典出《晉書》卷六十五（王珣傳），用夢中受如椽大筆之事；下句出自《後漢書》卷六十八（郭太傳）：「嘗於陳梁間行，遇雨，巾一角墊，時人乃故折巾一角以為林宗巾。」第九例出句典出《景德傳燈錄》：「僧問趙州：『如何是祖師西來意？』趙州曰：『庭前柏樹子。』」以上僅舉數例，以見其一斑，陸游詩中的用事，以用史典為最多，取於子書與《世說新語》者亦不少。

至於用辭，陸游剪裁或襲用前人詩文成辭的方式，雖不能一概以論，大致可分為下列幾種。或全句襲用，如：

二月六夜春水生。（註一〇）

三月三日天氣新。（註一一）

一枝紅杏出牆頭。（註一二）

多病所須唯藥物。（註一三）

衆人皆醉我獨醒。（註一四）

時至骨自換。（註一五）

第一例襲用杜甫〈春水生二絶〉詩句，第二例襲用杜甫〈麗水行〉詩句，第三例則吳融〈途中見杏花〉詩句，第四例則為杜甫〈江村〉詩句，第五例是《楚辭・漁父辭》中之語，第六例是陳師道〈次韻答秦少章〉的詩句。以上六例在詩中用得極其自然，合觀上下二句，如同己出，如第一例的對句是「陸子初有臨川行」；最後一例的出句是「氣住則神住」。

或只改一、二字，如：

天遠不可問。（註一六）

宇內寓形財幾時。（註一七）

家人見慣渾閑事。（註一八）

著書不直一盃水。（註一九）

松菊有佳色，出林無俗情。（註二〇）

二例只不同一字，第一例出自《楚辭・天問》王逸序：「天遵不可問。」第二例出自陶淵明〈歸去來辭〉：「寓形宇內復幾時。」後三例不同二字，第三例出於劉禹錫〈贈李司空妓〉詩「司空見慣渾閒事」句；第四例出於李白〈答王十二寒夜獨酌有韻〉詩「萬言不直一杯水」句。最後一例，全聯皆出於陶淵明詩，上句出自〈飲酒〉：「秋菊有佳色」；下句出自〈辛丑歲月赴假還江陵夜行途中〉：「林園無俗情」句。

或於前人五言加二字，或於七言減二字，如：

李石風流賀季真。（註二一）

魂清如近玉壺冰。（註二二）

聽雨落堦除。（註二三）

先生烏角巾。（註二四）

第一例於李白〈對酒憶賀監〉詩「風流賀季眞」句加「李石」二字；第二例於鮑照〈代白頭吟〉詩「清如玉壺冰」句加「魂」、「近」二字，次序稍有變化而已。第三例從王安石〈示公佐〉詩「偶然聞雨落階除」句中減「偶然」二字，「聞」與「聽」則意味相同。第四例減杜甫〈南鄰〉詩「錦里先生烏角巾」句之首二字。

或將前人一句衍為二句，或將二句合為一句，如：

老翁垂七十，其實似童兒。（註二五）

從來文吏喜相輕。（註二六）

嫋嫋餘聲縈杏梁。（註二七）

第一例衍韓愈〈盆池〉：「老翁眞箇似童兒。」第二例合曹丕《典論・論文》：「文人相輕，自古而然。」第四例變蘇軾〈赤壁賦〉：「餘音嫋嫋，不絕如縷」句而略增益。

或部分相同，如：

落魄江湖七十翁。（註二八）

岷山千里青未了。（註二九）

斷雲吐月縞中庭。（註三〇）

第一例「落魄江湖」四字取自杜牧〈遣懷〉詩「落魄江湖載酒行」句，而句法不同。第二例「青未了」三字取自杜甫〈望嶽〉：「齊魯青未了」句，句法亦相同。第三例「縞中庭」三字取自陳與義〈春日〉詩中「憶看梅雪縞中庭」句，句法相似。

由以上所論，可見陸游鎔裁前人詩文成辭方式的多樣化。不僅如此，用典的範圍也相當廣泛，遍及於經、史、子、集。下面，再舉若干例子：

才難聖所歎。（註三一）

自笑觸藩羝。（註三二）

王公以儒戲。（註三三）

祁寒人怨咨。（註三四）

聲利能令智者愚。（註三五）

千八百國俱煙埃。（註三六）

生世寧殊露易晞。（註三七）

誤馬隨車一笑同。（註三八）

喬嶽成塵巨海枯。（註三九）

第一例出於《論語・泰伯》：「孔子曰：『才難，不其然乎？』」第二例出於《周易・大壯》：「羝羊觸藩，羸其角。」第三例出於《禮記・德行》：「孔子至舍，哀公館之，聞此言也，言加信，德加義，終沒吾世，不敢以儒為戲。」第四例出於《尚書，君牙》：「冬祁寒，小民亦惟曰怨咨。」第五例出自《史記》卷七十六〈平原君虞卿傳〉：「鄙語云：利令智愚。」第六例語出《管子》：「禹決江疏河，隨山刊木，平水土，定千八百國。」第七例出自古樂府〈薤露〉：「薤上露，何易晞。」第八例出於秦觀的詞〈望海潮〉：「長記誤隨車。」最後一例語出王嘉《拾遺記》：「於億劫之內，見五岳再成塵，扶桑萬歲一枯，其人視之如旦暮也。」

用事與用辭是用典在材料上的分類，使用方法上則有明用與暗用、直用與反用之分。明用是詩中明言其人其事或其地其物者，如「不應幕府無班固，早晚燕然刻頌詩」（註四〇），是明用班固在燕然山上刻石紀戰功事。又如〈巢菜〉詩：「庾郎三九困譏嘲」（註四一），是明用庾果之事，《南齊書》卷三十四本傳云：「清貧自業，食唯有韭葅、瀹韭，生韭雜菜。或戲之曰：『誰謂庾郎貧，食鮭常有二十七種。』言三九也。」又如「恨無季札聽，大國風泱泱」（註四二），是典出《左傳・襄公二十九年》：「吳公子札來聘，……請觀於周樂。……為之歌齊，曰：『美哉，泱泱乎，大風也哉。表東海者，其太公乎，國未可量也。』」暗用是實用典而不明示其人或其事的方法，如：

未許詩人誇此地，茂林脩竹憶吾州。（註四三）

此詩乍看不易覺其用典，而「茂林脩竹」實出於王羲之〈蘭亭集序〉：「會於會稽山陰之蘭亭，修禊事也。……此地有崇山峻嶺，茂林修竹。」而陸游的故鄉正是山陰。又如〈梅花絶句〉云：

士窮見節義，木槁自芬芳。（註四四）

此二句字面上可明白其意，而出句實暗用韓愈語，〈柳子厚墓誌銘〉云：「士窮乃見節義。」又如〈春晚南堂晨起〉云：

長生豈有巧，要令方寸虛。（註四五）

下句暗用《列子・仲尼篇》：「文摯乃命龍叔背明而立。文摯自後向明而望之，既而曰：『嘻，吾見子之心矣，方寸之地虛矣，幾聖人也。』」同詩又云：「高謝世俗櫻，遊於物之初」，下句實為老子語，《莊子・田子房篇》：「老聃曰：『吾遊心於物之初。』」又如〈寓歎〉云：

家貧思辟穀，人忌悔知書。（註四六）

下句暗用溫庭筠事。計有功《唐詩紀事》卷五十四〈溫庭筠〉：「令狐綯以舊事訪於庭筠。對曰：『事出南華，非僻書也。或冀相公燮理之暇，時宜覽古。』綯益怒，奏庭筠有才無行，卒不登第。庭筠有詩曰：『因知此恨人多積，悔讀南華第二篇。』」

直用是按照典故的原意用之者，上面所引如「庾郎三九困譏嘲」、「茂林修竹」等皆屬於此。另外，還有反用者，是反其意而用之者。魏慶之《詩人玉屑》云：「放翁仕於蜀，海棠詩最多，其間一絕尤精妙，云：『蜀地名花擅古今，一枝氣可壓千林。譏彈更到無香處，常言人言太刻深。』此前輩所謂翻案法，蓋反其意而用之也。」（註四七）《詩人玉屑》所云「一絕」者，見《詩稿》卷八。據惠洪《冷齋夜話》：「彭淵材五恨：一恨鰣魚多骨，二恨金橘太酸，三恨蓴菜性冷，四恨海棠無香，五恨曾子固不能詩。」陸游詩中「譏彈」句即指彭淵材第四恨。魏慶之又引《藝苑雌黃》云：「直用其事，人皆能之，反其意而用之者，非學業高人，超越尋常拘攣之見，不規規蹈襲前人陳跡者，何以臻此。」（註四八）翻轉前人成說，推出新意，陸游詩中頗見其例，如〈舟過玉津〉云：

莫倚諸公容此老，西曹那許吐車茵。（註四九）

下句反用丙吉事，《漢書》卷七十四本傳云：「吉馭吏耆酒，數逋蕩，嘗從吉出，醉歐丞相車上。西曹主吏白欲斥之，吉曰：『以醉飽之失去士，使此人將復何所容。西曹地忍之，此不過污丞相車茵耳。』」此詩作於淳熙五年（一一七八）自蜀被召回臨安，東歸途中。陸游翻丙吉事，而表露對朝廷諸臣會肯容納自己的憂慮。又如〈雪中懷成都〉云：

愁多自是難成醉，不爲天寒酒力微。（註五〇）

此詩反用楊徵之〈寒食中寄鄭起侍郎〉：「天寒酒薄難成醉」之意。

白浪黏天鮫鰐橫，夢中識路亦何爲？（註五一）

下句反用沈約〈別范安成〉：「夢中不識路，何以慰相思」之語。

有酒旋尋伴，無門那說關。（註五二）

此詩下句翻轉陶潛〈歸去來辭〉：「門雖設而常關」之語。

以上均是一句中用反典者，用在二句中者有如〈西樓夕望〉云：

蒼天可恃何曾老，白髮緣愁卻未公。（註五三）

出句反用李賀〈金銅仙人辭漢歌〉：「天若有情天亦老」之意。對句「白髮緣愁」語出自李白〈秋浦歌〉：「白髮三千丈，緣愁似箇長。」對句「卻未公」語則翻杜牧〈送隱者一絶〉：「公道世間唯白髮」句。又如：

眼暗頭童負聖時，齒牙欲脫更堪悲。暮年漸解人間事，蒸食哀梨亦自奇。（註五四）

這是一首七言絶句，四句中用兩次反典。第一句翻陳與義〈兩中對酒庭下海棠經雨不謝〉：「齒豁頭童祝聖時」句。第四句，《世說新語·輕詆篇》：「桓南郡見人不快，輒嗔云：『君得哀家梨，當復不烝食不？』」劉峻注：「舊語有哀仲家梨甚美，大如升，入口消釋，言愚人不別味，得好梨烝食之也。」陸游此詩反用其意。陳衍評陸游七言絶句，云：「淺意深一層說，直意曲一層說，正意反一層側一層說。」（註五五）不僅七絶，詩集中反用典者大致如此。

陸游工於對仗，正如上面所論，即使運用典故，也頗能見其本事，如〈即事〉云：

捫蝨雄豪空自許，屠龍工巧竟何成。（註五六）

出句事出《晉書》卷一百十四〈王猛傳〉：「桓溫入關，猛被褐而詣之，一面，談當世之事，捫蝨而言，旁若無人。」對句典出《莊子．列禦寇篇》：「朱泙漫學屠龍于支離益，單千金之家，三年技成，而無所用其巧。」此詩用兩個典故，又加上「空」、「竟」諸字以抒寫壯志難展的憤滿。又如〈夜雨有感〉云：

病馬敢希三品料，鷙禽聊借一枝巢。（註五七）

上句典出《五代史記》卷七十〈東漢世家〉：「（劉）旻獨乘契丹黃騮，自鵰窠嶺間道馳去。……旻歸，為黃騮治廄，飾以金銀，食以三品料，號自在將軍。」「一枝巢」語出《莊子．逍遥遊篇》：「鷦鷯巢于深林，不過一枝。」此詩用二典而對仗又字字相對，堪稱工穩。又如〈和范待制秋興〉云：

一生不作牛衣泣，萬事從渠馬耳風。（註五八）

出句典出《漢書》卷七十六〈王章傳〉：「章為諸生，學長安，獨與妻居。章疾病，無被，卧牛衣中，與妻決，涕泣。……及為京兆，欲上封事。妻又止之曰：『人當知足，獨不念牛衣中涕泣時耶。』」注：「師古曰：牛衣，編亂麻為之，即今俗呼為龍具者。」對句語出李白〈答王十二寒夜獨酌有懷〉：「世人聞此皆掉頭，有如東風射馬耳。」一句用事，一句用辭，用此二典故，表示他這時（淳熙三年．一一七六）雖被免官，仍然很堅強，不屑世間譏謗的態度。又如〈自詠示客〉云：

衰髮蕭蕭老郡丞，洪州又看上元燈。羞將枉直分尋尺，寧走東西就斗升。

吏進飽諳箝紙尾，客來苦勸摸稜。歸裝漸理君知否，笑指廬山古澗藤。（註五九）

此詩中間四句共用三個典故。第三句語出《孟子．滕文公下》：「陳代曰：『且志曰：枉尺而直尋，宜若可為也。』孟子曰：『……且夫枉尺而直尋者，以利言也。如以利，則枉尋直尺而利，亦可為與。』」頸聯出句典出韓愈〈藍田縣丞廳壁記〉：「丞位高而偪，例以嫌，不可否事。文書行吏抱成案詣丞，卷其前，鉗以左手，右手摘紙尾，雁鶩行以進，平立睨丞曰：當署。丞涉筆占位署惟謹。」對句典出《新唐書》卷一百十四〈蘇味道傳〉：「常謂人曰：『決事不欲明白，誤則有悔，摸持兩端可也。』故世號摸稜手。」此詩寫年華流逝、壯志難酬的悲憤，中間兩聯，尤用典貼切，對仗工整。

陸游詩的用典，前人推崇備至，沈德潛說：「使事熨貼」（註六〇）。陸游在詩中大致用熟典，很少用僻典，也沒有推砌之弊，自然貼切，又取材廣博，工於用典屬對，誠可謂善於用典者。

【附註】

註一《詩稿》卷一〈和陳魯山十詩以孟夏草木長遶屋樹扶疏為韻〉之七，頁二。

註二《詩稿》卷一〈航海〉，頁六。

註三《詩稿》卷九〈暮秋〉二首之二，頁一四三。

註四《詩稿》卷十四〈對食〉，頁二三五。

註五《詩稿》卷三〈夜抵葭萌惠照寺寓榻小閣〉，頁四五。

註 六 《詩稿》卷八〈獵罷夜飲示獨孤生〉三首之一，頁一四一。
註 七 《詩稿》卷三十九〈致仕後即事〉十五首之十五，頁五九五。
註 八 《詩稿》卷三十四〈示元用〉，頁五二六。
註 九 《詩稿》卷二十四〈和張功父見寄〉二首之二，頁四〇三。
註 一〇 《詩稿》卷一〈上巳臨川道中〉，頁一六。
註 一一 《詩稿》卷一〈上巳臨川道中〉，頁一六。
註 一二 《詩稿》卷十八〈馬上作〉，頁三二二。
註 一三 《詩稿》卷二十六〈十二月八日步至西村〉，頁四二九。
註 一四 《詩稿》卷五十五〈菴中雜書〉四首之三，頁七九二。
註 一五 《詩稿》卷六十九〈書意〉三首之一，頁九六七。
註 一六 《詩稿》卷八十五〈病中雜詠十首〉之七，頁一一五二。
註 一七 《詩稿》卷二十四〈次韻范參政書懷〉十首之九，頁四〇五。
註 一八 《詩稿》卷二十七〈雨中夕食戲作〉三首之二，頁四四五。
註 一九 《詩稿》卷二十六〈自解〉，頁四二八。
註 二〇 《詩稿》卷七十二〈北崦〉，頁九九八。
註 二一 《詩稿》卷七十〈懷昔〉，頁九八一。

註二二，《詩稿》卷七十二〈夜坐中庭涼堪〉，頁九九六。
註二三《詩稿》卷十九〈再用前韻不以次〉，頁三三一。
註二四《詩稿》卷八〈小憩長生觀飯已遂行〉，頁一三一。
註二五《詩稿》卷二十六〈書適〉二首之一，頁四二四。
註二六《詩稿》卷二十八〈將軍行〉，頁四五三。
註二七《詩稿》卷九〈觀花〉，頁一五七。
註二八《詩稿》卷二十四〈落魄〉，頁四〇二。
註二九《詩稿》卷二十〈白雲自西來過書巢南窗〉，頁三五〇。
註三〇《詩稿》卷二十三〈夜坐〉，頁三九七。
註三一《詩稿》卷二十七〈贈蘇趙叟兄弟〉，頁四四二。
註三二《詩稿》卷二十八〈村居〉二首之二，頁四五六。
註三三《詩稿》卷二十二〈寓懷〉四首之二，頁三七三。
註三四《詩稿》卷二十六〈雨雪兼旬有賦〉，頁四三二。
註三五《詩稿》卷三十一〈閉戶〉二首之一，頁四九〇。
註三六《詩稿》卷二十六〈飲酒〉，頁四三一。
註三七《詩稿》卷二十〈歲晚感懷〉，頁三五六。

註三八《詩稿》卷六〈上元〉二首之一，頁一〇六。

註三九《詩稿》卷二十七〈共語〉，頁四四三。

註四〇《詩稿》卷十六〈塞上〉，頁二七五。

註四一《詩稿》卷十六，頁二七九。

註四二《詩稿》卷六十五〈稽山行〉，頁九〇八。

註四三《詩稿》卷三〈綿州魏成縣驛有羅江東詩云芳草有情皆礙馬好雲無處不遮樓戲用其韻〉，頁五一。

註四四《詩稿》卷二十四，十首之八，頁四〇〇。

註四五《詩稿》卷七十，二首之一，頁九八〇。

註四六《詩稿》卷七十三，三首之二，頁一〇〇七。

註四七 卷七，頁一二三。

註四八 卷七，頁一二三。

註四九《詩稿》卷十，頁一五九。

註五〇《詩稿》卷十一〈雪中感成都〉，頁一九五。

註五一《詩稿》卷十一〈建安遣興〉六首之二，頁一八〇。

註五二《詩稿》卷六十七〈閑趣〉，頁九四三。

註五三《詩稿》卷六，頁九八。
註五四《詩稿》卷十二〈齒痛有感〉，頁二〇〇。
註五五《石遺室詩話》卷十六，頁五一。
註五六《詩稿》卷三〈即事〉，頁五一。
註五七《詩稿》卷九，頁一四三。
註五八《詩稿》卷七，三首之一，頁一一三。
註五九《詩稿》卷一，頁一五。
註六〇《說詩晬語》卷下，見《清詩話》，頁六二〇。

第五節 對比

對比是將兩種截然不同，彼此牴牾的觀念、事物，或現象，對列起來，使之形成深刻、顯明的映照，從而使意象鮮明，使語氣增強的修辭方法。對比與修辭學上所謂對偶與映襯相近，但不完全相同。對偶的特點，較偏於字句或結構的對稱，凡對偶容易造成對比，但對比不一定存在於對偶中；映襯則較偏於觀念或事實的相映，而映襯中的對襯就是對比，所以對比是映襯的一種手法。（註一）例如《論語・雍也》所云：「人不堪其憂，回也不改其樂」，又《孟子・梁惠王》所云：「庖有肥肉，廄有肥馬，民有飢色，野有餓莩」，就是用的對比技巧。陸游尤其喜好運用對比手法，在《劍南詩稿》中，可以說俯拾即是，而且都表現得深刻、生動。

對比手法的運用，大概有四種方式：一是用在一句之中，二是用在兩句之中，此類最普遍，三是一首詩中前半與後半形成對比，四是用在全首詩中。茲就陸游詩中所運用的各種對比技巧，分別引例剖析探討如下：

一、用在一句之中：

白浪花中插朱閣。（註二）

「白浪花」與「朱閣」是色彩鮮明之對比，由背景的陪襯，此句因而呈現美麗的畫面。

二、用在兩句之中：

朱門沉沉按歌舞，廄馬肥死弓斷弦。（註三）

貴人達官歌舞昇平，醉生夢死，另一邊則由於「將軍不戰」，戰馬肥胖老死，弓弦腐爛。詩人通過此一強列鮮明的對比沉痛激憤地指責苟且偷安的和親政策。這多少受到杜甫「朱門酒肉臭，路有凍死骨」的影響。

老子猶堪絶大漠，諸君何至泣新亭。（註四）

詩人雖年老，壯志猶堅，與朝中「諸君」只知悲歎，形成強烈的對比。一方面表明自己抗敵救國的積極態度，另一方面對朝廷諸人的懦弱態度提出尖銳的批判。此外，如：

草侵古路迢迢遠，雲傍行人故故低。（註五）

翩然一鴉升，倏爾一鴟下。（註六）

汀鷺一點白，煙柳千絲黄。（註七）

富豪役千奴，貧老無寸帛。（註八）

等，各寫遠近、上下、鉅細、貧富上之對比。

三、一詩中前半與後半對比：

江月亭前樺燭香，龍門閣上馱聲長。亂山古驛經三折，小市孤城宿兩當。

晚歲猶思事鞍馬，當時那信老耕桑。緑沉金鎖俱塵委，雪灑寒燈淚數行。（註九）

此詩分為二大段，前半四句憶舊，後半四句寫今，從中可見詩人無限辛酸與悲憤。

四、用在全首詩中：

春深農家耕未足，原頭叱叱雨黄犢。泥融無塊水初渾，雨細有痕秧正緑。

眉。一雙素手無人識，空村相喚看繅絲。

農家農家樂復樂，不比市朝爭奪惡。宦遊所得真幾何，我已三年廢東作。（註一〇）

江頭女兒雙髻丫，常隨阿母供桑麻。當户夜織聲咿啞，地爐豆黠煎土茶。

長城嫁與東西家，柴門相對不上車。青裙竹笥何所嗟，插髻燁燁牽牛花。

城中妖姝臉如霞，爭嫁官人慕高華。青驪一出天之涯，年年傷春抱琵琶。（註一一）

陸游在不少詩篇中通過鄉村與市朝的對比，表現他對鄉村生活嚮往之情。第一首，開頭四句描繪農民春耕與田野風光，後八句寫農家生活。先寫鄉村的淳樸人情：「買花西舍喜成婚，持酒東鄰賀生子。」繼寫農家姑娘的美麗與生活。詩人觀賞此美麗的風光與幸福的生活，讚歎「農家農家樂復樂，不比市朝爭奪惡。」最後二句表示他對官場生活的不滿。

後一首專就農家姑娘，通過與城市女子的對比，顯示鄉村姑娘的快樂生活。首四句寫勤勞，後四句寫出嫁，「城中妖姝」雖「爭嫁官人慕高華」，終只不過「年年傷春」，怎能與浣花姑娘的幸福生活相比？

風從北來不可當，街中橫吹人馬僵。西家女兒午未粧，帳底爐紅愁下床。

東家喚客宴畫堂，兩行玉指調絲簧。錦繡四合如垣牆，微風不動金猊香。

我獨登城望大荒，勇欲爲國平河湟。才疏志大不自量，西家東家笑我狂。（註一二）

這首詩描寫三種人（「西家」、「東家」，以及詩人——「我」）在「大風」中所取的迥然不同的態度。「大風」是實寫，又象徵外部惡勢力，其兇猛威勢「不可當」，「街中」、「人馬」已一一仆倒。在這兇猛大風籠罩之下，街中所住人就有三種不同的人生觀。「西家女兒」所象徵的是只有愁悲，只顧取爐溫，不敢作任何積極行為的無能與怯弱；「東家」則不管外部情況如何，只知喚客，設宴享樂，「錦繡四合如垣牆，微風不動金猊香。」「大風」可能象徵金人的侵犯，「西家」與「東家」則指那些苟且偷安的主和派以及官僚貴族。但是，詩人所取的行動，卻與他們不同，「我獨登城望大荒，勇欲為國平河湟。」結果，「西家東家笑我狂」，這是詩人當時處境的眞實寫照。我們從這首詩中可見詩人巧妙地運用對比手法的本事。

善用對比手法，給人深刻的感動與印象，這在陸游詩中形成一種主要的表現特色。

【附　註】

註　一　詳參王熙元先生〈詞的對比技巧初探〉，《古典文學》第二集，頁二四二。

註　二　《詩稿》卷九〈過筰橋道中龍祠小留〉，頁一五五。

註　三　《詩稿》卷八〈關山月〉，頁一二六。

註　四　《詩稿》卷十四〈夜泊水村〉，頁二四五。

註　五　《詩稿》卷六十九〈訪山家〉，頁九五五九。

註六《詩稿》卷六十一〈鴟鴉〉，頁八六七。
註七《詩稿》卷九〈遊萬里橋南劉氏小園〉，頁一五五。
註八《詩稿》卷三十一〈歲暮感懷以餘年諒無幾休日愴已迫為韻〉十首之十，頁四九六。
註九《詩稿》卷三十六〈雪夜感舊〉，頁五五六。
註一〇《詩稿》卷三〈岳池農家〉，頁四一。
註一一《詩稿》卷八〈浣花女〉，頁一三三。
註一二《詩稿》卷九〈大風登城〉，頁一四九。

第六節　夸飾

詩中運用誇張手法，往往可藉以抒發更深刻的感情，突出地描繪事物的形象。如〈夜坐〉：

大風橫吹斗柄折，迅雷下擊山壁裂。（註一）

此二句誇張「大風」與「迅雷」之兇猛。

箭飛雁起連雲黑。（註二）

此句誇張箭多雁多，雁驚飛騰時，如同一大片黑雲。

門前車馬鬧如市，案前文檄高於山。（註三）

庭下訟訴如堵牆，案上文書海茫茫。（註四）

藉誇張表現官吏生活之忙與苦。

怪藤十圍蔽白日，老木千尺干青霄。（註五）

雪中會獵南山下，清曉嶙峋玉千尺。（註六）

這些都屬於高度的誇張。

放翁胸次誰能測，萬里秋空未是寬。（註七）

八尺風漪雲碧裀，一榻寬如禹九州。（註八）

莫笑龜堂礌磈胸，此中元可貯虛空。（註九）

則藉誇張表示寬廣的襟懷。

市壚酒如山，不濕老瓦盆。（註一〇）

春耕人在野，農具已山立。（註一一）

此皆誇張體積之大，如〈醉舞〉中云：「太山在我一豪芒」（註一二），則極言在作者的特殊感覺中巨物之小，以此映射他的不凡的胸襟。時間的夸飾，如「今朝一日三倒牀，歎息春晝如年長」（註一三），誇張時間之慢，如〈海棠歌〉則云：「何從乞得不死方，更看千年未易足」（註一四），用夸飾，更可見其愛花之情。還有，如：

一夕綠髮成秋霜。（註一五）

百年略似夢長短。（註一六）

遠天渺歸鶴，一瞬三千齡。（註一七）

上天忽悔過，川雲起呼吸。（註一八）

賣酒壚邊紛鼓笛，我過一年如一日。（註一九）

等皆極言時間之快速與短暫。

河漢縱復橫，繁星明如晝。（註二〇）

鼻鼾聲豪撼四鄰。（註二一）

飢腸雷動尋常事。（註二二）

一杯濁酒栽培睡，不覺春雷起鼻端。（註二三）

此均明暗或聲音的夸飾。以上諸例，皆用誇張之筆，或抒情或敘事或寫景，使被描繪的對象表現得更特出。陸游詩中的夸飾運用，在抒發憂國驅敵的豪情壯志，與鴻圖難展的苦悶悲慨的作品中，更見其特色。如：

十年學劍勇成癖，騰身一上三千尺。（註二四）

這兩句寫高超的武藝。寫雄志，則說：「胸中十萬宿貔貅」（註二五）。

佩刀一刺山爲開，壯士大呼城爲摧。（註二六）

此極言壯士的勇猛。

故地不勞傳檄下。（註二七）

幽州螘垤一炬盡。（註二八）

此誇張收復的輕捷。

雞犬相聞三萬里，遷都豈不有關中。（註二九）

上句用「三萬里」三字，誇張關中地方的安寧。

趙魏胡塵千丈黃，遺民膏血飽豺狼。（註三〇）

通過胡塵「千丈」的夸飾，甚哀中原遺民的苦痛。在現實中不得施展壯志，就不免滿胸悲慨：

虙義至今三十餘萬歲，春愁歲歲常相似。外大瀛海環九洲，無有一洲無此愁。（註三一）

春愁茫茫塞天地，我行未到愁先至。（註三二）

慨言壯志難酬之悲愁，第一例前後二聯各極言愁的存在，第二例上句仍是空間上的誇張，恰如杜甫〈登樓〉詩中「錦江春色來天地」，下句是心理上的誇張，與范仲淹的「愁腸已斷無由醉，酒未到，先成淚」（〈御街行〉），異曲同妙。又〈江樓吹笛飲酒大醉中作〉云：

世言九州外，復有大九州。此言果不虛，僅可容吾愁。

許愁亦當有許酒，吾酒釀盡銀河流。酌之萬斛玻璃舟，酣宴五城十二樓。

天爲碧羅幕，月作白玉鉤。織女織慶雲，裁成五色裘。

披裘對酒難爲客，長揖北辰相獻酬。一飲五百年，一醉三千秋。
卻駕白鳳驂班虬，下與麻姑戲玄洲。錦江吹笛餘一念，再過劍南應小留。（註三三）

據說（註三四），中國內有九州，在中國之外還有大九州。但是即使此言不假，這廣大的世界，也「僅可容吾愁」。愁既然如此之多，何以解消？「許愁亦當有許酒，吾酒釀盡銀河流」，「酌之萬斛玻璃舟」。李白〈襄陽歌〉說：「百年三萬六千日，一日須傾三百杯」，但在陸游看來，這還是不足以「銷萬古愁」，一定要「一飲五百年，一醉三千秋。」此外〈樓上醉書〉亦說：「益州官樓酒如海，我來解旗論日買」（註三五），還說：

興來買盡市橋酒，大車磊落堆長瓶。哀絲豪竹助劇飲，如鉅野受黃河傾。（註三六）

飲如長鯨渴赴海，詩成放筆千觴空。（註三七）

若不如此運用夸飾手法，何以見壯志未酬之悲憤？

如以上所分析，陸游運用夸飾手法，在表現時間、空間、自然界的物象、現實的種種形狀，以及自己的心理上，都給讀者強烈的印象與感興。陸詩的悲壯豪放風格，與此類技巧正是密切相關。

【附　註】

註　一《詩稿》卷八，頁一三五。

註　二《詩稿》卷八〈出塞曲〉，頁一二六。

註　三　《詩稿》卷七〈遊圜覺乾明祥符三院至暮〉，頁一一二。
註　四　《詩稿》卷十八〈比得朋舊書多索近詩戲作長句〉，頁三一九。
註　五　《詩稿》卷五〈宿杜氏晨起遇雨〉，頁七七。
註　六　《詩稿》卷十四〈醉歌〉，頁二四四。
註　七　《詩稿》卷二十四〈小市〉，頁四一〇。
註　八　《詩稿》卷三十二〈睡起〉，頁五〇六。
註　九　《詩稿》卷七十五〈遣興〉二首之一，頁一〇三一。
註一〇　《詩稿》卷六十四〈雨夜枕上作〉，頁八九九。
註一一　《詩稿》卷六十八〈農家〉，頁九五二。
註一二　《詩稿》卷五十一，頁七四五。
註一三　《詩稿》卷八十一〈睡起遣懷〉，頁一一〇五。
註一四　《詩稿》卷七十五，頁一〇四〇。
註一五　《詩稿》卷九〈秋興〉，頁一四三。
註一六　《詩稿》卷二十六〈醉後莊門望西南諸山〉，頁四二七。
註一七　《詩稿》卷二十八〈感懷〉四首之二，頁四四九。
註一八　《詩稿》卷七十六〈喜雨〉，頁一〇五〇。

註一九 《詩稿》卷七十九〈短歌行〉，頁一〇八二。

註二〇 《詩稿》卷六〈早發新都驛〉，頁一〇一。

註二一 《詩稿》卷二十一〈春夕睡覺〉，頁三六〇。

註二二 《詩稿》卷六十三〈貧甚戲作絕句〉八首之三，頁八八六。

註二三 《詩稿》卷五十九〈暮秋〉六首之五，頁八四〇。

註二四 《詩稿》卷八〈融州寄松紋劍〉，頁一二四。

註二五 《詩稿》卷二十八〈冬夜讀書有感〉二首之二，頁四五九。

註二六 《詩稿》卷八〈出塞曲〉，頁一二六。

註二七 《詩稿》卷十二〈五月十一日夜且半夢從大駕親征盡復漢唐故地見城邑人物繁麗云西涼府也喜甚馬上作長句未終篇而覺乃足成之〉，頁二〇三。

註二八 《詩稿》卷十二〈碧海行〉，頁二一〇。

註二九 《詩稿》卷三十四〈感事〉四首之一，頁五三〇。

註三〇 《詩稿》卷十七〈題海首座俠客像〉，頁二八八。

註三一 《詩稿》卷四〈春愁曲〉，頁七四。

註三二 《詩稿》卷八〈春愁〉，頁一二五。

註三三 《詩稿》卷九，頁一四六。

註　三四　《史記》卷七十四〈孟子荀卿傳〉中鄒衍說：「中國名曰赤縣神州，赤縣神州內自有九州，禹之序九州是也，不得為州數。中國外如赤縣神州者九，乃所謂九州也。於是有裨海環之，人民禽獸莫能相通者，如一區中者，乃為一州。如此者九，乃有大瀛海環其外，天地之際焉。」

註　三五　《詩稿》卷八，頁一二七。

註　三六　《詩稿》卷五〈長歌行〉，頁九二。

註　三七　《詩稿》卷四〈淩雲醉歸作〉，頁五八。

第七節　比　喻

比喻是通過不同事物的比較與聯想，突出表現某形象的特徵的修辭法，在中國古代詩歌中被廣泛運用，陸游詩於此技巧上也頗具有特色。比喻在表達方式，即被比喻的本體、喻體，以及比喻詞語的偏重上，可分為「明喻」、「隱喻」、「換喻」等。

一、明喻

被比的事物與喻體中間用「如」、「似」、「若」、「猶」等比喻詞語來表明比喻關係，稱為明喻。例如陸游〈對酒〉詩中說：「閑愁如飛雪，入酒即消融」（註一），杜甫曾以山喻愁，說：「憂端齊終南，澒洞不可掇」（〈自京赴奉先縣詠懷五百字〉），表現的是像終南山那樣高，奈何不得的愁；而陸游詩卻與此不同，以雪比愁，這個愁跟雪觸水就消融一樣，藉酒的力量就化解無跡。通過「雪」把「愁」與「酒」的關係連結起來，便有妙趣。這樣的比喻，藉「飛雪」一詞的運用，比「酒能銷愁」表現的更生動。又〈遊圜覺乾明祥符三院至暮〉中云：

有時投鎼輒徑出，略似齊客偷秦關。（註二）

此時陸游在成都任參議官，這是不能實現陸游平生驅敵復中原的抱負的閑官，但「雖名閑官實不閑」，苦於「門前車馬鬧如市，案上文檄高於山」的做官生活，此句引孟嘗君故事作為比喻，意思是說他有時脫離文檄之陣，是像孟嘗君一樣，從險難處脫出，比喻頗生動且奇突。此外，又如：

別駕生涯似蠹魚，簡編垂老未相疎。（註三）

北風捲野天晝晦，雨如弩鏃穿屋背。（註四）

嗟予一世蹈謗藪，洶如八月秋江濤。（註五）

鬚如蝟毛磔，面如紫石稜。（註六）

佳客如晨星，俗子如春萍。（註七）

或以「蠹魚」喻自己在閑官生活中惟讀書是嗜好；或以「弩鏃」喻猛烈下雨的形象；或以「八月秋江濤」喻誹謗之可怕形象；或以「蝟毛磔」、「紫石稜」非常生動地勾勒出一位英雄的奇特狀態；或以「晨星」喻佳客之難逢，以「春萍」喻是處可逢厭惡的俗人，以上的例子，無論在抒情或摹狀上，都藉比喻詞語的直接運用，生動地刻劃出形象。

二、隱　喻

隱喻沒有直接使用比喻詞語，但是仍有「甲是乙」的比喻關係。例如，「身是秋風一斷蓬，何曾住處限西東」（註八），這是藉被秋風吹來吹去的「一斷蓬」，喻自己飄泊四處的不遇生涯。又如〈陵霄花〉云：「高花風墮赤玉盞，老蔓煙溼蒼龍鱗」（註九），把被風吹落的「高花」喻作「赤玉盞」，把煙雨中的「老蔓」喻作「蒼龍鱗」，奇想特出，生動地刻劃出形象。又〈後春愁曲〉云：「朱顏忽去白髮生，眞墮愁城出無計」（註一〇），把「愁」喻作具體形象「城」，表現愁像城一樣，堅強得牢不可破。屬於此類者，還有如「搖扇腕欲脫，揮汗白雨翻」（註一一）、「酒是治愁藥，書為引睡媒」（註一二）、「我是後身張志和」（註一三）等。

三、換　喻

換喻是借比喻來代替被比的事物，只說喻體，本體和比喻詞語都不見的表現方式。例如〈讀書〉云：「燈前目力雖非昔，猶課蠅頭二萬言」（註一四），以「蠅頭」借喻像蒼蠅頭般小的字。又如〈五月十一日夜且半夢從大駕親征盡復漢唐故地見城邑人物繁麗云西涼府也喜甚馬上作長句未終篇而覺乃足成之〉云：「熊羆百萬從鑾駕」（註一五）一句，以「熊羆」喻英勇的武士。又如〈劍客行〉云：「我友劍客非常人，袖中青蛇生細鱗」（註一六），以「青蛇」喻寶劍。還有〈九日十六日夜夢駐軍河外遣使招降諸城覺而有作〉中的「轉盼玉花深一丈」（註一七），以雪色白如玉，借喻雪花；〈江上對酒作〉中的「詎能犯金湯」（註一八），以「金湯」喻城地的防守牢固等。

縱觀陸游詩中所用的比喻技巧，陸游在以上三種比喻方式中為數最多，且喜用，善用的是明喻。其次，我們如果換個角度，從用作比方的對象上論比喻，又可能有數種分別。當然世間任何事物都可以做比方的對象，劉勰曾從取類的心理形式上將比喻分為四種類型。他在《文心雕龍・比興》中說：

夫比之爲義，取類不常：或喻於聲，或方於貌，或擬於心，或譬於事。宋玉高唐云：「纖條悲鳴，聲似竽籟。」此比聲之類也；枚乘菟園云：「焱焱紛紛，若塵埃之間白雲。」此比貌之類也；賈生鵩賦云：「禍之與福，何異糾纆。」此以物比理者也；王褒洞簫云：「優柔温潤，如慈父之畜子也。」此以聲比心者也；馬融長笛云：「繁縟絡繹，范蔡之說也。」此以響比辯者也；張衡南都云：「起鄭舞，繭曳緒。」此以容比物者也。

劉勰將比喻分為「喻於聲」、「方於貌」、「擬於心」、「譬於事」等四種類型，不過，「喻於聲」與「方於貌」，雖然一為聽覺上的比方，一為視覺上的比擬，感覺形式不同，但都基於事物外部形象上的相似，因此亦可以并為一類。因此，我們可以將比喻分為表象、概念、情感三種類型，從表現內容上言則有抒情、狀物、敘事的三種表現類型。下面將依此分類，討論陸游詩的比喻概況。

㈠抒情

詩人與外部事物接觸所引起的喜、怒、哀、惡等感情與思想、品德情操，若經比喻手法的運用，就能由抽象變為具體形象，更生動、深刻地傳情達意，陸游擅於此道，集中有不少可觀的例子。例如〈數日不作詩〉七云：「吾詩鬱不發，孤寂奈愁何。偶爾得一語，快如疏九河。黃流舞浩蕩，白雨助滂沱。」（註一九）詩人悶悶不樂時，偶得一語，就能解悶消愁，爽快無比，這種心理藉「疏九河」的比喻，就表露無遺。「九河」之「九」，能加強快感之廣度，「疏」字又應「鬱」字，比喻得既恰當又巧妙，後面又加「黃流舞浩蕩，白雨助滂沱」二句，更加形成生動的形象。如果說愁之纏身，就比方說：「滿眼如雲忽復生，尋人似瘧何由避」（註二〇），愁像天上浮雲，去而復來，又像瘧疾尋人，要躲也躲不開，眞無可奈何，又寫讀書之樂，則比方說：

無聲九韶奏，有味八珍美。（註二一）

似獲連城璧，如傾九醞觴。（註二二）

偶拈一卷讀，美若鳩食葚。（註二三）

寫辭官後釋負之輕悅，則比擬說：

脫身仕路棄衫笏，如病癬疥逢爬搔。（註二四）

卻看宦途傾奪地，怳然敗將脫重圍。（註二五）

脫卻朝衫猶老健，快如苦雨得春晴。（註二六）

寫舟遊之興，則：

樂如逐兔牽黃犬，快似麾兵卷白波。（註二七）

寫胸中的豪氣、抱負、廣博學問則：

早歲那知世事艱，中原北望氣如山。（註二八）

胸中白虹吐千丈，庭樹葉空衣未纊。（註二九）

讀書四更燈欲盡，胸中太華蟠千仞。（註三〇）

寫自己的心境則：

一事百自反，忿心冷如霜。（註三一）

處世如灰冷，持心似砥平。（註三二）

以上所舉，大致以實際喻體使抽象的心緒顯得更加生動、眞實、形象，有時描寫同樣的心態，也可見不同的表現。

(二)狀物

劉勰說古來詩人「圖狀山川，影寫雲物，莫不織綜比義，以敷其華，驚聽回視，資此效績」（《文心雕龍・比興》），陸游也是如此。如果描寫山水則：

野水如天遠，漁舟似葉輕。（註三三）

奇峰綰髻鬟，橫嶺掃眉黛。（註三四）

描寫天象則：

千群鐵馬雲屯野，百尺金蛇雷掣空。（註三五）

昨夕雨大如車軸，今旦雨細如牛毛。（註三六）

描寫樹木植物則：

青鍼秧稻出，黑螘稚蠶生。（註三七）

雲如壞山欲塞海，樹似奇鬼將搏人。（註三八）

描寫書法字容則：

正如久蟄龍，青天飛霹靂。（註三九）

以上所舉數例，均是視覺形象的表現。除此之外，還可見到別的感覺形象，如：

遶簷點滴如琴筑，支枕幽齋聽始奇。（註四〇）

夢回聞汝讀書聲，如聽簫韶奏九成。（註四一）

以上是聽覺形象的表現。又如：

睡味甜如蜜。（註四二）

飢腸得一餅，美如紫駝峰。（註四三）

這是味覺的實例。又如：

急雨狂風暮不收，燎爐薪暖復何憂。如傾潋灩鵝黃酒，似擁蒙茸狐白裘。（註四四）

這是觸覺的例子。還有些例子使用與本體不同範疇的感覺形象，如：

食葉蠶聲白雨來。（註四五）

聲音是只能聽而不能看見的，這兒卻以下雨這種視覺形象為喻，好像讓人們看見了似的一般，而且加一個「白」字，又兼有色彩形象。

水聲群馬奔。（註四六）

雪聲如飛沙，風聲如翻濤。（註四七）

坐久饑腸鳴，殷如車輪翻。（註四八）

這些都是以視覺比喻聽覺，以此描寫水聲、雪聲、風聲、飢腸聲，使抽象難以捉摸的、瞬即而逝的聲覺變得可見可聞了。又如：

微官那得繫疏慵，幽興渾如社酒濃。（註四九）

此以味覺比喻抽象心理。

詩情也似并刀快，翦得秋光入卷來。（註五〇）

亦以實際具體視覺形象比喻抽象事物。

清絕追涼地，平生得未曾。似嘗仙掌露，如嚼玉壺冰。（註五一）

此是以味覺比喻觸覺與意覺。

世味年來薄似紗。(註五二)

此是以觸覺比喻抽象感覺。如此借對各種不同感覺的轉換來將毫不相關的事物溝通聯繫在一起作比喻的技巧，叫做通感，或移覺、聯覺，使讀者對作品中所表達的某種難以理解的抽象感覺產生具體形象之感。

(三)敘事

如果能恰當適切地運用比喻手法，於行為作風以及作者所要闡明的抽象道理的描繪，往往能獲更加深一層的形象力與說服力。宋詩常被稱為「以文為詩」，藉比喻敘事議論，也是其成因之一。例如：

世事如飲酒，不獻自無酢。(註五三)

喝酒一般都有同伴，你來我往酬酢中自有樂趣，世間事也是與此同理，別人不給我機會，那麼即使我願治國平天下，也無法做得到，好像跟「不獻自無酢」一樣的道理。這樣通過簡單的比喻，卻能深刻地表露陸游與世不諧、壯志不得施展的鬱憤。

禦疾如治河，但當導之東。下流既有歸，自然行地中。
養生如藝木，培植要得宜。常使無夭傷，自有干雲時。(註五四)

「禦疾」與「養生」皆是抽象之事，若逢這種問題，漠然眞不知從哪裡或怎樣下手，此詩以「治河」與「藝木」為比喻來說明，比「禦疾」、「養生」具體得多，還可以使人比較容易明白其中奧理。如此，陸游詩以比喻敘事議論，形象大都具體、生動、精確。例如：

文符紛似雨，訟訴進如牆。（註五五）

幻境槐安夢，危機竹節灘。（註五六）

豈暇論曲直，挺擊如登仙。（註五七）

達士如鴟夷，無客亦自醉。癡人如撲滿，多藏作身祟。（註五八）

人壽至耄期，如位至王公。非以德將之，往往不克終。（註五九）

用酒驅愁如伐國，敵雖摧破吾亦病。（註六〇）

觀上引的例子，所涉及對象相當廣博，都藉比喻生動地敘事議論。

其次，我們再談陸游運用比喻法的一些特色。我們讀《劍南詩稿》，可以發見陸游總是喜歡用特定比喻來表現自己的某種處境或心態，這又可分兩類，首先他常常以「僧」來喻自己，例如：

身如巢燕臨歸日，心似堂僧欲動時。（註六一）

心似遊僧思遠適，身如敗將陷重圍。（註六二）

自閉菴門不點燈，情耕村叟罷參僧。（註六三）

情懷萬里長征客，身世連牀旦過僧。（註六四）

他藉以「僧」喻己的比喻來表現的，最主要不外與世隔絕的處境與晚年隨老寧靜的心境這兩點，但兩者相比，前者的比重比後者還是大些。陸游一生始終渴望為國家辦大事，即驅金復中原，但一直無法實現此抱負，只能做「無事僧」（註六五），或只能奔波各地做「且過打包僧」（註六六），或只能在故鄉做「雲水僧」（註六七），因此他與世隔絕，淹留於一地，就引起「心羨游僧處處家」（註六八）的念頭，雖說「身似枯禪謝世塵」（註六九），但仍不免有還是未能超然物外之嘆。因此我們從以「僧」喻己的表現中可見陸游內心深處的苦惱。

此外，陸游還喜歡借一些動植物來比喻自己，而這些動植物大都是殘缺或不健康的，他常把動植物前面加一些「病」、「枯」、「倦」、「飢」之類的字眼，如說動物：

飢鷹掣羈紲，老馬伏車轅。（註七〇）

悲哉老病馬，解縱誰復秣。（註七一）

倚樓不用悲身世，倦鶻無風亦退飛。（註七二）

如說植物：

身如病木驚秋早。（註七三）

心似枯葵空向日，身如病櫟孰知年。（註七四）

無論是「飢鷹」、「老病馬」、「倦鶻」、或是「病木」、「枯葵」，很明顯地可看出都是象徵陸游自己一再挫折的困境。但還有些例子，是以動植物以及無生物來比喻自己堅定的志節與悠然自適的生活的，如：

正似籬邊數枝菊，歲殘猶復耐冰霜。（註七五）

心如頑石忘榮辱，身似孤雲任去留。（註七六）

最後，還值得一提的是，一般詩人運用比喻手法，大都用一字、一詞組或一句的喻體，就平平地結束句意，如李益的〈夜上受降城聞笛〉云：「回樂峰前沙似雪，受降城外月如霜」，如黃庭堅的〈戲呈孔毅父〉云：「文章功用不經世，何異絲窠綴露珠」，即使蘇軾的〈百步洪〉詩用多種多樣的比喻，也是一氣直敘的寫法（註七七）。但陸游的一些詩，卻不如是，而在句中含有轉折，表現更複雜的句意，例如：

似閑有俸錢，似仕無簿書，似長免事任，似屬非走趨。（註七八）

勇如博虎但堪笑，學似累棋那易成。（註七九）

似虎能緣木，如駒不伏轅。（註八〇）

居家元是客，在俗亦如僧。（註八一）

如山儲藥難醫拙，齊斗堆金不換窮。（註八二）

上引諸例，都藉句中的張力，更加強表現對人生的感慨以及事物的特徵。這種表現方式，可以說陸游運用比喻法的特色之一。

縱觀以上所論，可以知道陸游用比喻表現的內容相當豐富，都能生動、準確地抒情、狀物、敘事，在藝術技巧上獲得新的成就。

【附註】

註一《詩稿》卷七，頁一一二。
註二《詩稿》卷七，頁一一二。
註三《詩稿》卷五〈秋夜讀書戲作〉，頁八六。
註四《詩稿》卷五十五〈蒼檜〉，頁七八八。
註五《詩稿》卷四十七〈悲歌行〉，頁六九九。
註六《詩稿》卷四〈胡無人〉，頁七〇。
註七《詩稿》卷六〈次韻楊嘉父先輩贈行〉，頁九七。
註八《詩稿》卷五十六〈道室雜詠〉三首之三，頁七九九。
註九《詩稿》卷三十四，頁五二七。
註一〇《詩稿》卷十五，頁二六二。
註一一《詩稿》卷十〈夜熱〉，頁一六五。
註一二《詩稿》卷四十二〈晚步舍北歸〉，頁六三九。
註一三《詩稿》卷七十六〈書感〉二首之二，頁一〇五二。
註一四《詩稿》卷八，二首之二，頁一二六。
註一五《詩稿》卷十二，頁二〇三。

註一六《詩稿》卷七，頁一二一。

註一七《詩稿》卷四，頁六四。

註一八《詩稿》卷六，頁九三。

註一九《詩稿》卷八十一，頁一一〇七。

註二〇《詩稿》卷八〈春愁〉，頁一二五。

註二一《詩稿》卷十九〈冬夜讀書〉，頁三三四。

註二二《詩稿》卷四十二〈與子聿讀經因書小詩示之〉，頁六三一。

註二三《詩稿》卷七十九〈晝卧〉，頁一〇七八。

註二四《詩稿》卷四十七〈悲歌行〉，頁七〇〇。

註二五《詩稿》卷五十八〈湖上〉，頁八二七—八二八。

註二六《詩稿》卷六十五〈春日雜賦〉五首之五，頁九二〇。

註二七《詩稿》卷五十四〈湖上夜歸〉，頁七八四。

註二八《詩稿》卷十七〈書憤〉，頁二九九。

註二九《詩稿》卷十五〈六十吟〉，頁二六九。

註三〇《詩稿》卷十四〈讀書〉，頁二四六。

註三一《詩稿》卷五十六〈家居自戒〉六首之五，頁八〇三。

註三二《詩稿》卷八十三〈夏中雜興〉六首之四，頁一一二五。

註三三《詩稿》卷四十〈泛舟至東村〉，頁六〇八。

註三四《詩稿》卷八十一〈稽山〉，頁一一〇六。

註三五《詩稿》卷十七〈南　遇大風雨〉，頁二九〇。

註三六《詩稿》卷五十七〈雨中短歌〉，頁八二三。

註三七《詩稿》卷八十一〈午炊〉，頁一一〇四。

註三八《詩稿》卷五十七〈避雨〉，頁八二三。

註三九《詩稿》卷八十四〈四日夜雞未鳴起作〉，頁一一四二。

註四〇《詩稿》卷十〈冬夜聽雨戲作〉二首之二，頁一七二。

註四一《詩稿》卷二十五〈睡覺聞兒子讀書〉，頁四二一。

註四二《詩稿》卷五十三〈思歸示兒輩〉二首之二，頁七六七。

註四三《詩稿》卷二十〈老病追感壯歲讀書之樂作短歌〉，頁三五二。

註四四《詩稿》卷八十〈擁爐〉，頁一〇九〇。「何憂」、「如」字，據錢注本。

註四五《詩稿》卷二十二〈村居初夏〉五首之一，頁三八〇。又見卷二十九〈四月一日作〉，頁四七〇。

註四六《詩稿》卷五十三〈雨中別同朝諸公〉二首之二，頁七七三。

註四七《詩稿》卷五十六〈雪夜〉，頁八〇一。
註四八《詩稿》卷五十六〈送客〉，頁八〇四。
註四九《詩稿》卷五十四〈幽興〉，頁七七六。
註五〇《詩稿》卷五十四〈秋思〉三首之一，頁七八五。
註五一《詩稿》卷八十三〈湖上夜賦〉二首之二，頁一一三一。
註五二《詩稿》卷十七〈臨安春雨初霽〉，頁三〇〇。
註五三《詩稿》卷四十六〈待旦〉二首之一，頁六八六。
註五四《詩稿》卷七十六〈暑中北窗晝卧有作〉，頁一〇五三。
註五五《詩稿》卷十八〈殘年〉，頁三一一。
註五六《詩稿》卷四十〈秋晚〉，頁六一五。
註五七《詩稿》卷七十九〈聞吳中米價甚貴二十韻〉，頁一〇八七。
註五八《詩稿》卷十二〈醉眠〉，頁二〇一。
註五九《詩稿》卷七十七〈人壽至耄期〉，頁一〇六三。
註六〇《詩稿》卷五〈病酒新愈獨卧蘋風閣戲書〉，頁七九。
註六一《詩稿》卷四〈秋日懷東湖〉二首之一，頁六〇。
註六二《詩稿》卷三十二〈思蜀〉，頁五一〇。

註六三　《詩稿》卷三十八〈菴中獨居感懷〉三首之二，頁五八九。
註六四　《詩稿》卷四十六〈夏日雜題〉八首之三，頁六八三。
註六五　《詩稿》卷十一〈奏乞奉祠留衢州皇華館待命〉，頁一九三。
註六六　《詩稿》卷十一〈僦裝〉，頁一八九。
註六七　《詩稿》卷十一〈別建安絶句〉三首之三，頁一九〇。
註六八　《詩稿》卷二〈寒食〉，頁三三。
註六九　《詩稿》卷五十六〈閑味〉，頁八〇六。
註七〇　《詩稿》卷二十〈五鼓赴太社臘祭〉，頁三五七。
註七一　《詩稿》卷四十三〈自警〉，頁六四二。
註七二　《詩稿》卷七〈感事〉，頁一一九。
註七三　《詩稿》卷十五〈雨夜感懷〉，頁二五四。
註七四　《詩稿》卷二十一〈幽居〉二首之一，頁三七〇。
註七五　《詩稿》卷四十一〈白髮〉，頁六二七。
註七六　《詩稿》卷六十八〈解嘲〉，頁九五一。
註七七　「有如兔走鷹隼落，駿馬下注千丈坡，斷弦離柱箭脫手，飛電過隙珠翻荷。」《蘇軾詩集》，頁八九一。

註　七八　《詩稿》卷五〈醉書〉，頁八五。
註　七九　《詩稿》卷六十四〈枕上口占〉，頁八九九。
註　八〇　《詩稿》卷二十三〈得貓於近村以雪兒名之戲為作詩〉，頁三九三。
註　八一　《詩稿》卷三十〈夜意〉，頁四八〇。
註　八二　《詩稿》卷二十六〈忽得京書有感〉，頁四二九。

第六章　陸游詩的風格

詩者，詩人思想感情的表現，「各師成心，其異如面」（劉勰《文心雕龍・體性》），故一家有一家之風貌。而同一詩人的作品中亦有不同的面貌，對於陸游詩的風格特色，或曰「敷腴」（註一），或曰「雄健」（註二），或曰「閒雅」（註三），或曰「悲壯」（註四）等，就個人，各執一端，評語不同。但這不外說明陸游詩風格之多樣，而同樣指出多樣性，或舉「淡中有味枯中膏」與「奇險」（註五），或論「雄健」、「雋異」、「新穎」等三者（註六），眞所謂「仁者見仁，智者見智」。作品中有如此多樣的特色，正顯示大作家的風貌，但未必都是他獨有的。故本章的主旨不在於檢證多樣的風格，而在於論述具有代表性的主要風格。下面將分為豪邁悲鬱、清淡圓潤以及敷腴工麗等三類來探討陸游詩的風格。

第一節　豪邁悲鬱

陸游作品中抒發憂國壯志的，大致具有豪邁悲鬱的特色。這是與他的性格、思想、生活經歷，以及時代的影響等，莫不有關係。從整個陸游詩的風格發展上看，這種特色完成且成熟於中年在蜀時期。但看初期詩如〈度浮橋至南臺〉：

客中多病廢登臨，聞說南臺試一尋。九軌徐行怒濤上，千艘橫繫大江心。
寺樓鐘鼓催昏曉，墟落雲煙自古今。白髮未除豪氣在，醉吹橫笛坐榕陰。（註七）

這首詩是紹興二十九年（一一五九）陸游三十五歲時，在福州擔任決曹所寫的，已見豪壯的風格。但這主要呈現在景物的描寫上，詩人的感情表現儘管「醉吹橫笛」中露出「豪氣」，但沒那麼突出明顯。這一類詩在初期詩中為數尚不多，須至中年入蜀，數量增加，豪邁悲壯的風格特色也更加顯著。不過，看了這一首，便可以說豪壯風格是陸游詩的基本特色之一，從初期詩中已慢慢開始。下面舉在蜀期的作品，先看〈山南行〉：

我行山南已三日，如繩大路東西出。平川沃野望不盡，麥隴青青桑鬱鬱。
地近函秦氣俗豪，鞦韆蹴踘分朋曹。苜蓿連雲馬蹄健，楊柳夾道車聲高。
古來歷歷興亡處，舉目山川尚如故。將軍壇上冷雲低，丞相祠前春日暮。
國家四紀失中原，師出江淮未易吞。會看金鼓從天下，卻用關中作本根。（註八）

陸游一直懷抱驅敵復國的壯志而不得志，這次到宋金相峙的最前線地區，看到當地的山川形勢、景物、人情、韓信與諸葛亮的歷史古跡，壯心陡然湧起，最後提出復國方略。這首詩充滿愛國熱情，氣勢豪邁。此後，豪邁悲鬱的本色，漸趨完成。〈胡無人〉云：

> 鬚如蝟毛磔，面如紫石稜。丈夫出門無萬里，風雲之會立可乘。
> 追奔露宿青海月，奪城夜蹋黃河冰。鐵衣度磧雨颯颯，戰鼓上隴雷憑憑。
> 三更窮虜送降款，天明積甲如丘陵。中華初識汗血馬，東夷再貢霜毛鷹。
> 群陰伏，太陽昇，胡無人，宋中興。丈夫報主有如此，笑人白首蓬窗燈。（註九）

這首詩通過想像，描寫北伐勝利、宋室中興。全詩可分為四段。第一段四句寫北伐英雄的相貌與壯志，首二句用比喻生動地描寫外貌。以下四句描寫戰鬥的情景，在各句中各用一地，表現宋軍的奮戰。「三更」以下三聯寫胡人投降，再度進貢，宋室中興。詩至「群陰伏」句，句型由七言變為三言，以下四句，用短促的節奏，表現詩人高昂的感情。最後二句寫詩人的宏願與對一無所為老死篷窗燈下的鄙視。全篇風格豪邁雄健。姚範評陸詩：「放翁興會舉，詞氣踔厲，使人讀之，發揚矜奮，起痿興痺矣。」（註一〇），此篇堪稱當之。又如〈萬里橋江上習射〉云：

> 坡隴如濤東北傾，胡看射及春晴。風和漸減雕弓力，野迥遙聞羽箭聲。
> 天上欃槍端可落，草間狐兔不須驚。丈夫未死誰能料，一笴他年下百城。（註一一）

這首詩寫他看萬里橋一帶江上將士演練射箭而引起的感受。每聯都與「射」有關——「看射」、「聞箭聲」、「射落慧星（喻金人）」、射下百城。尤其是最後一聯，詩人說「丈夫未死誰能料，一笴他年下百城」，更顯示豪情壯志。全詩風格也豪邁。此外，如：「十萬貔貅出羽林，橫空殺氣結層陰。桑乾沙土初飛雪，未到幽州一丈深。」（註一二）又如：「群胡束手仗天亡，棄甲縱橫滿戰場。雪中急追奔馬跡，官軍夜半入遼陽。」（註一三）等，雖是想像之情景，意境闊大，筆力雄健，風格豪邁。又如〈醉後草書歌詩戲作〉：

朱樓矯首隘八荒，綠酒一舉累百觴。洗我堆阜崢嶸之胸次，寫爲淋漓放縱之詞章。
墨瀋初若鬼神怒，字瘦忽作蛟螭僵。寶刀出匣揮雪刃，大舸破浪馳風檣。
紙窮擲筆霹靂響，婦女驚走兒童藏。往時草檄喻西域，颯颯聲動中書堂。
一收朝跡忽十載，西掠三巴窮夜郎。山川荒絕風俗異，賴有酒美猶能狂。
醉中自脫頭上幘，綠髮未許侵微霜。人生得喪良細事，孰謂老大多悲傷。（註一四）

此詩頗是顯示陸游詩的豪壯雄邁的風格：氣魄雄偉，景物壯闊，節奏跌宕。在現實上不得施展鴻圖，就在作品中流露請纓無路之悲慨，〈題醉中所作草書卷後〉云：

胸中磊落藏五兵，欲試無路空崢嶸。酒爲旗鼓筆刀槊，勢從天落銀河傾。
端溪石池濃作墨，燭光相射飛縱橫。須臾收卷復把立，如見萬里煙塵清。
丈夫身在要有酒，逆虜運盡行當平。何時夜出五原塞，不聞人語聞鞭聲。（註一五）

此詩一開始就表現報國無門的慨歎。以下以作草書比作用兵，最後二聯表示為國立業的願望。此詩比喻生動，用散化句表現激宕感情與雄奇景象，氣勢雄健。又如：

前年從軍南山南，夜出馳獵常半酣。玄熊蒼兕積如阜，赤手曳虎毛毵毵。

有時登高望鄠杜，悲歌仰天淚如雨。頭顱自揣已可知，一死猶思報明主。
近聞索虜自相殘，秋風撫劍淚汍瀾。雒陽八陵那忍說，玉座塵昏松柏寒。
儒冠忽忽垂五十，急裝何由穿袴褶。羞爲老驥伏櫪悲，寧作枯魚過河泣。（註一六）

聽到金國發生內亂，就抒發切望趕快能收復失地的心情。詩表現得慷慨悲壯。又如：

人生不作安期生，醉入東海騎馬鯨。猶當出作李西平，手梟逆賊清舊京。
金印煌煌未入手，白髮種種來無情。成都古寺臥秋晚，落日偏傍僧窗明。
豈其馬上破賊手，哦詩長作寒螿鳴。興來買盡市橋酒，大車磊落堆長缾。
哀絲豪竹助劇飲，如鉅野受黃河傾。平時一滴不入口，意氣頓使千人驚。
國讎未報壯士老，匣中寶劍夜有聲。何當凱還宴將士，三更雪壓飛狐城。（註一七）

詩人首先通過「安期生」與「李西平（晟）」的對比，表明白已滅敵復國的志願。首四句由「不作」——「猶當作」的連結，頗得氣勢。第三聯首句句中有轉折，「金印煌煌」，但尚「未入手」。第三四聯寫自己的處境。四句中的「白髮」、「晚秋」、「落日」、「古寺」、「僧窗」、「臥」等都層層加深詩人以壯志難酬、虛度年華為苦的悲慨。第五聯出句用「豈」字強列地表示詩人的不平。以下三聯用夸飾法，表現壯志不得施展，以酒銷愁。但愈用驚人的夸張，愈能襯出詩人內心的痛苦、悲愁。所以最後再藉匣中寶劍夜鳴的表現與幻想，抒發驅敵立功的希望。此詩深刻地傳寫壯志難酬的鬱悶，風格悲壯雄渾。方東樹評此詩為陸游詩中的「厭卷」（註一八），誠非過譽。

鏡雖明，不能使醜者妍。
酒雖美，不能使悲者樂。
男子之生，桑弧蓬矢射四方，古人所懷何磊落。
我欲北臨黃河觀禹功，犬羊腥羶塵漠漠。
又欲南適蒼梧弔虞舜，九疑難尋眇聯絡。
惟有一片心，可受生死託。
千金輕擲重意氣，百舍孤征赴然諾。
或攜短劍隱紅塵，亦入名山燒大藥。
兒女何足顧，歲月不貸人。
黑貂十年弊，白髮一朝新。
半酣耿耿不自得，清嘯長歌裂金石。
曲終四座慘悲風，人人掩淚無人色。（註一九）

此詩寫生為男子大丈夫，志在四方，要建功立業，卻終無法實現，「舉酒銷愁愁更愁」的悲歎。「我欲」聯上下句意衝突，表示願望的落空；「又欲」聯亦然，上下二聯皆寫願望的挫折。陸游往往用此寫法表現壯志未酬的悲痛，如〈醉歌〉中云：「讀書三萬卷，仕宦皆束閣。學劍四十年，虜血未染鍔。不得為長虹，萬丈掃寥廓。又不為疾風，六月送飛雹」（註二〇），前二聯已見前，後二聯也是同樣寫法。「黑貂十年弊，白髮一朝新」一聯，字眼雖對照，意思一致，得不到君王的重視，生活困苦，年華已老。此詩全篇二十四句中間用六種字數不同的句式（三、五、六、七、九、十一字句），節奏錯落多變，氣勢磅礴，詩意也隨之顯得更加激越。

和戎詔下十五年，將軍不戰空臨邊。朱門沉沉按歌舞，廄馬肥死弓斷弦。
戍樓刁斗催落月，二十從軍今白髮。笛裡誰知壯士心，沙頭空照征人骨。
中原干戈古亦聞，豈有逆胡傳子孫。遺民忍死望恢復，幾處今宵垂淚痕。（註二一）

此詩各四句一段，共分三段。第一段寫南宋朝廷與金簽訂和議後只過偷安享樂的生活。第二段寫邊防戰士虛度年華。第三段寫中原被胡人所佔，遺民渴望恢復。這首詩中對比手法的運用，是最值得提出的特色，此外，描寫生動，處處流露詩人的強烈感情，有激憤，有沉痛，有悲傷。

幅巾藜杖北城頭，卷地西風滿眼愁。一點烽傳散關信，兩行雁帶杜陵秋。
山河興廢供搔首，身世安危入倚樓。橫槊賦詩非復昔，夢魂猶繞古梁州。（註二二）
中原草草失承平，戍火胡塵到兩京。扈蹕老臣身萬里，天寒來此聽江聲。（註二三）

第一首深秋登上成都北門城樓，觸景生情，抒發憂國傷時、自感處境的沉鬱之情。第二首是離蜀東歸途中，憑弔龍興寺杜甫故居而作的，為杜甫的不幸際遇悲傷，而自己也是如此，感情十分悲涼。

此外，陸游晚年抒發憂國憂時、自傷際遇的詩中，如：

一室幽幽夢不成，高城傳漏過三更。孤燈無焰穴鼠出，枯葉有聲鄰犬行。

壯日自期如孟博，殘年但欲慕初平。不然短檝棄家去，萬頃松江看明月。（註二四）

夢筆橋東夜繫船，殘燈耿耿不成眠。千年未息靈胥怒，卷地潮聲到枕邊。（註二五）

等，都以豪健之筆表現出悲憤與沉鬱。只不過並非這個時期詩的主要特色，但還是可見「豪邁悲鬱」是陸游詩的基本風格。「豪邁悲鬱」是陸游詩的基調，若細看，裡面有豪邁、雄渾、沈鬱、悲壯等，有時幾種混合在一起，同時見於一篇中，很難明確地劃界，故本節以「豪邁悲鬱」作代表。這類詩大致上直書胸臆，極少含蓄婉轉，或善用夸飾手法，或善用多變的句法。

第二節　清淡圓潤

上面所論「豪邁悲鬱」是主要表現在憂國詩，本節所云「清淡圓潤」則多見於田園閑適詩。如〈東籬雜書〉云：

芳草初侵路，青梅已破枝。雨來鵓逐婦，日出雉求雌。

莽莽江湖遠，悠悠歲月移。老人觀物化，隱几獨多時。（註二六）

這首詩寫佳節的景物與詩人的閑適情趣，語言平夷自然。又如〈遊山西村〉云：

莫笑農家臘酒渾，豐年留客足雞豚。山重水複疑無路，柳暗花明又一村。

簫鼓追隨春社近，衣冠簡朴古風存。從今若許閑乘月，拄杖無時夜叩門。（註二七）

這是山村記遊詩，首寫村民好客款待，次寫美麗的風光，三聯寫村中古朴習俗，末聯寫欲頻來之願。此詩語言明白曉暢，中間二聯用對仗而自然，篇中也沒有用典處，風格清新。這是清淡圓潤風格的很好的例子。又如：

舟中一雨掃飛蠅，半脫綸巾臥翠藤。清夢初回窗日晚，數聲柔艣下巴陵。（註二八）

這首詩以自然曉暢的語言描寫舟行途中閑適、愉快的心情。陸游善於捕捉、攝取日常生活中富有詩意的情景來入詩，此詩即是佳例。

月白庭空樹影稀，鵲棲不穩繞枝飛。老翁也學癡兒女，撲得流螢露濕衣。（註二九）

烏桕微丹菊漸開，天高風送雁聲哀。詩情也似并刀快，翦得秋光入卷來。（註三〇）

此二首既無雕琢之病，又無奇險之累，給人以清新明快之感。詠物詩中如〈燕〉：

初見梁間牖戶新，銜泥已復哺雛頻。只愁去遠歸來晚，不怕飛低打著人。（註三一）

語言朴實清新，用生動的筆調寫燕子築巢哺育小燕的忙碌生活，寫得頗有情趣。又如〈雨〉：

映空初作繭絲微，掠地俄成箭鏃飛。紙帳光遲饒曉夢，銅鑪香潤覆春衣。

池魚鱍鱍隨溝出，梁燕翩翩接翅歸。惟有落花吹不去，數枝紅濕自相依。（註三二）

此詩寫繪下雨的情景，詩人在雨中的感受與動作，池魚與梁燕，落花的情態。詩人的觀察細微入致。范大士評此詩云：「洗刷殆盡，而意味正自濃深」（註三三），「洗刷殆盡」指「清新刻露」，「意味正自濃深」指詩中充滿的情趣，也指此詩中人與景物和諧地組合在一起而呈現的意境之美。此外，五絕如：

疎鐘渡水來，素月依林上。煙火認茅廬，故倚船篷望。（註三五）

草合路如線，偶隨樵子行。林間遇磐石，小憩看春耕。（註三六）

擁被聽春雨，殘燈一點青。吾兒歸漸近，何處寄長亭。（註三七）

五律如：

小雨時時作，幽花續續紅。新蟬落庭樹，癡燕集屏風。傍枕拋書卷，臨池下釣筒。閑中有真樂，那得歎途窮。（註三七）

紅樹園廬晚，碧花籬落秋。荒陂船護鴨，斷岸笛呼牛。酒賤村村醉，山寒寺寺幽。聊須岸烏幘，小立埭西頭。（註三八）

水長鷗初泛，山寒茗未芽。深林聞社鼓，落日照漁家。渡遠呼船久，橋傾取路斜。客愁慵遠眺，不是怯風沙。（註三九）

七絕如：

舍前舍後養魚塘，溪北溪南打稻場。喜事一雙黃蛺蝶，隨人來往弄秋光。（註四〇）

四十年來住此山，入朝無補又東還。倚闌莫怪多時立，爲愛孤雲盡日閑。（註四一）

七律如：

半世天涯倦遠遊，還鄉不減旅人愁。數聲相應鳩呼雨，一片初飛葉報秋。

山塢風煙僧院路，河梁燈火酒家樓。絶知雪鬢宜蓑笠，分付貂蟬與黑頭。（註四二）
功名莫苦怨天慳，一櫂歸來到死閑。傍水無家無好竹，卷簾是處是青山。
滿籃箭茁瑤簪白，壓擔稜梅鶴頂殷。野興盡時尤可樂，小江煙雨趁潮還。（註四三）
逾年夢想會稽城，喜挂高帆浩蕩行。未見東西雙白塔，先經南北兩錢清。
兒童鼓笛迎歸艦，父老壺觴敍別情。想到吾廬猶未夜，竹間正看夕陽明。（註四四）

等，無論抒情或寫景，都以平夷清新的語言，寫得恬淡自然，流利圓轉。尤其是七言律詩在工整熨貼之中呈現流暢圓熟之美，詩集中俯拾皆得其例。七絶也信手拈來，毫不費力，而饒有韻致。這是陸游詩在藝術方面最突出的特色，早期詩中已見（如〈遊山西村〉等），到後來更加完熟。

第三節　敷腴工麗

陸游同時代人如楊萬里、後代人如方回，他們都標舉「敷腴」或「豐腴」二字來評陸游詩與其他南宋中期詩人不同的特色。楊萬里說：「余嘗論近世之詩人，若范石湖之清新，尤梁溪之平淡，陸放翁之敷腴，蕭千巖之工致，皆余之所畏者云」（註四五），方回云：「乾淳以來，詩稱尤、楊、范、陸。梁溪之槁淡細潤，誠齋之飛動馳擲，石湖之典雅標致，放翁之豪蕩豐腴，各擅一長。」（註四六）陸游詩的這種特色往往在工緻中獲得新麗的表現。下面舉幾首以見其一斑。〈臨安春雨初霽〉云：

世味年來薄似紗，誰令騎馬客京華。小樓一夜聽春雨，深巷明朝賣杏花。
矮紙斜行閑作草，晴窗細乳戲分茶。素衣莫起風塵嘆，猶及清明可到家。（註四七）

淳熙十三年（一一八六）被任為權知嚴州軍州事，赴任之前，先至臨安，等候皇帝召見。這首詩就作於此期間，寫客居京華的落寞心情。生活雖無聊，此詩三四句呈現的是很美的意境。陳與義（懷天經智老因以訪之）中的「杏花消息雨聲中」，也是頗受人們稱道的名句，而比較起來，陸詩更覺清新秀麗，詩意也更豐富。此二句寫聽覺上的美感經驗，對仗工整，節奏明快，色彩鮮明，與悲憤激昂的詩篇風格迥異。又如（六月二十四日夜分夢范至能李知幾尤延之同集江亭諸公請予賦詩記江湖之樂詩成而覺忘數字而已）：

露箬霜筠織短篷，飄然來往淡煙中。偶經菱市尋谿友，卻揀蘋汀下釣筒。
白菡萏香初過雨，紅蜻蜓弱不禁風。吳中近事君知否，團扇家家畫放翁。（註四八）

詩人駕著用露箬與霜筠編成的小舟，在淡煙之中飄然往來，偶經菱市，忽思訪友，遂選蘋汀，放下釣竿釣筒，足見悠然自適的閑情逸趣。第三聯是一幅美麗的景物圖，有白色、紅色、藍色（湖水與天空），又有清香，有荷花的靜態，又有蜻蜓的動態。視覺與嗅覺、靜態與動態結合，生動地描繪鏡湖的初夏景色。對仗也頗工整。堪稱工麗。又如：

溪漲清風拂面，月落繁星滿天。數隻船橫浦口，一聲笛起山前。（註四九）

此詩描繪夜景，有近景與遠景，從溪水寫到滿天之繁星，再寫蒲口中的漁船，再寫到前山；從視覺寫到膚覺，再寫聽覺。用六言寫景，雖不用一色澤語，卻寫來自然工麗。此外，如：

雕檻迎陽光併發，畫梁避雨燕雙歸。（註五〇）

湖光漲綠分煙浦，柳色搖金映市樓。（註五一）

紅顆帶芒收晚稻，綠苞和葉摘新橙。（註五二）

出籠鵝白輕紅掌，藉藻魚鮮淡墨鱗。（註五三）

巢乾燕乳蟲供哺，花過蜂閑蜜滿房。（註五四）

等，都堪當陸游自誇「今代江南無畫手，矮箋移入放翁詩。」（註五五）

綜括上面所論，陸游詩有多樣的風格，難以一語概括，而主要者即豪邁悲鬱、清淡圓潤，以及敷腴工麗。雖在不同的體裁與題材上，有濃淡深淺的程度差異，但仍然可以此三類作代表。

【附註】

註一　楊萬里《誠齋集》卷八十一〈千巖摘稿序〉中云：「陸放翁之敷腴」，頁六七五。

註二　徐乾學《宋金元詩永》序中云：「放翁之雄健」，《憺園文集》卷十九，頁一〇〇〇。

註三　陳瑚《陳確庵先生遺書》卷六〈確庵日記〉云：「陸放翁之閒雅」，《陸游卷》，頁一三八。

註四　方回《桐江集》卷一〈跋遂初尤先生尚書詩〉云：「放翁善為悲壯」，頁二一三。

註五　見姜特立《梅山續稿》卷四〈應致遠謁放翁〉詩，《四庫全書》本，頁四二。

註　六　陳衍《宋詩精華錄》云：「案劍南最工七言律、七言絕句，略分三種：雄健者不空，雋異者不澀，新穎者不纖。」頁一八四。
註　七　《詩稿》卷一，頁六。
註　八　《詩稿》卷三，頁四三—四四。
註　九　《詩稿》卷四，頁七〇。
註一〇　《援鶉堂筆記》卷四十，頁一五五一。
註一一　《詩稿》卷八，頁一二六。
註一二　《詩稿》卷十八〈雪中忽起從戎之興戲作〉四首之三，頁三三〇。
註一三　《詩稿》卷十八〈雪中忽起從戎之興戲作〉四首之四，頁三三〇。
註一四　《詩稿》卷四，頁七一—七二。
註一五　《詩稿》卷七，頁一一三。
註一六　《詩稿》卷四〈聞虜亂有感〉，頁六四—六五。
註一七　《詩稿》卷五〈長歌行〉，頁九二。
註一八　《昭昧詹言》卷十二，頁五二。
註一九　《詩稿》卷五〈對酒歎〉，頁八〇。
註二〇　《詩稿》卷二十一，頁三六六。

註二一　《詩稿》卷八〈關山月〉，頁二二六。

註二二　《詩稿》卷八〈秋晚登城北門〉，頁二四二。

註二三　《詩稿》卷十〈龍興寺弔少陵先寓居〉，頁一六一。

註二四　《詩稿》卷六十三〈枕上作〉，頁八九二。

註二五　《詩稿》卷六十二〈乙丑夏秋之交小舟早夜往來湖中戲成絶句〉十二首之十二，頁八八〇。

註二六　《詩稿》卷七十六，四首之一，頁一〇四。

註二七　《詩稿》卷一，頁一七。

註二八　《詩稿》卷十〈小雨極涼舟中熟睡至夕〉，頁一六四。

註二九　《詩稿》卷十五〈月下〉，頁二六〇。

註三〇　《詩稿》卷五十四〈秋思〉三首之一，頁七八五。

註三一　《詩稿》卷四十三，頁六四五。

註三二　《詩稿》卷七，頁一〇九。

註三三　《歷代詩發評語選錄》，見《陸游卷》，頁二五。

註三四　《詩稿》卷三十二〈夜歸〉，頁五〇二。

註三五　《詩稿》卷七十六〈山麓〉，頁一〇四四。

註三六　《詩稿》卷四十五〈春雨〉二首之一，頁六七〇。

註三七　《詩稿》卷三十二〈閑思〉二首之二，頁五〇八。
註三八　《詩稿》卷四十八〈小立〉，頁七〇三。
註三九　《詩稿》卷五十〈初春雜興〉五首之二，頁七二八。
註四〇　《詩稿》卷五十九〈暮秋〉六首之四，頁八四〇。
註四一　《詩稿》卷五十九〈孤雲〉，頁八四六。
註四二　《詩稿》卷六十七〈夏末野興〉二首之一，頁九三九—九四〇。
註四三　《詩稿》卷二十一〈故山〉四首之一，頁三七一。
註四四　《詩稿》卷五十三〈舟行錢清柯橋之間〉，頁七七三。
註四五　《誠齋集》卷八十一〈千巖摘稿序〉，頁六七五。
註四六　《桐江續集》卷八〈讀張功父南湖集并序〉，頁三〇二。
註四七　《詩稿》卷十七，頁三〇〇。
註四八　《詩稿》卷三十四，頁五三三。
註四九　《詩稿》卷八十三〈夏日六言〉四首之三，頁一一二七。
註五〇　《詩稿》卷二〈假日書事〉，頁三六。
註五一　《詩稿》卷二〈春日〉二首之一，頁二一。
註五二　《詩稿》卷十三〈霜天晚興〉，頁二二五。

註五三　《詩稿》卷二十二〈村居初夏〉五首之二，頁三八〇。
註五四　《詩稿》卷六十六〈初夏閑居〉八首之一，頁九二八。
註五五　《詩稿》卷四十二〈春日〉六首之五，頁六三六。

第七章　陸游詩的缺點

前文所論，均是陸游詩的特色，亦即是其詩中佳處。然而要公正客觀地評價某詩人的成就，不僅要揚舉其優點，也應指陳其缺失，這就是特設本章的趣旨。批評陸游詩某些方面缺點的人，從明代開始出現，至清代尤有數人，而對其中某些說法，應該辨別清楚，如洪亮吉所云：「詩可以作，可以不作，則不作可也。陸劍南『六十年間萬首詩』，以為貽誤後人不少。」（註一），或方東樹所評「放翁但於詩格中求詩，其意氣不出走馬飲酒，其胸中實無所有。」（註二），「放翁多客氣假象」（註三），則我們對此不敢苟同。下面試從詞語複疊、句法雷同、對仗傷巧、體調滑易，以及命題欠煉等五項來論陸游詩的缺點。

第一節　詞語複疊

詩貴創新，理應避免詞語的重複。趙翼說：「放翁萬首詩，遣詞用事，少有重複者，惟晚年家居，寫鄉村景物，或有見於此又見於彼者」，他舉出六組：「〈老境〉云：『智士固知窮有命，達人原謂死為歸。』〈寓歎〉又云：『達士共知生是贅，古人嘗謂死為歸。』〈晨起〉云：『大事豈堪重破壞，窮人難與共功名。』〈客思〉又云：『壯士有心悲老大，窮人無路共功名。』〈夜坐〉云：『風生雲盡散，天闊月徐行。』〈夜坐〉又一首云：『湖平波不起，天闊月徐行。』〈冬夜〉云：『殘燈無燄穴鼠出，槁葉有聲村犬行。』〈枕上作〉又云：『孤燈無燄穴鼠出，枯葉有聲村犬行。』〈郊行〉云：『民有袴襦知歲樂，亭無桴鼓喜時平。』〈寒夜〉又云：『市有歌呼知歲樂，亭無桴鼓喜時平。』〈羸疾〉云：『羸疾止還作，已過秋暮時，但當名百藥，那更謁三醫。』〈題藥囊〉又云：『殘暑纔屬爾，新秋還及茲，眞當名百藥，何止謁三醫。』」（註四）《詩稿》中還有一聯全相同者，此不屬於趙翼所云「寫鄉村景物」類，如：

我亦輕餘子，君當恕醉人。（註五）

我亦輕餘子，君當恕醉人。（註六）

此外，再舉調語重複的若干例子：

蓬窗坐睡摧頹甚，隔竹敲茶賴小童。（註七）

睡魔正費驅除力，隔竹敲茶賴小童。（註八）

九日春陰一日晴，回塘閑院愜幽情。（註九）

九日春陰一日晴，不堪風駕浪花生。（註一〇）

九日春陰一日晴，強扶衰病此閑行。（註一一）
九日陰蘊一日晴，此行處處是丹青。（註一二）
後之視今猶視昔，此事誠非一朝夕。（註一三）
後之視今猶視古，吾書未泯要有取。（註一四）
與翁雖俱老，肝膽猶輪囷。（註一五）
恩深老不報，肝膽空輪囷。（註一六）
讀書肝膽尚輪囷，蠹簡堆中著此身。（註一七）
六聖涵濡壽域民，耄年肝膽尚輪囷。（註一八）
明朝有奇事，江閣看秋濤。（註一九）
今晨有奇事，簫鼓賽年豐。（註二〇）
今朝有奇事，久雨得窗光。（註二一）
剩喜今朝有奇事，一窗晴日寫黃庭。（註二二）
弄書聊自適，與世已相忘。（註二三）
清歡送客日，與世永相忘。（註二四）
行年過七十，與世兩相忘。（註二五）

如此之類，字面或全同或部分雷同，都給人板滯的感覺。趙翼說：「此則未免太複，蓋一時湊用完篇，不及改換耳」（註二六），不能不算是缺憾。

第二節　句法雷同

朱彝尊從《劍南詩稿》中舉以「如」對「似」者（如『身似老僧猶有髮，門如村舍強名官。』；『身似在家狂道士，心如退院病禪師。』等）三十九聯，說：「句法稠疊，讀之終卷，令人生憎。」（註二七）其實陸游詩中句法複疊的例子，不止此等比喻句，下面將分為三類，再舉若干例子，第一類是字面不同，而句法相同者，有如：

忽忽流年恨，悠悠獨夜情。（註二八）
策策桐葉風，濛濛菊花雨。（註二九）
淅淅連江雨，愔愔一室幽。（註三〇）
朗朗百間屋，汪汪千頃陂。（註三一）
決決沙溝水，翻翻麥野風。（註三二）
喔喔曉雞鳴，迢迢殘漏聲。（註三三）
霏霏半篆香，湛湛一池墨。（註三四）
曲曲羊腸徑，疎疎麂眼籬。（註三五）

四鼓欲盡五鼓初。（註三六）

峽人住多楚人少。（註三七）

酒味醺人睡味濃。（註三八）

鐘聲復定履聲集。（註三九）

山色蒼寒野色昏。（註四〇）

蘋花零落蓼花開。（註四一）

第二類是字面部分相同而句法亦雷同者；

日正車無影，風高蓋有聲。（註四二）

地瘦竹無葉，風乾茅有聲。（註四三）

月正樹無影，露濃荷有聲。（註四四）

霜近泖無色，風生蒲有聲。（註四五）

小雨收仍落，孤燈翳復明。（註四六）

漁火明還滅，沙禽去卻回。（註四七）

衣杵斷還續，燈花落復生。（註四八）

星辰北拱疎還密，河漢西流縱復橫。（註四九）

柁邊潮水落還生，篷底寒燈滅復明。（註五〇）

第三類是一篇詩中特定部分的句法較特殊者：

杜門君勿怪。（註五一）

山城君勿誚。（註五二）

淸狂君勿笑。（註五三）

晤語君勿吝。（註五四）

箇裡生涯君莫厭。（註五五）

此老清狂君未知。（註五六）

蕭然禪榻君休笑。（註五七）

山陰淸絶君須記。（註五八）

桑苧家風君勿笑。（註五九）

詩家事業君休問。（註六〇）

道人行李君毋笑。（註六一）

放翁此意君知否。（註六二）

踞床一喝君聞否。（註六三）

此段神通君會否。（註六四）

這些都是律詩的第七句或絶句的第三句（前者尤多），陸游部分詩中此二處的句法，往往取相似的形態，即七言句的第五字與五言句的第三字均為「君」字，後二字即動詞與否定詞（或禁止詞）的組合（唯「君須記」是例外），首四字的語法性質也相似。此外，如：

斯世本無事。（註六五）

殘年澹無事。（註六六）

即今幸無事。（註六七）

閑人信無事。（註六八）

或「此身只合都無事」（註六九）、「愚儒幸自元無事」（註七〇）等也是律詩或絕句的第七或第三句，句法雷同。以上所舉三類中此類句法複疊現象最顯著，一再運用相似句法來造特定部分的句子，給人幾乎成為套句的印象，這一點就使我們感到陸游少數詩在句法上的缺憾。

第三節　對仗傷巧

陸游詩的對仗以工整著稱，但是美中有瑕，繆焕章指出：「往往先得佳句而足成之。」（註七一）因此，或如朱彝尊所評那樣，以「如」對「似」聯者重複迭見；或追求工巧之餘，沒有維持相稱的均衡之美，「出句往往略佳於對句」，「即使中間四句都盡善盡美，前兩句和末兩句又時常難以相襯。」（註七二）前者屬於句法雷同，本節不再贅論，下面就後者，略舉數例以見之。〈人日雪〉云：

非賢那畏蛇年至，多難卻愁人日陰。（註七三）

上句既言是年太歲，又用與蛇年有關的典故，《後漢書》卷三十五〈鄭玄傳〉載鄭玄夢中見孔子，得知歲在辰，醒後「以讖合之，知命當終」事。下句所言只合詩人題下所附記的「己巳元日至人日，雨雪間作」，出句較對句出色。〈殘臘〉云：

海霧籠山青淡淡，河堤豬水白茫茫。（註七四）

兩句均寫景，而出句更佳。〈上章納祿恩畀外祠遂以五月初東歸〉之中四句云：

傍人鷗鳥自然熟，到處藕花無數開。麥飯不屢常面槁，柴門閑掩自心灰。（註七五）

首二句寫情景交融，自然閑雅，後二句直率粗野，與前聯不相稱。又〈醉中作〉云：

宦遊三十載，舉步亦看人。愛酒官長罵，近花丞相嗔。湖山今入手，風月始關身。少吐胸中氣，從教白髮新。（註七六）

頷聯二句用杜甫句，而對仗自然，表達的感慨很深，出句「官長罵」語出〈戲簡鄭廣文虔兼呈蘇司業源明〉：「醉則騎馬歸，頗遭官長罵」；對句語出〈麗人行〉：「慎莫近前丞相嗔」。與此相比，頸聯輕滑，便見遜色，這樣的例子，就使人感到只有佳句而無佳篇。以上所引數例，都說明陸游尋求工巧的對偶句，往往呈現先得一佳句而後句不及的情形，這點也就是使人感到缺憾的地方。

第四節 體調滑易

陸游詩的句律流麗圓轉，自是其詩一大特色，或過其適度，就往往寫得一瀉無盡，未留深意，使讀者咀嚼其味。前人對陸游詩缺點的批評，除了上述詞彙、句法的重複外，大抵集中於此一點，下面舉數家之說：

李東陽：陸務觀學白樂天，更覺直率。（註七七）

葉　燮：陸集佳處固多，而率意無味者更倍。（註七八）

黃子雲：務觀於宋，亦可稱正始，惜其流於淺弱，而無高渾磊落之氣。（註七九）

李重華：唐賢詩集惟白居易最多，宋則放翁尤甚，大約伸紙便得數首或至數十首，以故流滑淺易居多。（註八〇）

都以「直率」、「率意無味」、「淺弱」、「流滑淺易」等語，指出其缺點。雖不可以此涵蓋其全集，卻也不能否認其事實的存在。如〈甲子歲元日〉云：

飲罷屠蘇酒，真爲八十翁。本憂緣直死，卻喜坐詩窮。
米賤知無盜，雲黔又主豐。一篁那復慮，嬉笑伴兒童。（註八一）

此詩語言除第六句用「黔」字，稍生硬外，其餘皆平淺，句子亦多近於散文句，詩意太露，毫無含蓄可言。又如〈八月一日微雨驟涼〉云：

流汗沾衣喘不供，孰知有此快哉風。新涼忽覺從天下，殘暑真成掃地空。
恰轉輕雷過林塢，已吹好雨到簾櫳。幽人病愈閑無事，剩賦歌詩樂歲豐。（註八二）

〈園中對酒作〉云：

傴僂衰翁雪滿顛，愛花耽酒似當年。雖無錦障七十里，也有青銅三百錢。
數掩竹籬分小徑，一泓沙井貯寒泉。栽紅接白株株活，坐擁春工太半權。（註八三）

陸游好用流水對，使原已流利的句律，更加變為輕滑，中間若沒有有力的轉折，就一筆瀉出，易流於淺露。又〈四月二十八日作〉云：

四月欲盡五月初，九十未及八十餘。開口何曾談世事，收身且復愛吾廬。（註八四）

〈數日不出門偶賦〉云：

湖上蝸廬僅自容，寸懷無奈百憂攻。補衣未竟迫秋露，待飯不來聞午鐘。
稚子挾書勤質問，鄰翁釋耒間過從。今朝一笑君知否，滿瓮新醅粥面濃。（註八五）

陸游寫詩如寫日記，尤其到晚年，幾乎成為日課，就往往有率意而作、詞淺意露、別無深致的詩篇，如上引二首中，第一首尤甚。陸游詩有詩律圓熟的特色，對黃庭堅等江西詩派的生澀詩風來說，無疑地是一個矯正；但矯枉過正，乃成作品的弊端，也不免使人認為缺憾。

第五節　命題欠煉

陸游詩中不少詩篇詩題相同或相似，或詩題過長。《劍南詩稿》中一題有二十首以上的，如左表。

詩題	次數	等第
雜興	58	1
秋興	56	2
秋思	54	3
雜感	46	4
幽居	40	5
遣興	39	6
即事	39	6
縱筆	38	8
梅花絕句	32	9
夏日	31	10
晨起	30	11
夜坐	26	12
寓歎	26	12
野興	25	14
書感	24	15
自詠	24	15
秋懷	23	17
初夏	22	18
雨夜	22	18
記夢	22	18
出遊	21	21
枕上	21	21
書意	21	21
對酒	20	24
雜題	20	24

看了右表，以「雜興」為題的詩有五十八首之多。如果把表中性質相似的（如「感興」類）合算，或加上一些相似的詩題（如「書懷」、「梅花」等），其數目更多。

至於詩題的字數，從以一字為題的〈蘭〉開始，最多至一七五字。今特舉二十字以上的，列表如左：

詩題字數	次數
175	2
98	1
95	1
81	1
74	2
70	1
68	1
66	1
65	2

詩題字數	次數
63	1
59	1
57	1
55	1
52	1
51	1
49	1
48	4
48	1

詩題字數	次數
46	2
45	2
44	2
43	2
42	1
41	3
40	13
39	4
38	13

詩題字數	次數
37	10
36	1
35	4
34	20
33	6
32	5
31	5
30	12
29	7

詩題字數	次數
28	16
27	10
26	9
25	14
24	14
23	7
22	23
21	17
20	26

中國古典諸詩體中，全詩的字數最少的是五言絶句，共二十字。如果詩題的字數是二十字，這已相當於全詩字數的總數，看了左表，比這還多的有二四六首。最長的詩題如下：（青城大面山中有二隱士，一曰譙先生定，字天授，建炎初以經行召至揚州，欲留之講筵，不可，拜通直郎直秘閣致仕，今百三十餘歲，巢居巘絶，人不能到，而先生數年輒一出，至山前，人有見之者，其一曰姚太尉平仲，字希晏，靖康初，在圍城中，夜將死士攻賊營，不利，騎駿騾逸去，建炎初所在揭牓以觀察使召之，竟不出，淳熙甲午乙未間，乃或見之於丈人觀道院，亦年近九十，紫髯長委地，喜作草書，蓋皆得道於山中云，偶成五字二首，託上官人寄之），宛如一篇小傳記文。此詩是五言律詩，本文才有四十字，其他若干詩題也都像散文。

陸游詩的詩題，一則太空泛，且一再重複，一則過長，這雖不是可厚非的事，但正因為如鄭板橋所云：「作詩非難，命題為難，題高則詩高，題矮則詩矮，不可不愼也」（註八六），其詩命題的欠煉就是一項缺憾。

以上所論五項均是陸游詩缺點中較顯且大者，但吾人同時不應以偏概全，由上面幾點，就全盤否定陸游詩的成就。陶元藻云：「蓋吟太多，至於萬首，安能檢點無累。然此特其小疵耳。至於氣體心思之妙，固無有敢議之者」（註八七），總的談來，還是小疵不掩大醇。

【附　註】

註一《北江詩話》卷四，頁一四七。
註二《昭味詹言》卷十一，頁五。
註三《昭味詹言》卷一，頁二三。
註四《歐北詩話》卷六，頁一五。
註五《詩稿》卷十一〈醉書〉，頁一八八。
註六《詩稿》卷四十一〈醉賦〉，頁六一七。
註七《詩稿》卷三十一〈冬夜戲書〉三首之三，頁四八九。
註八《詩稿》卷五十六〈醉眠初起書事〉，頁八〇七。
註九《詩稿》卷四十三〈龜堂晚興〉，頁六四一。
註一〇《詩稿》卷三十八〈園中偶題〉四首之四，頁五九一。
註一一《詩稿》卷三十五〈春行〉，頁五四七。
註一二《詩稿》卷六十六〈出遊〉四首之一，頁九二三。
註一三《詩稿》卷三十八〈感舊〉二首之一，頁五八二。
註一四《詩稿》卷四十一〈讀書〉，頁六一七。
註一五《詩稿》卷五十一〈贈洞微山人〉，頁七五〇。
註一六《詩稿》卷五十二〈雜興十首以貧堅志士節病長高人情為韻〉之一，頁七五六。

註一七《詩稿》卷三十六〈讀書〉，頁五五八。
註一八《詩稿》卷六十七〈觀邸報感懷〉，頁九三六。
註一九《詩稿》卷五十一〈雨夜〉，頁七四七。
註二〇《詩稿》卷七十六〈遣懷〉二首之一，頁一〇四五。
註二一《詩稿》卷八十四〈臥病雜題〉五首之四，頁一一四三。
註二二《詩稿》卷四十三〈喜晴〉，頁六四三。
註二三《詩稿》卷二十八〈風雨〉，頁四五七。
註二四《詩稿》卷三十二〈竹窗晝眠〉，頁五〇六。
註二五《詩稿》卷三十七〈行年〉，頁五六二。
註二六《甌北詩話》卷六，頁一五。
註二七《曝書亭集》卷五十二〈書劍南集後〉，頁四一〇—四一一。
註二八《詩稿》卷十三〈冬夜〉二首之二，頁二三二。
註二九《詩稿》卷十九〈秋懷〉，頁三二八。
註三〇《詩稿》卷三十五〈雨中作〉三首之二，頁五四四。
註三一《詩稿》卷三十七〈王與道尚書挽詞〉二首之一，頁五六八。
註三二《詩稿》卷四十二〈東村〉，頁六三九。

註三三　《詩稿》卷四十四〈初睡起有作〉，頁六五五六。
註三四　《詩稿》卷六十六〈東齋雜書〉十二首之五，頁九三一一。
註三五　《詩稿》卷六十一〈初夏幽居雜賦〉七首之五，頁八七〇。
註三六　《詩稿》卷十八〈聞鼓角感懷〉，頁三二三。
註三七　《詩稿》卷十九〈荊州歌〉，頁三三四。
註三八　《詩稿》卷十三〈病中絶句〉六首之三，頁一二三三。
註三九　《詩稿》卷十五〈燈籠〉，頁二六〇。
註四〇　《詩稿》卷十三〈航頭晚興〉二首之一，頁二二七。
註四一　《詩稿》卷四十七〈秋社〉，頁六九五。
註四二　《詩稿》卷五〈自唐安之成都〉，頁八二。
註四三　《詩稿》卷六〈井研道中〉，頁九七。
註四四　《詩稿》卷十四〈徙倚〉，頁二五二。
註四五　《詩稿》卷五十二〈遊張園〉，頁七五一。
註四六　《詩稿》卷四十三〈雨夜〉，頁六四五。
註四七　《詩稿》卷三十四〈蜻蜓浦〉，頁五三四。
註四八　《詩稿》卷四十九〈枕上〉，頁七一五。

註四九《詩稿》卷十五〈夜步庭下有感〉，頁二五六。

註五〇《詩稿》卷三十八〈舟中〉三首之一，頁五七九。

註五一《詩稿》卷十三〈杜門〉，頁二二九。

註五二《詩稿》卷十八〈邵齋偶書〉三首之一，頁三一六。

註五三《詩稿》卷五十九〈家居〉三首之二，頁八四三。

註五四《詩稿》卷十六〈江頭十日雨〉，頁二七八。

註五五《詩稿》卷四十〈初寒老身頗健戲書〉二首之一，頁六一六。

註五六《詩稿》卷四十一〈無酒歎〉，頁六一七。

註五七《詩稿》卷十五〈雨夜感懷〉，頁二五四。

註五八《詩稿》卷十五〈幽居書事〉二首之二，頁二五七。

註五九《詩稿》卷七十〈八十三吟〉，頁九七三。

註六〇《詩稿》卷六十三〈對鏡〉，頁八九四。

註六一《詩稿》卷七十三〈魔鏡作頗思遠適賦此自遣〉，頁一〇〇八。

註六二《詩稿》卷四十五〈食野菜〉二首之一，頁六七五。

註六三《詩稿》卷四十〈戲用方外語亦客〉，頁六一一。

註六四《詩稿》卷四十一〈居室甚隘而藏書頗富率終日不出戶〉二首之一，頁六一七。

註六五　《詩稿》卷七十八〈秋來益覺頑健時一出遊意中甚適雜賦五字〉十首之十，頁一〇七一。
註六六　《詩稿》卷七十七〈獨遊〉，頁一〇五八。
註六七　《詩稿》卷三十〈時雨〉，頁四七四。
註六八　《詩稿》卷二十九〈霜寒〉，頁四六一。
註六九　《詩稿》卷六十八〈行飯至湖上〉，頁九五三。
註七〇　《詩稿》卷六十六〈孤寂〉，頁九二七。
註七一　《雲樵外史詩話》，引自《陸游卷》，頁三七四
註七二　張健先生《陸游》，頁一一二。
註七三　《詩稿》卷八十，頁一〇九九。
註七四　《詩稿》卷四十五，二首之一，頁六六六。
註七五　《詩稿》卷五十三，五首之三，頁七七一。
註七六　《詩稿》卷二十五，頁四一二。
註七七　《懷麓堂詩話》，見《歷代詩話續篇》，頁一三八六。
註七八　《原詩・外篇》，見《清詩話》，頁七五六。
註七九　《野鴻詩的》，見《清詩話》，頁一一〇八。
註八〇　《貞一齋詩說》，見《清詩話》，頁一一九七。

註八一 《詩稿》卷五十六，頁八〇四。
註八二 《詩稿》卷二十三，頁三八六—三八七。
註八三 《詩稿》卷三十一，頁四九一。
註八四 《詩稿》卷六十六，二首之一，頁九三三。
註八五 《詩稿》卷四十五，三首之三，頁六六七。
註八六 鄭燮《板橋集》〈范縣署中寄舍弟墨第五弟書〉，頁一六。
註八七 《全浙詩話》（按語）卷十五，廣文書局，頁七一四。

第八章　陸游詩在詩史上的地位與影響

陸游詩在內容與形式上的特色，已見於上文分析。在此章，按照時代的先後，論述後人對陸游詩的評價、陸游詩給予當時及後世詩人的影響，以及陸游詩在詩史上的地位等。

第一節　宋　代

陸游生於江西詩派出現之後，能擺脫其藩籬，樹立獨特的風貌，在南宋當代，已頗受到很多人的推尊。先舉陸游與江西詩派三宗（黃庭堅、陳師道、陳與義）的代表作於下面，試論陸詩的成就：

寄黃幾復　黃庭堅

我居北海君南海，寄雁傳書謝不能。桃李春風一杯酒，江湖夜雨十年燈。
持家但有四立壁，治病不蘄三折肱。想得讀書頭已白，隔溪猿哭瘴溪藤。（註一）

寄外舅郭大夫　陳師道

巴蜀通歸使，妻孥且舊居。深知報消息，不敢問何如。
身健何妨遠，情親未肯疏。功名欺老病，淚盡數行書。（註二）

傷春　陳與義

廟堂無策可平戎，坐使甘泉照夕烽。初怪上都開戰馬，豈知窮海看飛龍。
孤臣霜髮三千丈，每歲煙花一萬重。稍喜長沙向延閣，疲兵敢犯犬羊鋒。（註三）

北望感懷　陸游

滎河溫洛帝王州，七十年來禾黍秋。大事竟爲朋黨誤，遺民空歎歲時遒。
乾坤恨入新豐酒，霜露寒侵季子裘。食粟本同天下責，孤臣敢獨廢深憂。（註四）

黃庭堅寫詩刻意求奇求新，作法上在許多方面呈現與陸游不同的面貌。首先在章法結構上，黃庭堅往往採取意象跳躍的方法，語不接而意接；陸詩大致平鋪直敘，這一點接近蘇軾詩。造語上，黃庭堅追求生新瘦硬；陸游則同樣追求清新而出以圓潤。黃庭堅在聲律上喜用拗句拗律；陸詩則大致守正格，渾融圓轉。上引黃庭堅詩是經過千錘百煉而流暢自然的好詩，頷聯二句全由平熟的名詞組合，不用一動詞，而寫出新的意境。頸聯二句均用典，而用倒裝句法，出句的平仄是二平五仄，聲調勁拔。不過，一些黃詩用典過多，喜用僻典，往往晦澀難懂；陸游少用僻典，辭不害其意。奇峭瘦硬固然是黃庭堅的長處，其生澀枯槁之弊則為陸游詩中少見者。

陳師道以苦吟著稱，其詩運思幽深，最擅長於五律。上引詩是他的代表作之一，語言平淡質朴，而情味深厚，與黃詩相比，屬於不同類型的風格。清健雅淡、精煉濃縮是陳師道詩的特徵，但苦心經營，過分追求「語簡而意廣」之餘，往往呈現意僻語澀之弊，且乏陸游詩渾成、豐腴之致。

陳與義詩「亦江西之派而小異」（註五），不專以奇峭拗硬見長，以明麗朗潤，糾正江西詩派的晦澀粗糙。尤其是晚年經過靖康之難後，寫了不少憂國傷時的詩篇，風格沈鬱悲涼，接近杜甫，如上面所引的詩就是。陳詩氣格雄渾、聲調瀏亮的特色，頗近似陸游詩。不過，大半的陳詩，意境上沒有陸游詩那麼雄闊，詩句的凝鍊，又沒有陸詩圓熟。至於對仗的流麗，兩人在伯仲間。

以上就藝術特色，略作陸游詩與江西詩派三宗的比較，雖難以寥寥數語概括各人的勝處，但仍然從中可見陸游詩卓拔於江西派之外的成就與特色。此外，說到題材的廣泛與風格的多樣，則此三人遠不及陸游。陸游融化古今各家之長，既吸收宋代獨特的詩歌藝術成就，另一面亦富饒唐音，故能於江西派外自成風貌。

陸游詩從江西詩派入而不從江西詩派出，而兼有唐詩風格，給予一些江湖詩人很大的影響。江湖詩派與四靈，雖同樣模襲晚唐體，但是他們所奉為宗主的詩人，卻各有不同：四靈「獨喜賈島、姚合之詩」（註六），而江湖詩派則據方回說：「近世學晚唐者專師許渾七言。」（註七）。方回指出江湖派的遠祖是許渾，我們另一面又可以發現江湖派詩人在實際創作上則運用陸游詩法，這是一項頗值得注意的事實，魏慶之《詩人玉屑》說：「近歲又有學唐人詩，而實用陸之法度者，其間亦多酷似處。」（卷十九）。魏慶之亦屬於江湖派（註八），他生在江胡派活躍的時代，如此指出當時詩壇的現象，則一定是可信的。按照文學史上的常識來說，南宋中期詩人中對晚唐詩給予很高的評價，對當時人之輕視晚唐詩表示不滿的，就是楊萬里（註九）。儘管如此，江湖派詩人學習許渾詩，從時間上與他們相近的宋代詩人中抉擇類似風格的榜樣，照理說應當是楊萬里，而實際上他們的抉擇是陸游，那麼，此一事實意味的什麼？

四靈與江湖兩派是在反江西的前提下，擁有相同的創作目的與方向。但是江湖派詩人們目睹江西派的弊端與要改正江西派的弊端而出現的四靈派弊端，不得不找一條新的路線。他們探討直至當時為止的詩史，重新探索詩的本質。姜夔在〈白石道人詩說〉裡開陳獨特的詩論，戴復古參加昭武太守王埜所主催的詩學討論會，寫下〈論詩十絶〉，別的詩人們也或有份量地（如著《後村詩話》的劉克莊），或片段地發表了對詩的見解了。（如著《詩評》的敖陶孫以及林希逸、余觀復、趙汝回等）。江湖派詩人各自都通過批評著述摸索新的出路，他們就注目到陸游詩。方回評陸游詩說，他的詩兼有江西詩與唐詩風格，這一特色終使劉克莊以及其他宋末詩人，在綜合評價宋詩演變時，認識了陸游詩便是當代詩人的典範。江湖派最主要的代表人物劉克莊最初學詩由四靈入手，後來學力見解增高，不滿四靈之偈淺，於是幡然改道，師法陸游，稱陸詩為集宋詩之大成（註一〇），他的心目中理想詩人是陸游（註一一）。先探討陸游與一些江湖派詩人的關係，陸游較江湖派中年輩最高的劉過（一一五四—一二〇六）或姜夔（一一五五—一二二一）還大了近三十歲，自然很少直接接觸較此二人還年輕的詩人的機會。但據現存資料，江湖派年輕詩人們主動去訪問當時詩名已高的陸游求教，或互有詩文往來。

陸游樂意指導晚輩詩人寫詩，或薦之於朝廷，有時給予經濟上的幫助。下面舉幾個例子來探討他們的關係以及晚輩詩人對陸游的愛戴。

劉過是與陸游政治立場相同的抗戰派人士，曾力陳中原收復的方略，不報，終身是個布衣，漫遊江湖。其詩詞風格近於陸游，作品中常表露憂時報國之思。紹熙四年（一一九三）陸游居故鄉時，劉過持自作詩〈塞下曲〉十餘篇訪問陸游。陸游見其詩中悲壯的感慨，寫〈贈劉改之秀才〉（註一二）詩贈之，詩中有「李廣不生楚漢間，封侯萬戶宜其難」之句，惜其不能見用於時。劉過與陸游酬贈的作品，現傳有詩一首（〈放翁坐上〉）、詞一首（〈水龍吟〉。）

開禧三年（一二〇七）陸游八十三歲，向朝廷推薦鞏豐，〈薦舉人材狀〉中（註一三），稱其「材識超卓，文詞宏贍」。陸游與鞏豐頗有交誼，《劍南詩稿》中屢有酬贈之作。鞏豐亦工於詩，陸游對於他的詩中景物描寫給予很高的評價，說：「能追無盡景，始見不凡人」（註一四）。

陸游任嚴州知軍州事時（六十二歲至六十四歲），在經濟上也周濟江湖詩人，元人戴表元說：「聞翁為州日，江湖詩客群扣其門，傾箱倒槖贈施之，無吝色」（註一五）。嚴州屬於江西省，當時江湖派詩人的主要活動地域是浙江、江西、福建等三省。

江湖派代表詩人之一的戴復古是陸游的弟子。樓鑰〈跋戴式之詩卷〉說：「又登三山放翁之門，而詩益進」（註一六）。復古遊放翁門下之時期，現在無法詳考，而可以推測大概是陸游晚年居三山之時。戴復古非常喜歡陸游詩，曾云：「樽前有餘暇，細讀放翁詩。」（註一七），〈讀放翁先生劍南詩草）更是對他推崇備至，說：「茶山衣缽放翁詩，南渡百年無此奇。入妙文章本平澹，等閒言語變瑰琦。三春花柳天裁剪，歷代興衰世轉移。李杜陳黃題不盡，先生模寫一無遺」（註一八）。方回〈跋石屛詩〉云：「石屛詩清健輕快，自成一家」（註一九），《四庫全書總目提要》稱：「復古詩筆俊爽」，其詩清新俊爽，得放翁一體。戴復古不僅在詩歌上，在詩論上亦受到陸游的相當影響，關乎此，詳論於後。

陳起初刻江湖諸集，其後散佚頗多，今所傳的並不是本來面貌。今傳江湖集中雖不見其名，而當時活躍的江湖詩人，還有蘇泂，他是陸游的及門弟子，從小就敬仰陸游，終生受其教。《四庫提要》評其詩，說：「泂本從學於游，詩法流傳，淵源有自，故其所作，皆能鑱刻淬煉，自出清新，在江湖詩派之中，可謂卓然特出」。

再看他們的詩與江西詩派的淵源關係，以及對晚唐詩的看法，陸游的詩作從接觸江西派開始，而最後形成自己的獨特風格與成就，當時姜特立已指出「源流不嗣江西祖」（註二〇）。集江西派詩論大成之方回也指出「放翁詩出於曾茶山，而不專用江西格，間出一二耳，有晚唐，有中唐，亦有盛唐」（註二一）。

江湖派在文學史上汎稱為「反江西詩派」，而其構成份子大抵分為四靈追從者與反對派。屬於前者當然是反對江西詩派的詩人們，後者大體上受到江西詩派的影響，姜夔、劉克莊、林希逸、敖陶孫、樂雷發、杜旃、鞏豐等人皆屬於此類。不過，此類人士之中也有不少人開始學習江西詩，而終擺脫其束縛，自求變化的。最有代表性的例子是姜夔，他悟出「學即病」、盲目地追從黃庭堅詩的弊端，成為詩學的一大轉變。劉克莊晚年也激烈地抨擊江西詩派末流的「音節聱牙，意象迫切，且議論太多，失古詩吟詠性情之本」（註二二）的弊端。

對晚唐淺薄詩風，陸游頗加詆呵，說：「及觀晚唐作，令人欲焚筆」（註二三），且把當時四靈的詩評為「卑陋俚俗」（註二四）、「淫哇」（註二五），強調決不要把它做為學習的對象。不過，他並不是一味地承襲江西派貶抑晚唐詩的論調，且不是全盤地否定晚唐詩，這從陸游稱讚受江西派斥黜的許渾詩（註二六）評為傑作的言論中，也可以明白，他說：「許用晦……在大中以後，亦可為傑作。」（註二七）

劉克莊指出世人喜歡晚唐體的原因在於「束起書帙，剗去繁縟，趨於切近」的「簡便」（註二八）。然而，江湖派中受四靈影響的詩人們也漸厭其意境與篇幅上的窘促偏狹，幡然改道。戴復古「要洗晚唐還大雅」（註二九），劉克莊的詩也有前後不同的變化。江湖派詩人們有鑑於當時江西派與晚唐體作家互相主張自己體裁的優異，互相誹謗對方，就深刻地認識到不要拘束於兩者之中某一方，而找尋新的變化。趙孟堅就說：「竊怪夫今之言詩者，江西晚唐之交相詆也，彼病此冗，此訾彼拘，胡不合杜、李、元、白、歐、王、蘇、黃諸公而並觀，諸公衆體該具，弗拘一也，可古則古，可律則律，可樂府雜言則樂府雜言，初未聞舉一而廢一也。今之習江西晚唐者，謂拘一耳」（註三〇）。戴復古也反對論詩分唐或宋來執一，說：「性情元自無古今，格律何須辨唐宋」（註三一），則於兩派對立已流露出謀求緩和的願望。對他們來說，陸游才是兼取唐宋詩之特長（註三一），兼備衆體，才是合於他們作為典範的對象。

其次，在詩論上，江湖派詩人中戴復古的詩論在不少地方上受陸游的影響。戴復古推崇雄渾之作，〈論詩十絕〉第三首云：「曾向吟邊問古人，詩家氣象貴雄渾」，「古人」指陸游（註三三）。「雄渾」是陸游極力追求的境界。他在〈江村〉詩中曾說：「詩慕雄渾苦未成」（註三四），評價中晚唐詩則惋惜其缺少「閎妙渾厚之作」（註三五）。戴復古推崇氣象雄渾的作品，是實針對江西派生硬粗獷的惡習與四靈卑隘之風格，思有以救之。

在上面所引詩句之下，戴復古繼而說：「雕鏤太過傷於巧，朴拙惟宜怕近村」，此亦與陸游所謂「琢雕自是文章病」、「文章本天成」，反對過分雕琢崇尚自然的主張相同。〈論詩十絕〉第五首云：「陶寫性情為我事，留連光景等兒嬉」，是批判江西派與四靈的「晚唐體」，在基本立場上與陸、劉二人相似。

魏慶之指出當時學習唐人詩的人，實則運用陸游的詩法，頗多酷似之處的現象，方回則進一步明白指出計渾詩與陸游的關係：

> 學唐人丁卯橋詩，逼真而又過之者，王半山、陸放翁，集中多有其作。近世乃專尚此，亦多可觀。（註三六）

王安石詩（尤其是絶句）在宋代諸詩人中最近於唐詩風味，因此楊萬里曾自道其詩經過王安石而達到晚唐詩。不過，楊萬里欣賞的晚唐詩人是杜牧與陸龜蒙等，對江湖派詩人所奉為宗主的許渾，則卻譏為「淺陋」（註三七）。雖同樣推崇晚唐詩，其所作為典範的對象卻完全不同，在詩體上，楊萬里重視七言絕句，江湖詩人則與此不同，學習七言律詩。由上引方回的評語，我們可以知道陸游與江湖派詩人連結於許渾詩上。只是，王安石與陸游是否果如方回所云那樣有意學習許渾詩，是尚難肯定的疑問，而至少，他們之間一定會有共同特色，才使方回下此等評語。

許渾長於七律，而此七律是陸游所擅長的形式，被稱為集其大成。（註三八）江湖詩人學許渾詩，首先，主要在對偶上。許渾詩雖對偶工巧，而有時「所對之句，意若牽強」（註三九）。陸游在對仗方面極為擅長，既精巧又自然，變化也靈活。下面舉數例：

五更風雨夢千里，半世江湖身百憂。（註四〇）

天際斂雲山盡出，江流收漲水初平。（註四一）

老態尚欲身當道，乳虎何疑氣食牛。（註四二）

江湖詩人的作品中亦不少工巧的例子，如：

相君未識陳三面，兒女多知柳七名。（劉克莊〈器孫季藩〉）

三十六陂春外綠，四十九年人事非。（張良信〈感舊〉）

傷今不復並三樂，擬古猶堪續四愁。（葉茵〈自遣〉）

許渾的詩，絕大部分是寫江山風月的景象，集中很多如「溪雲初起日沈閣，山雨欲來風滿樓」（〈咸陽城東樓〉）之類極為後人所歎賞的名句。陸游也在寫景方面不許他人追從。也是詩中有畫。頗值得注意的是，宋代江湖詩人中已有些人特別喜愛陸詩的景句，且學習之。羅椅選陸游詩二百五十二首，詩句旁邊加些圈點，那些詩句大抵是工於景物描繪的律句。當時已有《陸游詩選集》是許多詩人以陸游詩做為典範學習的風氣的一個例子，也可以知道陸游的景句亦成為他們學習的對象。江湖詩人避亂世隱居田園，多寫描繪山水之作，在描繪景物方面，陸游的七律，尤其是饒有晚唐風味的七絕之描繪技巧更給予不少影響。例如，葉紹翁的名句「春色滿園關不住，一枝紅杏出牆來」（〈游園不值〉）是脫胎於陸游〈馬上作〉中「楊柳不遮春色斷，一枝紅杏出牆頭」句。江湖派另一位詩人張良信則在〈偶題〉中表現為「一段好春藏不盡，粉牆斜露杏花梢」。樂雷發〈秋日行村路〉中「一路稻花誰是主，紅蜻蛉伴綠螳螂」句是仿陸游〈水亭〉：「一片風光誰畫得，紅蜻蜓點綠荷心」句的句法（註四三）。戴復古的「一朝天氣如春暖，昨日街道賣杏花」（〈都中冬日〉）是脫胎於陸游〈臨安春雨初霽〉中「小樓一夜聽春雨，深巷明朝賣杏花」句。

以上所論，大都屬於形式技巧方面，而實際上陸游的影響不止於此，江湖派詩人還繼承陸游的愛國精神。葉紹翁評敖陶孫的詩說集中很多仿效陸游的作品（註四四），此則指憂國傷時之作。敖陶孫〈秋日雜興〉云：「陳雲起西北，中原暗黃塵。豈無康時筭，無路不得陳。書生亦過計，夜夜占天文。匣劍似識時，中宵啞然鳴。我亦發悲歌，沾衣涕縱橫」，此詩為報國無門深為自感歎。此亦常見於陸游詩中，〈長歌行〉云：「豈其馬上破賊乎，哦詩長作塞蟄鳴」，〈寶劍吟〉中把自已比作夜夜發出悲鳴的寶劍，陸、敖二人同樣以劍喻人的。

劉克莊的詩集中，亦頗有感傷時事，哀嘆喪亂之作，充滿悲憤激越之情，如〈哭豐宅之吏部〉云：「舊戍交鋒淮水赤，新墳埋劍越山蒼。此身虛作田橫客，血淚無因滴壟傍」。此外，諷喻南宋偏安政局，感嘆國土淪喪，申訴民間疾苦的作品，有戴復古的〈庚子薦饑〉、利登的〈野農謠〉、樂雷發的〈烏烏歌〉、劉過的〈夜鬼中原〉等。

南宋後期詩壇，有江西派與晚唐體之間激烈的對立，江湖派詩人目睹此二派偏於一端的弊端，就不得不另找門路。結果他們所抉擇的是陸游詩，因為他們認為陸游詩才能兼得江西詩與晚唐詩之長。當然，不能由於此點就斷定江湖派詩人全部唯陸游詩是從。不過，江湖詩人中有代表性的詩人如劉克莊、戴復古等，都或多或少曾受過陸游的影響，也是不可爭論的事實。從此也可看出陸游詩對南宋後期詩壇詩學的嬗變所造成的影響。

南宋詩人中大家有所謂「四大家」，四大家中的楊萬里對陸詩一再稱譽：「君詩如精金，入手知價重。」（註四五），「我老詩全退，君才句總宜。一生非浪苦，醬瓿會相知。」（註四六）此外，劉克莊亦對陸游極致尊仰之意，說：「三百篇寂寂久，九千首句句新。譬宗門中初祖，自過江後一人」（註四七），「南渡而下，故當為一大宗。」（註四八）對四大家的詩歌成就，陳振孫指出陸游「詩為中興之冠」（註四九）。

第二節　元、明、清代

一、元代

綜觀元代對陸游作品之論評，其較可觀者，唯有方回。方回詩曾出入於陸游詩，（註五〇）其影響可從形式與內容兩方面上分別講；方回律句求率直平易，不假雕繪，如〈湧金門城望〉詩：「略賸繁華猶好在，細看冷淡奈愁何」、「難尋舊夢花陰地，賸放新愁雪意天」、「一錢物變千錢直，十戶民驚九戶貧」、「尚想泊船行馬地，不殊衡雪探梅時」，這些句法極像陸游（註五一）。從上引詩句中可看，方回刻意經營對仗，其務奇求新，似學陸游（註五二）。許清雲還指出陸詩在詩風與內容上所給予的影響，說：「虛谷自述學詩歷程，少時初亦學蘇舜欽之悲壯。逮守嚴時，復慕陸游為詩，陸詩虛許其善為悲壯。是二人於虛谷詩風，必有大影響。且以南宋當時之危急，與夫虛谷上書陳十事，乞斬賈似道謝天下之個性觀之，其詩不容無慷慨之悲歌。」「惜乎此類詩篇，皆隨桐江詩集以亡，而無由求證矣！」（註五三）

方回評陸詩，頗能指出其特色，有不少地方都不是以前宋人能言之，如：首先，他對陸詩的淵源及成就，有所新的發明。宋人常常指出陸游與曾幾的師承關係：「句法茶山出豫章」（趙蕃）（註五四)，「茶山衣缽放翁詩」(戴復古)(註五五)等等，然而方回則更進一步指出他們之間的差異：「茶山格高，放翁律熟，茶山專祖山谷，放翁兼入盛唐」(註五六)、「陸放翁出其(茶山)門，……富也豪也對偶也哀感也，皆茶山之所無。」(註五七)其說精審。從此可看出陸詩兼具唐、宋詩風之特色。還有，方回指出陸詩似王安石、學習許渾詩等，亦前人所未言之。第二，一再讚嘆陸游詩「律熟」、「爛熟」、「信手圓成，不喫一絲毫力」，正道出陸詩精煉自然的最大特色。第三，指出陸詩「悲壯」風格，此與方回在元代受亡國之痛的個人經驗莫不有關係，他自己就曾說過：「今茲一再讀(劍南集)，憤氣塡我膺」(註五八)。第四，指出造句卓越，多新穎之句，每以新字評之讚之。第五，指出「善用事」。第六，指出工於描繪景物，評為「此景未易得也」、「如畫」、「新冬野景，搜抉無遺」。方回《瀛奎律髓》所選陸游詩，在宋代詩人中其數量居第一位，七言又比五言多一倍(註五九)。這就意味方回較重視陸詩七言所得的成就。方回論評，大抵概括陸詩主要特色，頗見卓識。

據《四庫全書總目提要》的記載，當時學習陸詩的詩人還有幾位(註六〇)，如朱希晦「古體又勝於近體，溯其宗派，蓋瓣香於劍南一集」；宋禧詩「乃清和婉轉，獨以自然為宗，頗出入香山劍南之閒」；洪焱祖「其詩雖純沿宋調，而尚有石湖、劍南風格」；釋大圭「其詩氣骨磊落，無元代纖穠之習，亦無宋末江湖蔬筍之氣，吳鑒原序稱其華實相副，詞達而意到，不雕鏤而工，去纂組而麗，屏耕鋤而秀。雖朋友推獎之詞，然核以所作，亦不盡出於溢美。蓋石湖、劍南之餘風猶存於方以外矣」等。

二、明代

宋詩至明代，因前後七子標榜「詩必盛唐」的復古主張，頗遭時人輕視，「宋人集覆瓿糊壁，棄之若不克盡」（註六一）。在這種風氣之下，陸詩也難脫其影響，陶望齡說：「自古業盛行，操翰者羞言唐宋，知務觀者鮮矣」（註六二）。以後，至晚明公安派提倡宋詩，宋詩始漸抬頭，袁宏道就自道：「放翁詩弟所甚愛」（註六三），費經虞則更指出「近日家絃戶誦」（註六四）。只惜其「不能得其深厚悲壯，但得其率易而已」。在明代，愛好，或學習陸詩的人，現在可考者無幾。但是明初有劉基，表明「三復詠斯章，千載吾尚友」（註六五）之意；中葉則有些書畫家師法陸詩，朱彝尊《靜志居詩話》載文徵明告訴何良俊之語，云：「吾少年學詩從陸放翁入」；俞弁《山樵暇語》卷二云：「沈啟南周詩學陸放翁」。《四庫全書總目提要》卷一七二評郭諫臣，說：「其詩乃婉約閒雅，有范成大、陸游之遺」。錢鍾書《談藝錄》指出陳與義和陸游之七律，「多使地名，用實字，已隱然開明七子之風」（註六六），不僅此，《漁洋詩話》還指出，「明末七言律詩，有兩派：一為陳大樽；一為程松圓。大樽遠宗李東川、王右丞，近學大復；松圓學劉文房、韓君平，又時時染指陸務觀」（卷下）。但陸游七律對明代的影響好像不大。

明代對陸詩的論評中，前所未有者，即為對陸詩的淵源舉出白居易這一點，李東陽與胡應麟都主張此說（註六七）。王世貞的主張與此稍異，他並稱白樂天、蘇軾、陸游，其中蘇、陸關係，又可分為二，一則：「南渡以後，陸務觀頗近蘇氏而粗」（註六八），另一則：「詩自正宗之外，如昔人所稱廣大教化主者，於長慶得一人，曰白樂天；於元豐得一人，曰蘇子瞻，於南渡後得一人，曰陸務觀；為其情事景物之悉備也。」（註六九）明代摹擬盛唐詩的風氣雖然很盛，而陸游的全集、選集等宋、元刊本，也在弘治、正德、嘉靖、天啟年間繼有翻刻，擴大流傳（註七〇），這點也是頗值得指出的。

三、清代

清初詩人皆厭王李之摹擬剽竊與鍾譚之纖仄，乃轉而學宋詩。首先提倡宋詩者有錢謙益，他曾學習陸游詩，吳偉業在〈龔芝麓詩序〉中指出：「牧齋深心學杜，晚更放而之於香山、劍南」。實則明代末葉已有宗尚陸詩的人，賀裳《載酒園詩話》云：「天啟崇禎間，忽尚宋詩，實不知宋三百年之事蹟而惟見一陸游」，而經過錢謙益的愛好與提倡，當時就大有受他的影響的人，他們在宋代詩人中只推崇梅堯臣與陸游，在南渡詩人中唯陸游是宗，特別喜歡陸游的近體詩。毛奇齡〈張弘軒文集序〉說：「自虞山錢氏之說起，而陋者襲之，言詩於宋則渭南、宛陵」，又說：「今海內宗虞山教言，於南渡推放翁」；沈德潛在〈與陳恥菴書〉中也說：「於是錢受之（謙益）意氣揮霍，一空前人，於古體中揭出韓、蘇，近體中揭出劍南」。

高宗之時，錢澄之亦喜宋詩，尤其學詩自陸游入手，頗受其影響（註七一）。鄭方坤《清朝詩人小傳》云：「詩屢出而不窮，要其流派，深得香山、劍南之神髓而融合之」（卷一）。他晚年家居時所作詩，大抵得陸詩近於陶淵明之一格，《雪橋詩話》續集卷五就舉如「今朝一杖看花去，昨夜雙扇聽雨關」（卷四十八〈吾廬〉）、「山杖已愁芳草路，野花還壓老人頭」（卷四十八〈嘗從〉）等句，說「皆類放翁」。當時還有查初白，少受詩法於錢載，學詩宗蘇、陸，而於陸尤近，黃梨洲比之為陸游，王士禛〈敬業堂集序〉亦謂「奇創之才，愼行遜游，綿至之思，游遜愼行」，《四庫全書總目提要》則評云：「查愼行近體實出劍南」。逮及康雍之世，宋詩已經過諸家的提倡，再為時人所好，宋犖《漫堂說詩》說：「近二十年乃專尚宋詩」，鄭方坤《清朝詩人小傳》則說：「是時江南盛詩社，又崇尚蘇、陸之學」，從此可看出當時宗陸詩風氣，已瀰滿於大江南北。王漁洋編有《古詩選》，共十五卷中六卷是宋詩，北宋取歐陽修、王安石、蘇軾、黃庭堅、晁補之等，南宋唯取陸游。此外，推崇陸游，學習陸詩者，有如宋琬的五言歌行近於陸游（註七二）。徐釚自道「新詩學放翁」（註七三），丁紹儀《聽秋聲館詞話》記姚春木語，云：「袁（枚）出入誠齋、放翁」，鄭燮自道自己的淵源所自：「余詩格卑卑，七律猶多放翁習氣」（《板橋詩鈔》自序）。清代宋詩運動，至同光已臻高潮。若把同光詩派按照所宗詩人的風格特色分為三派，以陳書陳衍為代表的詩人自成一派，他們所推崇的詩人有白居易、陸游、楊萬里。陳書在〈夜讀劍南集即效其體自題所居〉詩中說：「放翁詩派吾能學，此日忘憂家有師」，可見他對陸游之傾慕。陳書論詩及其創作的祈嚮在白、陸、楊三家。陳衍是陳書之弟，深受其兄之影響，故也宗三家。他在〈放翁詩選敘〉中說：「近人為詩，意喜北宋，學劍南者絕少，余舊嘗論詩送葉覲俞，提倡香山、放翁。顧久之無有應之者……放翁、誠齋皆學香山，與宛陵同源，世於香山，第賞其諷諭諸作，未知其閑適者之尤工；於放翁、誠齋，第賞其七言近體之工似香山，未知其古體常合香山、宛陵以為工，而放翁才思較足耳」，所論極為透闢，頗有獨到之處。

其後，清末民國初詩人中學陸詩而得其一體者，有王國維。他丙午以前詩中有《題友人小象》，云：「差喜平生同一癖，深宵愛誦劍南詩」，可見他對陸詩的愛好。據錢鍾書的分析（註七四），王國維的詩平易流暢，命題寬泛，亦近陸游，也有時襲用陸詩中語。

清代評詩者對陸游詩的批評頗多，大抵褒者多而貶者寡，褒貶參半者居其中。

總之，歷代各家對陸詩各有各的看法與論點，但至少對於他在詩壇的地位問題，大家一致公認「南渡後第一人」，對他詩中的愛國精神，均表尊仰之意。即使在其他方面意見相異，有訾議，此自不足以動搖陸詩在詩國中應具的地位。

【附　註】

註　一　《山谷集》卷九，頁七六。

註　二　《后山詩注》卷一，頁一六。

註　三　《陳簡齋詩集合校彙註》卷二十六，頁二六三。

註　四　《詩稿》卷四十一，頁六二六。

註　五　嚴羽《滄浪詩話・詩體》，頁五四。

註　六　嚴羽《滄浪詩話·詩辯》，頁二四。
註　七　方回《瀛奎律髓》卷十許渾〈春日題韋曲野老郵舍〉詩批，頁一〇〇。
註　八　《四庫全書總目提要》卷一九五：「蓋亦宋末江湖之一派也。」頁四〇九八。
註　九　楊萬里《誠齋集》卷二十七〈讀笠澤叢書〉三首之一：「晚唐異味同誰賞，近日詩人輕晚唐。」頁二五一—二五二。
註一〇　劉克莊《後村先生大全集》卷九十九〈跋李賈縣尉詩卷〉：「梅、陸、本朝之集大成者也。」頁八五八。
註一一　張健先生《中國文學批評論集》，頁三三三。
註一二　《詩稿》卷二十七，頁四三七。
註一三　《文集》卷五，頁二九。
註一四　《詩稿》卷五十五〈夜讀鞏仲至閩中詩有懷其人〉，頁七九九七。
註一五　戴表元《剡源集》卷八〈桐江詩集序〉，頁八—九。
註一六　樓鑰《攻媿集》卷七十六，頁四。
註一七　戴復古《石屏詩集》卷二〈訪曾魯叔有少嫌從金仙假榻長老作筍供〉，頁五六。
註一八　戴復古《石屏詩集》卷六，頁一〇八。
註一九　方回《桐江集》卷二，頁二一七。

註二〇　姜特立《梅山續稿》卷五〈應致謁放翁〉，《四庫全書》本，頁四二。
註二一　《瀛奎律髓》卷四陸游〈頃歲從戎南鄭屢往來興鳳間暇日追憶舊遊有賦〉詩批，頁五二。
註二二　《後村詩話》後集卷三。
註二三　《詩稿》卷七十九〈宋都曹屢寄詩且督和答作此示之〉，頁一〇七九。
註二四　《文集》卷十五〈陳長翁文集序〉，頁九〇。
註二五　《詩稿》卷七十九〈宋都曹屢寄詩且督和答作此示之〉，頁一〇七九。
註二六　陳師道〈次韻蘇公西湖觀月聽琴〉：「後世無高學，舉世愛許渾。」，見《後山詩註補箋》〈逸詩箋〉卷上，頁四二七。
註二七　《文集》卷二十八〈跋許用晦丁卯集〉，頁一七二。
註二八　《後村先生大全集》卷九十六〈韓隱君詩序〉，頁八二六。
註二九　《石屏詩集》卷九〈石屏後集鋟梓敬呈屏翁〉，頁一四七。
註三〇　《彝齋文編》卷三〈孫雪窗詩序〉，頁五。
註三一　《石屏詩集》卷九〈有妄論宋詩體者〉，頁一五二。
註三二　戴復古於江西、晚唐之對立，頗有調停之意，陸游詩可做為典範，〈讀放翁先生劍南詩草〉云：「茶山衣缽放翁詩，南渡百年無此奇」，可見其推崇之一斑。周益忠《宋代論詩詩研究》則云戴復古之推崇陸游，以其受業於陸游之外，還因陸游詩能本於李、杜、黃、陳之詩騷傳統之正。（頁二四九）又，劉克莊亦於江西、晚唐之失皆有批判（如全集卷九十四〈劉圻父詩集序〉），以他看，陸游詩就能兼江西、晚唐之長，云：「近歲詩人，雜博者堆隊仗，空疏者窘材料，出奇者費搜索，縛律者少變化，唯放翁記問足以貫通，力量足以驅使，才思足以發越，氣魄足以陵暴。」（《後村詩話》）又云：「梅、陸，本朝之集大成者也。……學本朝而不由梅、陸，是猶喜蓬戶之容膝而不知有建章千門之鉅麗，愛葉舟之抓浪而不知有龍驤萬斛之負載也。」（全集卷九十九〈跋李賈縣尉詩卷〉）故「後宗陸游」、「務為放翁體」。（以上各見方回《桐江集》卷四〈跋胡直內詩〉與《瀛奎律髓》卷二十一翁續古〈道上人房老梅〉詩批）。

註三三　參見胡傳安〈陸游的文學觀〉，《人文學報》第一期。

註三四　《詩稿》卷六十三，頁八八四。

註三五　《文集》卷三十〈跋花間集〉二首之二，頁一八六。

註三六　《桐江集》卷三〈滄浪會稽十詠序〉，頁二九三。

註三七　薛雪《一瓢詩話》：「楊誠齋詆其（許渾）淺陋。」見《清詩話》，頁八九九。

註三八　舒位《瓶水齋詩話》：「嘗論七律……至宋陸放翁專工此體而集其成。」見《清詩話訪佚初編》三，頁八四。

註三九　方回《瀛奎律髓》卷十四許渾〈曉發鄞江北渡寄崔韓二先輩〉詩批，頁一四九。

註四〇　《詩稿》卷十二〈北窗〉，頁二一二。

註四一　《詩稿》卷四〈送客至江上〉，頁六一。
註四二　《詩稿》卷七十二〈秋晚〉，頁一〇〇四。
註四三　葉紹翁與張良信的詩句，參見錢鍾書《宋詩選註》，頁二九五；欒雷發的詩句見同書，頁三〇七。
註四四　《四朝見聞錄》丙集：「敖陶孫……其詩率多效陸務觀。」見《四庫全書》本，頁一〇。
註四五　《誠齋集》卷二十七〈和陸務觀見賀歸館之韻〉，頁二五一。
註四六　《誠齋集》卷十九〈和陸務觀惠五言〉，頁一八三。
註四七　《後村先生大全集》卷三十六〈題放翁像〉二首之一，頁三〇六。
註四八　《後村詩話》前集卷三。
註四九　《直齋書錄解題》卷十八，頁八四六。
註五〇　見方回《桐江續集》卷三十二〈桐江續集序〉，頁六六一。
註五一　孫克寬〈元方回詩與詩論〉，《東海學報》一卷一期。
註五二　許清雲《方虛谷之詩及其詩學》，頁三一四。
註五三　許清雲《方虛谷之詩及其詩學》，頁二五六。
註五四　《淳熙稿》卷十二〈呈陸嚴州〉，頁二七。
註五五　《石屏詩集》卷六〈讀放翁先生劍南詩草〉，頁一〇八。
註五六　《瀛奎律髓》卷二十三陸游〈登東山〉詩批，頁三一一。

註五七　《瀛奎律髓》卷十六曾幾〈長至日述懷兼寄十七兄〉詩批，頁一七六。

註五八　《桐江續集》卷九〈讀放翁詩作〉，頁三二〇。

註五九　據黃啟方先生〈論方回之詩學〉一文中的統計，所錄陸詩，五言有六十首，七言有一百二十五首，收入《兩宋文史論叢》，頁五八一。

註六〇　以下所引文皆見於卷一百六十七、一百六十八中。

註六一　吳之振《宋詩鈔》序。

註六二　《歐庵集》卷四〈徐文長傳〉，偉文圖書出版社，頁一七六一。

註六三　《袁中郎全集》卷一，尺牘〈答陶石簣〉，清流出版社，頁一〇〇。

註六四　《雅倫》卷二〈陸放翁體〉，《陸游卷》，頁一三七。

註六五　《誠意伯文集．覆瓿集》卷七〈題陸放翁晚興詩後〉，《四庫全書薈要》本，頁二九五。

註六六　頁二〇五。

註六七　李東陽《懷麓堂詩話》：「陸務觀學白樂天」（見上）；胡應麟《詩藪．外篇》卷五：「宋之……學白樂天者王元之、陸放翁。」（頁六二三）。

註六八　《藝苑卮言》卷四，見《歷代詩話續編》，頁一〇一八。

註六九　同註六八。

註七〇　錢仲聯《劍南詩稿校注》（一）前言，頁一。

註七一　參見何明穎《擇石詩研究》，頁五二。
註七二　王士禛《池北偶談》卷十一，《四庫全書》本，頁十二。
註七三　鄭方坤《清朝詩人小傳》卷二，頁一三六。
註七四　見《談藝錄》，頁三一——三二。

結語

以上從背景、淵源、詩論、內容、寫作技巧、風格、缺點、詩史上的地位與影響等，探討陸游詩及與其詩有直接關係者。

陸游生於北宋被金國滅亡、朝廷南遷後仍受其威脅的時代。當權者「自紹興以來，主和議、增歲幣，送尊號，括民膏，戮大將」（註一），民心士氣因之萎靡，令有志之士，慨嘆不已。由此時代環境，就產生與和平時不同的詩與詩論。再就詩壇情況而言，當時江西詩派漸露弊端，或另尋蹊徑，或學晚唐詩以對抗。陸游一面接觸江西詩法，而終擺脫其藩籬，同時對晚唐詩風也不屑重視。又，陸游生長於書香世家，從其父受到愛國思想的影響。初，進京考試，以直語觸秦檜，被罷黜；即出仕後，又因政治主張，一再受到主和派與權奸的排擠。後歷夔州通判，在南鄭過從戎生活，其北進策不為採納，在成都等地，放浪形骸，語多慷慨悲壯。嗣又先後歷任地方官，晚年長期住故鄉，安貧自樂，寫了平淡風的田園閑適詩。此則詩人的生平遭遇影響詩歌創作者。

陸游寫詩，轉益多師，不專主一家，作詩的淵源上，給陸詩較大影響的古今詩人，有屈原、陶潛、杜甫、梅堯臣，以及江西詩派（尤其是呂本中與曾幾）。陸游由師事曾幾、私淑呂本中，接觸江西詩法，主要受到他們曉暢流動風格的影響；吸取該派追求語言生新的精神，而揚棄「過於出奇」的缺點。陸游入蜀，更共鳴於杜甫的憂國思想與身世遭遇，繼承沈鬱悲壯的風格，發展七言律詩的精嚴詩律。他還學習梅堯臣五古的精深特色與屈原馳騁想像力的表現手法。陸游晚年詩常以平淡樸素的語言描繪田園風物與鄉村人情，此蓋受到陶潛詩的影響。此外，李白、岑參、蘇軾等也為他所推崇，詩中頗多相似之處。陸游廣泛取法古今詩人，而出之以自己獨特的面貌。

陸游的詩論中，較重要的有「悲憤說」、「工夫論」、「自然論」、「欣賞論」。「悲憤說」是一種作詩的動機論，出於陸游自己的切身體驗。陸游重視「詩外工夫」，批判當時以詩自許者的風節與只注重「詩內工夫」的詩人。自然的表現，不僅僅是他心目中的理想的境界，還由於有見於當時詩人刻意彫飾的弊端而提出「自然論」。他的「欣賞論」批判當時人的解詩只注意字句的出處，還主張效法聖賢事跡而加以實踐。上述中後三者都針對當時詩壇的弊端而發，不僅詩論如此，他在實際創作中也證實了。

陸游詩的題材極其廣泛，其詩主要內容，有「憂國」、「田園」、「倫情」、「自然景物」、「方外」、「紀夢」等，而全部作品中所貫串的是「遠隔世界」裡的心態。

憂國詩在內容上又可分為傷時憂世、立志救國、壯志未酬等三類。陸游生逢亂世，目睹現實中的諸問題，一再慨歎中原的淪陷、君臣將帥的柔弱安逸、民生的疾苦、學術思想的衰靡，以及風俗的頹墮等。他不僅擔憂與批判，還對若干問題表明了改革的意見。陸游早就立志為國平胡取舊山河，但朝廷始終由主和派掌握，無法實現理想與抱負，因此作品中常流露壯志未酬的悲憤，而其愛國思想平生不渝。此類詩，表現手法多樣化，或從正面抒情敘論，或借題發揮，或因物起興，或用對比手法，或憶古傷今等，頗見特色。

陸游的歸鄉大都是由於當權者的排斥所致。他藉著「閉門」的象徵，追求心安身適，還在田園生活中接觸溫馨的人情世界，得到安慰。陸游的田園詩的內容，大致可分為二類：敘述田園生活與心境者和描寫田園景色與農民生活者。

陸游無論對家人，還是對朋友，終其一生都始終不渝其深情。他念念不忘前妻唐琬，有不少詩篇中表露深摯感情與內心創痛。陸游還在更多的詩篇中抒寫天倫之情，以教育兒孫、共處之樂、相離之苦為主要內容。陸游交遊甚廣，特與韓元吉、張季長、周必大等一生秉持深厚交誼。

陸游在宦途上不得志，四處奔波，或在山水自然中尋求寄託，暫忘苦悶，或藉愛花詠花以得慰藉，或在與大自然的諧和中求得自適。

陸游生長在信奉道教的家庭，出仕後，經歷理想的挫折，更嚮往求仙、服食，還實地做過煉丹的工作。他入蜀後深感不得志，漸嚮往佛教，晚年更欲以佛解憂，求得隨緣而安。

大量的紀夢詩是陸游詩中一大特色，按其主題，有平戎夢、遠遊夢、方外夢、自適夢、倫情夢，以及故鄉夢等六類。清醒時所詠之題材，大都亦見於夢詩中，現實中無法實現的，都在夢中得到報償。

陸游在詩中常表現他處在遠隔時空裡的痛苦。他既不肯隨意流俗，則在另外世界中求安慰，就遍及現實世界（倫情）、自然界、方外世界，以及超現實世界，力求調劑心理創痛。他還執意固守「癡頑」與「狂」兩種處世方式，面對現實，仍積極追求理想，這就是陸游詩所呈現的生命境界。

至於就陸游詩的寫作技巧而言，其語言大抵以平明自然為特色，俗語、感慨語、重字等的運用也都頗見其特色。平明自然是陸游詩在語言風格上與江西詩派不同的特色；提煉俗語，追求語言創新，但不像楊萬里在運用上只以前人用者為限、俚俗過甚；由於身世遭遇，詩中常見感慨語，作詩忌重字，但陸詩反能由此見其工。

在句法方面，他變化使用散化句、頓挫句、排比句，以增加詩意的密度，加強感人力量。陸游尤長於對仗，即工整且變化豐富，又有自然流麗的特色，正堪代表宋人律句。陸游的用典，取材廣博，自然貼切，很少用僻典，尤工於用典屬對。此外，如夸飾、對比、比喻等，也都用得適切，表現出更加深刻的詩意。

陸游詩風格多樣化，其中最主要者，則可舉豪邁悲鬱、清淡圓潤，以及敷腴工麗等三類。第一類，大都見於抒發憂國壯志的作品，大致上直敘胸臆，善用夸飾手法與錯綜句法。第二類作品運用清淡樸素的語言，呈現流暢圓轉的美。第三類，多見於描繪豐腴的生活感情與美麗的自然景色的作品中。這三種既能代表陸游詩的風格，也是陸游在江西詩派的枯淡、寡味、生澀詩風之外所樹立的自我特色。

陸游詩的缺點，可舉詞語複疊、句法雷同、對仗傷巧、體調滑易、命題欠煉等五項。首二類與最後一類，大概由於晚年寫作太多，寫詩如寫日記，就難免重複出現，或欠鍛煉。陸游的對仗，有時因先得佳句以後完成一聯，乃至於失卻同聯或全首之中的均衡美。還有，流暢風格本為黃庭堅等江西詩派生澀詩風的對症之藥，而往往矯枉過正，就露出了弊端。這些確是陸游詩的缺憾，但絕不可以此幾點，就否定陸游詩全盤的成就。

至於陸游在詩史上的地位與對後世詩人的影響，首先從陸游與江西詩派三宗詩的比較中，可見其從江西派入而不從江西派出的成就。陸游當時與楊萬里、范成大、尤袤等並稱為南宋四大家，但在宋代已有數人推尊陸游為南宋第一。陸游還給一些江湖派詩人（如劉克莊、戴復古、蘇泂等）以甚大的影響。其後，自元代方回，至於清末民初的王國維，每一朝代均不乏學習陸游詩的人，由此可肯定陸游在詩史上獨具一格，擁有鞏固不動的地位。

【附　註】

註　一　鄭燮《板橋集》〈范縣署中寄舍弟墨第五書〉，頁一六。

重要參考書目

一

陸放翁全集	宋・陸游	世界書局
澗谷精選陸放翁前集、須溪精選後集、別集	宋・羅椅、劉辰翁 明・劉景寅	商務印書館四部叢刊本
劍南詩鈔	顧佛影評註	曾文出版社
劍南詩校注	錢仲聯	古籍出版社
陸游年譜	歐小牧	木鐸出版社
陸游年譜	于北山	古籍出版社
陸游傳	朱東潤	古籍出版社
陸游評傳	劉維崇	正中書局
陸游	張　健	河洛圖書出版社

陸放翁別傳　陳香　國家出版社
陸游卷　孔凡禮、齊治平　中華書局

二

詩經　藝文印書館十三經注疏本
論語　藝文印書館十三經注疏本
孟子　藝文印書館十三經注疏本

三

史記　漢・司馬遷　鼎文書局
漢書　東漢・班固　鼎文書局
後漢書　劉宋・范曄　鼎文書局
晉書　唐・房喬等　鼎文書局
南齊書　梁・蕭子顯　鼎文書局
南史　唐・李延壽　鼎文書局
新唐書　宋・歐陽修等　鼎文書局
五代史記　宋・歐陽修　鼎文書局
宋史　元・脫脫等　鼎文書局

直齋書錄解題	宋・陳振孫	商務印書館四庫全書本
四庫全書總目提要	清・紀　昀	藝文印書館
宋　史	方　豪	中國文化學院出版部
宋史新編	柯維琪	新文豐出版公司
清代詩人小傳	鄭方坤	廣文書局

四

莊子集釋	清・郭慶藩	河洛圖書出版社
管子校正	清・戴　望	世界書局諸子集成本
列子集釋	楊伯峻	明倫出版社
景德傳燈錄	宋・道　原	眞善美出版社
世說新語校箋	楊　勇	明倫出版社
拾遺記	劉宋・王嘉	崇文書局

五

楚辭補注	宋・洪興祖	藝文印書館
陶靖節全集注	清・陶　澍	世界書局
李太白全集	唐・李　白	商務印書館四部叢刊本

杜詩詳註　清・仇兆鰲　里仁書局
韓昌黎文集校注　馬其昶　世界書局
小畜集　宋・王禹偁　商務印書館四部叢刊本
宛陵先生集　宋・梅堯臣　商務印書館四部叢刊本
蘇軾詩集　宋・蘇　軾　學海出版社
山谷集　宋・黄庭堅　世界書局四庫全書薈要本
后山詩註　宋・任　淵　商務印書館四部叢刊本
後山詩註補箋　冒廣生　廣文書局
東萊先生詩集　宋・呂本中　商務印書館四部叢刊編本
茶山集　宋・曾　幾　聚珍叢書本
陳簡齋詩集合校彙注　鄭　騫　聯經出版事業公司
誠齋集　宋・楊萬里　商務印書館四部叢刊本
白石道人詩集　宋・姜　夔　商務印書館四部叢刊本
攻媿集　宋・樓　鑰　商務印書館四部叢刊本
龍川文集　宋・陳　亮　中華書局四部備要本
淳熙稿　宋・趙　蕃　商務印書館四庫全書本

石屏詩集	宋・戴復古	商務印書館四部叢刊本
後村先生大全集	宋・劉克莊	商務印書館四部叢刊本
桐江集	元・方　回	元代珍本文集彙刊本
桐江續集	元・方　回	商務印書館四庫全書珍本初集
剡源集	元・戴表元	商務印書館四庫全書本
曝書亭集	清・朱彝尊	商務印書館四部叢刊本

六

全上古三代秦漢三國六朝文	清・嚴可均編	世界書局
全漢三國晉南北朝詩	丁福保編	藝文印書館
文　選	梁・蕭　統	漢京文化事業有限公司
全唐詩	清・康熙敕修	明倫出版社
宋詩鈔	清・吳之振等	世界書局
宋詩鈔補	清・管庭芬等	世界書局
兩宋名賢小集	宋・陳思編	商務印書館四庫全書珍本
宋詩精華錄	清・陳　衍	廣文書局
宋詩選注	錢鍾書	木鐸出版社

七

文心雕龍注　范文瀾　明倫出版社
歷代詩話　何文煥編　藝文印書館
歷代詩話續編　丁福保編　木鐸出版社
滄浪詩話校釋　郭紹虞　河洛圖書出版社
詩人玉屑　宋・魏慶之　商務印書館
後村詩話　宋・劉克莊　廣文書局
苕溪漁隱叢話　宋・胡仔　長安出版社
瀛奎律髓　元・方回　商務印書館四庫全書珍本
詩藪　明・胡應麟　廣文書局
清詩話　丁福保編　藝文印書館
清詩話續編　郭紹虞編　木鐸出版社
清詩話訪佚初編　杜松柏主編　新文豐出版公司
甌北詩話　清・趙翼　廣文書局
北江詩話　清・洪亮吉　廣文書局
昭昧詹言　清・方東樹　廣文書局

藝概　清・劉熙載　廣文書局

湘綺樓說詩　王闓運　廣文書局

石遺室詩話　清・陳衍　商務印書館

八

中國文學發展史　劉大杰　中華書局

中國文學史　葉慶炳　學生書局

國文學流變史　李曰剛　聯貫出版社

中國文學批評史　郭紹虞　明倫出版社

中國文學批評史　羅根澤　學海出版社

中國文學批評史大綱　朱東潤　開明書店

中國文學論集・續編　徐復觀　學生書局

宋詩概論　嚴恩紋　華國出版社

宋詩概說　吉川幸次郎著、鄭清茂譯　聯經出版事業公司

宋詩研究　胡雲翼　宏業書局

宋詩派別論　梁昆　東昇出版事業公司

文學批評論集　張健　學生書局

中國文學批評論集　張　健　天華出版社
宋金四家文學批評研究　張　健　聯經出版事業公司
談藝錄　錢鍾書　坊本
管錐篇　錢鍾書　坊本
兩宋文史論叢　黃啟方　學海出版社
清代詩學初探　吳宏一　牧童出版社
中國詩學　黃永武　巨流圖書公司
詩詞散論　繆　鉞　開明書店
修辭學　黃慶萱　三民書局
古詩文修辭例話　路燈照、成九田　商務印書館
詩詞例話　周振甫　長安出版社
中國詩律研究　王　力　文津出版社
北宋文學批評資料彙編　黃啟方　成文出版社
南宋文學批評資料彙編　張　健　成文出版社
黃庭堅和江西詩派卷　九思出版社
楊萬里范成大卷　明倫出版社

宋詩論文選輯　九　黃永武編　復文圖書出版社
詩聖杜甫對後世詩人的影響　胡傳安　幼獅文化事業公司
李義山詩析論　張淑香　藝文印書館
李商隱研究　吳調公　明文書局
宋代詩話的詩法研究　郭玉雯　台灣大學博士論文
黃山谷的詩與詩論　李元貞　台灣大學文史叢刊
江西詩派研究　莫礪鋒　齊魯書社
江西詩社宗派研究　龔鵬程　文史哲出版社
范成大研究　張劍霞　學生書局
陸游研究　朱東潤　中華書局
白樂天陸游兩家較析　梁厚建　復文圖書出版社
放翁詞編年箋注　夏承燾、吳熊和　木鐸出版社
楊萬里生平及其詩之研究　陳義成　文化大學博士論文
方虛谷之詩及其詩學　許青雲　東吳大學博士論文
擇石詩研究　何明穎　輔仁大學碩士論文

古今圖書集成　清・陳夢雷編　鼎文書局

夢的解析　佛洛依德著、賴其萬等譯　志文出版社

十

愛國詩人陸放翁　李曰剛　中華文化復興月刊六卷九期

放翁晚年愛國詩歌的昇華　禚夢庵　中華詩學四卷六期

陸游詩評　張用寰　中華詩學四卷六期

陸游的詩　張　健　收入《中國文學與思想散論》，商務印書館

劍南詩稿族友考　王靜芝　中山學術文化集刊六集

陸游的詩教　陳　香　中華文化復興月刊五卷九期二月三日

愛國志士與超然逸士—為陸放翁辨正　杜邁可（Michael S. Duke）聯合報副刊，民國六十九年二月三日

再論宋詩及江西詩派與陸放翁　亦　如　暢流十三卷四期

陸游、辛棄疾成名的時代背景與心理因素　郭有遹　中山學術文化集刊二十六、二十七、二十八集

陸游的文學理論研究　張　健　國立編譯館館刊八卷一期

陸游詩歌藝術探源　袁行霈　收入《中國詩歌藝術研究》，五南圖書出版公司

嚴羽詩論與江湖詩人之關係　黃景進　中外文學十四卷一期

詞的對比技巧初探　王熙元　收入《古典文學》第二集，學生書局

元・方回詩與詩論　孫克寬　東海學報一卷一期

論陸機的詩　廖蔚卿　收入《中國古典文學研究叢刊—詩歌之部一、》，巨流圖書公司

南朝詩的修辭特色　王次澄　收入《古典文學》第四集，學生書局

十一

陸　游　小川環樹　筑摩書房

陸　游　前野直彬　集英社

詩語としての「狂」と柳耆卿の詞　宇野直人　中國文學研究第九期

A1212	臺灣民間傳統孝服制度研究	徐福全著	⑱平一	700.00
A1213	褚遂良書學之研究	鄭峰明著	⑱平一	250.00
A1214	漢武洞冥記研究	王國良著	⑱平一	100.00
A1215	韓歐詩文比較研究	汪　淳著	⑱平一	420.00
A1216	敦煌的唐詩續編	黃永武.施淑婷著	⑱	240.00
A1217	清季留學政策初探	陳瓊瑩著	⑱平一	160.00
A1218	山水詩人謝靈運	李森南著	⑱平一	150.00
A1219	中國文學批評論集	楊松年著	⑱平一	150.00
A1220	韓國詩話中有關杜甫及其作品	金英蘭著	⑲平一	220.00
A1221	詩經毛傳鄭箋辨異	文幸福著	⑱平一	280.00
A1222	魏晉學術思想研索	江建俊著	平一	待出版
A1223	中國古代文學創作論	張少康著	⑲平一	300.00
A1224	宋詩之傳承與開拓	張高評著	⑲平一	420.00
A1225	杜詩流傳韓國考	李立信著	⑳平一	220.00
A1226	海內十洲記研究	王國良著	⑲平一	待出版
A1227	辛亥革命與臺灣早期抗日運動(1911-1915)	蔣子駿著	⑲	220.00
A1228	老子中庸思想	曾爲惠著	⑲平一	250.00
A1229	中日關係史研究論集(一)	鄭樑生著	⑲平一	160.00
A1230	契丹族系源流考	趙振績著	⑳平一	280.00
A1231	王思任文論及其年譜	陳飛龍著	⑳平一	180.00
A1232	文心雕龍新探	張少康著	⑳平一	240.00
A1233	談俗説戲	汪志勇著	⑳平一	250.00
A1234	文心雕龍新論	王更生著	⑳平一	280.00
A1235	王國維詞論研究	葉程義著	⑳平一	400.00
A1236	陸游詩研究	李致洙著	⑳平一	320.00
A1237	清初三帝消滅漢人民族思想之策略	薛文郎著	⑳平一	150.00
A1238	中國書法用筆與篆隸研究	譚興萍著	⑳平一	300.00
A1239	魯迅與「左聯」	周行之著	⑳平一	180.00
A1240	文心雕龍與現代修辭學	沈　謙著	⑳平一	300.00
A1241	艾廬文史論述	涂公遂著	⑳平一	300.00

文史哲學術叢刊

A3001	宋代書院與宋代學術之關係	吳萬居著	⑳平一	320.00
A3002	黃遵憲及其詩研究	張堂錡著	⑳平一	260.00
A3003	「唐詩」、「宋詩」之爭研究	戴文和著	⑳平一	320.00
A3004	明初大儒方孝孺研究	姬秀珠著	⑳平一	200.00
A3005	敦煌寫卷書法研究	焦明晨著	⑳平一	280.00

A1174	莊子思想及其藝術精神之研究	鄭 峰 明著	⑦⑥平一	140.00
A1175	杜甫傳記唐宋資料考辨	陳 文 華著	⑦⑥平一	240.00
A1176	讀易小識	朱 曉 海著	⑦⑦平一	160.00
A1177	續齊諧記研究	王 國 良著	⑦⑥平一	100.00
A1178	朱子詩中的思想研究	申 美 子著	⑦⑦平一	280.00
A1179	唐代戰爭詩研究	洪 讚著	⑦⑥平一	340.00
A1180	皎然詩式研究	許 清 雲著	⑦⑦平一	180.00
A1181	雙漸蘇卿故事考	李 殿 魁著	⑦⑦平一	220.00
A1182	隨園及其性靈詩說之研究	司 仲 敖著	⑦⑦平一	200.00
A1183	詩佛王維研究	楊 文 雄著	⑦⑦平一	280.00
A1184	魏晉詠物賦研究	廖 國 棟著	⑦⑨平一	420.00
A1185	羅振玉敦煌學析論	林 平 和著	⑦⑦平一	220.00
A1186	袁枚研究	簡 有 儀著	⑦⑦平一	280.00
A1187	中國近代女子教育史(1865－1945)	盧 燕 貞著	⑦⑦平一	200.00
A1188	魏晉石刻文學考釋	葉 程 義著	平一	900.00
A1189	中國文學評論史編寫問題論析 —晚明至盛清詩論之考察	楊 松 年著	⑦⑦平一	300.00
A1190	雙漸與蘇卿故事研究	齊 曉 楓著	⑦⑦平一	160.00
A1191	六朝志怪小說考論	王 國 良著	⑦⑦平一	240.00
A1192	捻亂及清代之治捻	柯 上 達著	⑦⑦平一	340.00
A1193	中國印刷術的發明及其影響	張 秀 民著	⑦⑦平一	240.00
A1194	陳師道及其詩研究	范 月 嬌著	⑦⑦平一	360.00
A1195	明初越派文學批評研究	龔 顯 宗著	⑦⑦平一	240.00
A1196	梅鷟辨僞略說及尚書考異證補	傅 兆 寬著	⑦⑦平一	240.00
A1197	先秦儒家詩教思想研究	康 曉 城著	⑦⑦平一	250.00
A1198	江永聲韻學評述	董 忠 司著	⑦⑦平一	400.00
A1199	方望溪文學研究	姚 翠著	⑦⑦平一	240.00
A1200	中國修辭學史	鄭 子 瑜著	⑦⑨平一	400.00
A1201	中國經學發展史論（上）	李 威 熊著	⑦⑦平一	240.00
A1202	楚辭論集	翁 世 華著	⑦⑦平一	200.00
A1203	乾坤傳識	林 漢 仕著	⑦⑦平一	220.00
A1204	史傳所見三國人物曹操劉備孫權之研究	吳玉蓮著	⑦⑦	220.00
A1205	破繹《長恨歌》之謎—楊貴妃史辨	賈 恩 洪著	⑦⑧平一	150.00
A1206	朗誦研究	林 文 寶著	⑦⑧平一	180.00
A1207	敦煌寫卷新集文詞九經抄研究	鄭 阿 財著	⑦⑧平一	300.00
A1208	孫中山先生革命與香港	李 進 軒著	⑦⑧平一	120.00
A1209	沈約其學術研究	姚 振 黎著	⑦⑧平一	200.00
A1210	顏延之及其詩文研究	黃 水 雲著	⑦⑧平一	200.00
A1211	清代木蘭圍場的探討	羅 運 治著	⑦⑧平一	250.00

A1135	說詩晬語詮評	蘇 文 擢著	(74)平一	320.00
A1136	魏晉四家易研究	簡 博 賢著	(75)平一	150.00
A1137	呂東萊之文學與史學	劉 昭 仁著	(75)平一	240.00
A1138	齊梁麗辭衡論	陳 松 雄著	(75)平一	400.00
A1139	韓非的法治思想及其歷史意義	蔡 英 文著	(75)平一	220.00
A1140	嚴羽及其詩論之研究	黃 景 進著	(75)平一	220.00
A1141	南宋高宗偏安江左原因之探討	張 峻 榮著	(75)平一	140.00
A1142	桓譚研究	董 俊 彥著	(75)平一	200.00
A1143	陽明學對韓國的影響	鄭 德 熙著	(75)平一	160.00
A1144	文心雕龍術語探析	陳 兆 秀著	(75)平一	180.00
A1145	中國古代公文書之流衍及範例	謝 朝 栻著	(75)平一	160.00
A1146	元明時代東傳日本的水墨畫	鄭 樑 生著	(75)平一	150.00
A1147	清朝初期的中韓關係	劉 家 駒著	(75)平一	320.00
A1148	莊子哲學中天人之際研究	金 白 鉉著	(75)平一	160.00
A1149	清初杜詩學研究	簡 恩 定著	(75)平一	220.00
A1150	春秋宋學發微	宋 鼎 宗著	(75)平一	280.00
A1151	歐陽脩蘇軾辭賦之比較研究	陳 韵 竹著	(75)平一	200.00
A1152	朱彝尊之詞與詞學研究	蘇 淑 芬著	(75)平一	220.00
A1153	王夫之詩論研究	楊 松 年著	(75)平一	200.00
A1154	劉銘傳參與平吳剿捻戰役之探討	張 延 中著	(75)平一	200.00
A1155	孔子之喜怒哀樂	黃 紹 祖著	(76)平一	240.00
A1156	王寵惠與近代中國	余 偉 雄著	(76)平一	280.00
A1157	中國文字義符通用釋例	韓 耀 隆著	(76)平一	320.00
A1158	史漢關係	吳 福 助著	(76)平一	100.00
A1159	李攀龍研究	許 建 崑著	(76)平一	300.00
A1160	司馬遷的創作意識與寫作技巧	范 文 芳著	(76)平一	200.00
A1161	文心雕龍與佛教關係之考辨	方 元 珍著	(76)平一	120.00
A1162	楚辭考校	翁 世 華著	(76)平一	280.00
A1163	晚清自強運動軍備問題之研究	廖 和 永著	(76)平一	140.00
A1164	人物志及注校證	郭 模著	(76)平一	200.00
A1165	元雜劇所反映之時代精神	耿 湘 沅著	(76)平一	150.00
A1166	多音字分讀研究	王 志 成著	(76)平一	400.00
A1167	唐代對西域之經營	包 慧 卿著	(76)平一	120.00
A1168	宋代書目考	喬 衍 琯著	(76)平一	160.00
A1169	今語釋詞例	方 師 鐸著	(76)平一	200.00
A1170	國語語法研究	何 永 清著	(76)平一	180.00
A1171	南宋詞研究	王 偉 勇著	(76)平一	400.00
A1172	劉知幾史通之研究	林 時 民著	(76)平一	160.00
A1173	李義山詩研究	黃 盛 雄著	(76)平一	200.00

文史哲學集成

A1101	駢文學	張仁青著	⑦③平二	400.00
A2101	駢文學	張仁青著	⑦③精一	460.00
A1102	齊梁詩探微	盧清青著	⑦③平一	200.00
A1103	梁啓超與戊戌變法	吳八駿著	⑦③平一	150.00
A1104	春秋三傳考異	謝秀文著	⑦③平一	180.00
A1105	由隱逸到宮體	洪順隆著	⑦③平一	100.00
A1106	呂氏春秋八覽研究	吳福相著	⑦③平一	180.00
A1107	中國近代海軍史論集	王家儉著	⑦③平一	280.00
A1108	民俗文化的歸向	李威熊著	⑦③平一	100.00
A1109	陶淵明詩説	宋丘龍著	⑦③平一	240.00
A1110	庾信生平及其賦之研究	許東海著	⑦③平一	240.00
A1111	詩經關鍵問題異議的求徵	朱子亦著	⑦③平一	280.00
A1112	韓非的法學與文學	徐漢昌著	⑦③平一	180.00
A1113	賈誼研究	蔡延吉著	⑦③平一	200.00
A1114	論孟章句辨正及精義發微	周浩治著	⑦③平一	180.00
A1115	明沐氏與中國雲南之開發	辛法春著	⑦④平一	260.00
A1116	京本通俗小説新論及其他	那宗訓著	⑦④平一	100.00
A1117	禮記天地鬼神觀研究	方俊吉著	⑦④平一	100.00
A1118	漢唐貴族與才女詩歌研究	張修蓉著	⑦④平一	180.00
A1119	朱學論叢	龔道運著	⑦④平一	240.00
A1120	明代中日關係研究	鄭樑生著	⑦④平一	600.00
A2120	明代中日關係研究	鄭樑生著	⑦④精一	720.00
A1121	神異經研究	王國良著	⑦④平一	100.00
A1122	宋詞音系入聲韻部考	金周生著	⑦④平一	320.00
A1123	中國舊石器時代	孫鐵剛著	⑦④平一	200.00
A1124	夏小正析論	莊雅州著	⑦④平一	200.00
A1125	儒家樂教思想研究	張蕙慧著	⑦④平一	200.00
A1126	史記述尚書研究	古國順著	⑦④平一	360.00
A1127	敦煌本古類書語對研究	王三慶著	⑦④平一	360.00
A1128	無生老母信仰溯源	鄭志明著	⑦④平一	240.00
A1129	永樂大典及其輯佚書研究	顧力仁著	⑦④平一	420.00
A1130	僧肇思想研究	劉貴傑著	⑦④平一	160.00
A1131	杜甫詩學探微	陳偉著	⑦④平一	160.00
A1132	邃加室講論集	蘇文擢著	⑦④平一	320.00
A1133	陸宣公之政事與文學	陳松雄著	⑦④平一	120.00
A1134	曹子建詩的詩經淵源研究	毛炳生著	⑦④平一	120.00